七百年來《白虎通》考據成果與商榷

周德良著

文史哲學集成
文史哲出版社印行

國家圖書館出版品預行編目資料

七百年來《白虎通》考據成果與商榷 / 周德良著.
-- 初版.-- 臺北市：文史哲, 民 108.08
頁； 公分（文史哲學集成；723）
ISBN 978-986-314-485-4（平裝）

1.經學 2.研究考訂

071.2 108014354

文史哲學集成 723

七百年來《白虎通》考據成果與商榷

著　者：周　德　良
出版者：文史哲出版社
http:// www.lapen.com.tw
e-mail：lapen@ms74.hinet.net
登記證字號：行政院新聞局版臺業字五三三七號
發行人：彭　正　雄
發行所：文史哲出版社
印刷者：文史哲出版社
臺北市羅斯福路一段七十二巷四號
郵政劃撥帳號：一六一八〇一七五
電話886-2-23511028・傳真886-2-23965656
定價新臺幣四六〇元
二〇一九年（民一〇八）八月初版

著財權所有・ 侵權者必究

ISBN 978-986-314-485-4 01723

自 序

二十五年前，我與《白虎通》結下不解之緣。我的碩士論文題目：《《白虎通》讖緯思想之歷史研究》，乃是將《白虎通》文本置於東漢白虎觀會議之歷史框架中，歸納《白虎通》引述讖緯條文，進行讖緯思想歷時性之探原與詮釋；博士論文題目：《《白虎通》研究——《白虎通》暨《漢禮》考》，一方面詮釋《白虎通》經學與讖緯思想之融合，建構《白虎通》之「經緯學述」，一方面考據《白虎通》與白虎觀會議之關係，釐正兩者不相應問題，再以《白虎通》比對東漢曹褒之《漢禮》，揭示兩者關係若合符節。本書題目：《七百年來《白虎通》考據成果與商榷》，則是延續個人近十餘年考據《白虎通》報告，全書專意分析並商榷七百年來考據《白虎通》之研究成果，勾勒七百年來考據《白虎通》之發展軌轍，最後提供個人意見與主張，就教於學者專家。

歷來學者多表肯定，東漢章帝詔開白虎觀會議，「通經釋義」、「講經議禮」，是漢代經學具體實踐之學術活動，在中國經學史上，擁有崇高地位；因此，東漢白虎觀會議事跡與卷帙，一直被視為考據東漢思想、文化、歷史之重要文獻，儼然成為東漢經學歷史之見證與典範。然而，自《後漢書》以降，一千九百年來，史書目錄稱呼白虎觀會議之卷帙文獻，舉凡書目名稱、作者姓名、卷帙篇數，卻是眾說紛紜，尤有甚者，章帝詔開白虎觀會議，乃是為解決當時經學問題，而《白虎通》卷帙內容，堪稱是部國憲法典，造成會議事跡與會議卷帙兩者不相應。時至今日，白虎觀會議事跡已經由經學活動，逐漸轉型為章帝制定禮憲之前置作業工程，而《白虎通》卷帙則由討論經學之資料彙編，一躍而成國憲法典之學理基礎；東漢白虎觀會議，原本一場盛況空前之經學饗宴，因為七百年前《白虎通》陡然問世，已被解讀為東漢經學博士與儒生為政治服務之具體實踐！

元代大德九年（1305），《白虎通》卷帙問世已逾七百年，若元大德本《白虎通》果真是白虎觀會議之文獻資料，則《白虎通》卷帙理應能內應章帝詔開白虎觀會議宗旨，外與東漢經學背景融為一體，會議事跡與會議卷帙相映成趣。然而，七百年來，《白虎通》卷帙既無法有效回應章帝詔書宗旨，亦無法解決東漢經學所面臨之時代問題，環繞於白虎觀會議之諸問題，不僅無法水到渠成，反而是製造會議事跡與會議卷帙不相應問題之始作俑者。因此，考據《白虎通》當務之急，不在強化、彌縫《白虎通》卷帙與白虎觀會議事跡間之關係，惟有劃清《白虎通》卷帙與白虎觀會議事跡界限，正視《白虎通》卷帙文本之類別屬性，還原《白虎通》本來名實，超越傳統樊籬與窠臼，方能破除《白虎通》是東漢白虎觀會議任一形式資料之迷思，開展研究《白虎通》之嶄新領域。

本書規劃撰寫至今十餘年，撰寫之初，為有利於發表或刊載，除第一、二章，其餘七章均以單篇論文形式撰寫，分別發表於學術研討會議，或刊載於會議論文集與期刊學報。惟每篇論文在發表過程中，接受諸多審查委員寶貴意見與批評，因此，刊載於期刊、會議論文集之論文，均有所修改、調整或補充。本書集結以上七篇論文，構成本書各章論述重點，為適應專書形式與格局，除力求首尾一貫、結構謹嚴之外，為統一各章節撰寫體例，再次修改與調整論文內容，並且極力刪除與避免重複引述文獻資料與論述內容。

本書付梓前夕，母親驟然逝世。五年前，母親以八十三歲孱弱身軀，承受中風病痛折磨，母親所有就醫與看護，全部依賴小妹寶玉日以繼夜、無微不至的細心照顧，小女靜彤則經常逗阿嬤歡笑，祈望舒緩阿嬤日益惡化的病情。

本書能夠順利出版，由衷感謝諸位論文審查與講評先生提供寶貴意見，協助完成本書；同時感謝淡江大學中文系全體教師與助理無私奉獻，積極推動並完成中文系辦公室業務，掩飾我平庸的行政能力。如果本書對於中國學術研究有絲毫貢獻，我願意將此獻給我的雙親，告慰兩位老人家在天之靈，並與家人共享這份成績。

周德良 於淡江大學中文系

2019年8月15日

IV　七百年來《白虎通》考據成果與商榷

七百年來《白虎通》考據成果與商榷

目 次

VI　七百年來《白虎通》考據成果與商榷

導　論

一、緣　起

《後漢書・章帝紀》載東漢建初四年（79），章帝下詔太常以下、諸生、諸儒會於白虎觀，講議《五經》同異，史稱「白虎觀會議」。章帝詔書揭櫫會議緣起於「《五經》章句煩多，議欲減省」，會議目的乃「欲使諸儒共正經義，頗令學者得以自助」，可知白虎觀會議因應時代需求而生，而會議之事跡與卷帙，適足以標誌東漢經學發展階之時代意義。東漢蔡邕（133-192）撰「上封事七條」，其第五事曰：

> 昔孝宣會諸儒於石渠，章帝集學士於白虎，通經釋義，其事優大，文武之道，所宜從之。[1]

蔡邕盛讚西漢宣帝石渠閣會議與東漢章帝白虎觀會議兩會之事跡，「其事優大」，兩會宗旨目的在「通經釋義」，樹立經學會議典範，在東漢末已成故事佳話。清代皮錫瑞（1850-1908）稱自西漢元帝、成帝至東漢時期，是中國經學之「極盛時代」；述及「白虎通議」，則與蔡邕文章遙相呼應。皮錫瑞《經學歷

1 （劉宋）范曄撰，（唐）李賢等注：《後漢書》（北京：中華書局，1965 年），卷六十下，〈蔡邕列傳〉，頁 1996-1997。

史》曰：

> 後世右文之主，不過與其臣宴飲賦詩，追〈卷阿〉矢音之盛事，未有能講經議禮者。惟漢宣帝博徵羣儒，論定五經於石渠閣。章帝大會諸儒於白虎觀，考詳同異，連月迺罷；親臨稱制，如石渠故事；顧命史臣，著為通義；為曠世一見之典。《石渠議奏》今亡，僅略見於杜佑《通典》。《白虎通議》猶存四卷，集今學之大成。十四博士所傳，賴此一書稍窺崖略。[2]

皮錫瑞稱石渠閣與白虎觀兩次會議，惟能「講經議禮」，是漢代經學具體落實之學術活動與實踐，在中國經學發展歷史中，表徵經學之時代意義，擁有崇高之象徵地位。相較於西漢石渠閣會議之「石渠議奏」，僅部分文獻留存於《通典》，[3]東漢白虎觀會議之「白虎通議」，「為曠世一見之典」，「集今學之大成」，「十四博士所傳，賴此一書稍窺崖略」，「白虎通議」是東漢經學發展之歷史見證，意義與價值更勝於「石渠議奏」。因此，東漢白虎觀會議事跡與卷帙，一直被視為考據東漢思想文化歷史，特別是經學、禮學、政治制度、訓詁學、讖緯思想之重要文獻。

然而，自東漢白虎觀會議以來，至今已逾一千九百年（79-2019），歷來史書目錄稱呼會議之卷帙文本，最基本之書目名稱、作者姓名、卷帙篇數，卻是眾說紛紜。以《後漢書》

2　（清）皮錫瑞：《經學歷史》（臺北：藝文印書館，1987年），頁117。

3　（漢）戴聖撰，（清）洪頤煊撰集：《石渠禮論》（臺北：藝文印書館，《百部叢書集成》，經典集林卷三）。《通典》可考石渠閣議佚文者，有十三則（或合併（二）、（三）兩則，為十二則）。

為例，記載關於白虎觀會議之事跡者詳，記載會議之卷帙者略；卷帙文獻或稱「白虎議奏」、「白虎通德論」、「通義」，不僅名稱分歧，尚且未見「白虎通」之名；[4]作者或謂班固，或謂史臣，亦未有定論；卷帙篇數始終付之闕如。若白虎觀會議之後果真有卷帙文獻留存，則范曄（398-445）記載不應疏失至此，甚至造成後世史書目錄記載白虎觀會議之卷帙眾說紛紜、無所適從。

尤有甚者，章帝詔開白虎觀會議宗旨目的，原是為解決當時經學發展所衍生之問題，所以白虎觀會議事跡之性質與卷帙之討論結果，理應屬於經學領域與範疇；然而，《白虎通》論述範圍極為廣泛，內容包含王者以下，至大夫、士之禮法制度，與國家整體之組織架構，因此現代諸多學者多表肯定：《白虎通》是部具體而微之國憲法典。時至今日，白虎觀會議事跡已經由原初之經學活動，逐漸轉型為章帝制定禮憲之前置作業工程，而《白虎通》卷帙由討論經學之資料彙編，一躍而成國憲法典之學理基礎？原本一場盛況空前之經學饗宴，如今已被解讀為東漢經學博士與儒生為政治服務之具體實踐！

雖然東漢白虎觀會議事跡與卷帙，一直被視為考據東漢思想文化之重要文獻，然而，自元代大德九年（1305）《白虎通》卷帙問世以來，環繞於白虎觀會議事跡與《白虎通》卷帙諸多不相應問題，並未因《白虎通》卷帙出現而獲得釐清，反而是擴大白虎觀會議事跡與《白虎通》卷帙之差異性。例如《四庫全書總目・子部・雜家類》評論「白虎通義」曰：

4 本書以「白虎通」之名，泛指白虎觀會議後之史書、藏書目錄或序跋文獻所指稱白虎觀會議任一形式之卷帙文獻。

> **方漢時崇尚經學，咸兢兢守其師承，古義舊聞，多存乎是，洵治經者所宜從事也。**[5]

《四庫全書總目》一方面肯定「白虎通義」是東漢白虎觀經學會議之資料彙編，是東漢經學歷史之縮影與時代之見證，一方面卻將「白虎通義」歸入「子部・雜家類」？《四庫全書總目》對於「白虎通義」之評語與目錄歸類兩者產生如此嚴重分歧，渾然不覺有異？《四庫全書總目》之目錄歸類與書目評論，正彰顯白虎觀會議事跡與卷帙兩者間之差異性。換言之，自元大德本《白虎通》問世七百年以來，不僅無法印證、消解沈積一千九百年環繞於白虎觀會議事跡與卷帙兩者間之不相應問題，反而是製造事跡與卷帙兩者間不相應問題之始作俑者。

二、研究目的

元大德本《白虎通》發行至今已逾七百年（1305-2019），七百年間，世人關注與研究《白虎通》卷帙之議題，依時間斷代大致可分三時期：一，出版期：元、明之際，著重校刊刻印之傳播工作；二，考據期：自清代盧文弨（1717-1795）據元大德本重新校刻《白虎通》，掀起一陣考據風潮，莊述祖（1751-1816）發其端，至民國初期洪業之後而稍歇；期間陳立（1809-1869）道光壬辰（1832）撰《白虎通疏證》，[6]全面疏

5 （清）紀昀等總纂：《四庫全書總目》（臺北：藝文印書館，1989 年），頁 2355-2356。

6 （清）陳立：《白虎通疏證》（臺北：廣文書局據光緒元年春淮南書局刊影印，1987 年）。

證《白虎通》，專心校釋集成，不務求辨難；[7]三，詮釋期：民國以降，研究者藉《白虎通》卷帙文本，致力還原東漢章帝詔開白虎觀會議之時代背景，並且援引卷帙旁通東漢經學、禮學、政治學、訓詁學、讖緯學等學術思想，管窺東漢學術樣貌。

白虎觀會議既是東漢經學最重要活動之一，而元大德本《白虎通》若是白虎觀會議之文獻資料，則《白虎通》卷帙理應能內應章帝詔開白虎觀會議宗旨，外合東漢經學發展背景，與東漢經學背景融為一體。然而，《白虎通》卷帙既無法有效回應章帝詔書宗旨，亦無法印證東漢經學所面臨之時代問題，若論定元大德本《白虎通》即是東漢白虎觀會議任一形式之資料文獻，則環繞於白虎觀會議事跡與《白虎通》卷帙兩者間之諸多不相應問題，勢必如影隨行。

清代桐城派古文家姚鼐（1732-1815），宣稱義理、考據、辭章，三者不可偏廢，即是說明考據工作在學術研究領域中之重要性。張心澂（？）嘗云，不辨別偽書有下列結果：

> （甲）史蹟方面：（一）進化系統紊亂，（二）社會背景混淆，（三）事實是非倒置，（四）由事實影響於道德及政治；（乙）思想方面：（一）時代思想紊亂，（二）學術源流混淆，（三）個人主張矛盾，（四）學者枉費精神；（丙）文學方面：（一）時代思想紊亂，進化源流混淆，（二）個人價值矛盾，學者枉費精神。[8]

---

7 陳立《白虎通疏證》自序曰：「祇取疏通，無資辨難，訪沖遠作疏之例，依河間述義之條，析其滯疑，通其結轄，集專家之成說，廣如綫之師傳。」（清）陳立：《白虎通疏證》，頁 2。

8 張心澂：《偽書通考》（臺北：明倫出版社，1973 年），頁 1。

歸納而言，人文學術研究若不辨別偽書，甚至據偽書以為真，依偽書以立言，不僅枉費學者個人精神與時間，嚴重者，可能造成詮釋歷史文化整體發展之紊亂與矛盾、時序錯置、是非顛倒，阻礙文化發展進程。故清代姚際恆（1647-1715？）宣稱：「學者於此真偽莫辨而尚可謂之讀書乎？是必取而明辨之，此讀書第一義也。」[9]故學術研究不可不辨別偽書。此外，勞思光提出研究哲學史之「基源問題研究法」時，認為哲學史必須滿足三個條件，「第一是事實記述的真實性」，「哲學史中所敘述的理論，必須盡量密合原著，而不失真。這就是所謂『真實性』；它是一切有關『史』的工作所必需滿足的條件」，[10]可知原著之真實性，是一切學術史觀之根本基礎。傅偉勳建構「創造的詮釋學」方法論中，將辯證對象分五個層次，第一層次「實謂」「基本上關涉到原典校勘、版本考證與比較等等基本課題」，「『實謂』層次所獲致的任何嶄新而證成（justified）的結論，立即多少影響上面四層的原有結論」，[11]故列考據之學為首要課題，可見考據工作對於學術研究具有舉足輕重之影響力。

鄭良樹《古籍辨偽學》自序言：

> 古籍辨偽學所研究的應該是古籍的作者、成書時代及附益等三方面的課題，通過這三方面的研究來鑑定古籍的

---

9 （清）姚際恆：《古今偽書考》（北京：中華書局據《知不足齋叢書》本排印，1985 年），頁 1。

10 勞思光：《新編中國哲學史》（臺北：三民書局，1991 年），第一冊，頁 13-14。

11 傅偉勳：《從創造的詮釋學到大乘佛學》（臺北：東大圖書公司，1990 年），頁 10。

> 真和偽。所謂真，是指古籍與作者或成書時代相符；所謂偽，是指其傳聞者和它確實的作者、成書時代相乖，甚至有附益的篇章和文字。一部傳聞為「真」的古籍，經過後人的考訂，有可能被判定為「偽」；相反的，一部被認為「偽」的古籍，經過後人的研究，也可能恢復其「真」的身份；因此，古籍辨偽學實際上應該包含來往的兩條研究路線，不但要研究「真」書，也要考訂「偽」書，是一門「真到偽」「偽到真」雙軌同時進行的學問。[12]

古籍卷帙之「真」、「偽」，乃是相應於作者與成書時代而言，對應即「真」，乖違即「偽」；因此辨別古籍真偽之工作，即在探究古籍卷帙與作者、成書時代之關係。古籍辨偽工作，不僅辨別古籍由真而偽，亦需辨別由偽而真之過程與成果。「偽書」之種類琳瑯滿目，造成偽書之原因亦不勝枚舉，明代胡應麟（1551-1602）《四部正譌》卷上綜合偽書之作，曰：

> 凡贗書之作，情狀至繁；約而言之，殆十數種。有偽作於前代而世率知之者，……有偽作於近代而世反惑之者，……有掇古人之事而偽者，……有挾古人之文而偽者，……有傅古人之名而偽者，……有蹈古書之名而偽者，……有憚於自名而偽者，……有恥於自名而偽者，……有襲取於人而偽者，……有假重於人而偽者，……有惡其人，偽以禍之者，……有惡其人，偽以誣之者，……有本非偽，人託之而偽者，……有

12 鄭良樹：《古籍辨偽學》（臺北：臺灣學生書局，1986年），「自序」，頁1。

> 書本偽，人補之而益偽者，……又有偽而非偽者，……又有非偽而實偽者，……又有當時知其偽而後世弗傳者，……又有當時記其偽而後人弗悟者，……又有本無撰人，後人因近似而偽託者，……又有本有撰人，後人因亡逸而偽題者。……。[13]

以上十數種偽書成因，多半出於後人刻意偽作產生，唯有少數如：「又有本無撰人，後人因近似而偽託者」、「又有本有撰人，後人因亡逸而偽題者」，此二類偽書，可能是後人無心或誤會所造成之結果。[14]以梁啟超（1873-1929）鑑別偽書之法考據《白虎通》，其中：「二、其書雖前代有著錄，然久經散佚，乃忽有一異本突出，篇數及內容等與舊本完全不同者什有九皆偽」，「三、其書不問有無舊本，但今本來歷不明者，即不可輕信」，「四、其書流傳之緒，從他方面可以考見，而因以證明今本題某人舊撰為不確者」，「八、書中所言確與事實相反者，則其書必偽」，[15]以上四種鑑別偽書之方法檢證《白虎

---

13 （明）胡應麟：《四部正譌》（臺北：世界書局，收錄於《偽書考五種》，1979年），頁 2-3。張心澂亦條列「作偽之原因」有九：（一）憚於自名；（二）恥於自名；（三）假重於人；（四）惡其人偽以禍之；（五）惡其人偽以誣之；（六）為爭勝；（七）為牟利貪賞；（八）因好事而故作；（九）為求名。《偽書通考》，頁 4。以上九項原因，皆是人為有意識、有動機目的之作偽。

14 張心澂條列「偽書之來歷」有九：（一）託古人之名；（二）蹈書之名；（三）傳古人之名；（四）掇古人之事；（五）挾古人之文；（六）竊取成作；（七）無撰人而偽託；（八）亡撰人而偽題；（九）誤認撰人。《偽書通考》，頁 2-4。前八項皆屬後人有意為之，唯第九項「誤認撰人」則屬非故意之誤會所造成之結果。

15 梁啟超舉鑑別偽書有十二例，除上述條外，尚有：「一、其書前代從未著錄或絕無人徵引而忽然出現者，什有九皆偽」，「五、真書原本，經前人稱引，確有左證，而今本與之歧異者，則今本必偽」，「六、其書題某人撰，而書中所載事蹟在本人後者，則其書或全偽或一部分偽」，「七、其書雖真，然一部

通》，足以鑑別《白虎通》卷帙諸多可疑之處。所謂《白虎通》之「偽」，並非指《白虎通》卷帙出於後人有意假借白虎觀會議之名而偽作，而是指《白虎通》卷帙與白虎觀會議事跡不相應，若視《白虎通》卷帙出於白虎觀會議之文獻資料，則是「偽」；同時，若《白虎通》非屬於白虎觀會議之文獻資料，則《白虎通》必有所本，因此，探究《白虎通》卷帙原本之作者、卷帙名稱與成書時代，方是還原《白虎通》之「真」。順應鄭良樹古籍辨偽學之兩條研究路線，本書之研究構面有二：其一，釐定元大德本《白虎通》卷帙與白虎觀會議事跡之關係，考據《白虎通》卷帙是白虎觀會議任一形式文獻資料之傳統舊說之「偽」；其二，探索《白虎通》卷帙原來名號，還原《白虎通》卷帙本來面目之「真」。質言之，本書以七百年來考據《白虎通》之成果為研究對象，以商榷考據成果為過程，以考據《白虎通》卷帙與白虎觀會議事跡、曹褒《漢禮》三者間之關係為目的。

三、研究方法與步驟

本書試圖透過整理七百年來有關元大德本《白虎通》卷帙

分經後人竄亂之蹟既確鑿有據，則對於其書之全體須慎加鑑別」,「九、兩書同載一事絕對矛盾，則必有一偽或兩俱偽」,「十、各時代之文體，蓋有天然界畫，多讀書者自能知之，故後人偽作之書，有不必從字句求枝葉之反證，但一望文體即能斷其偽者」,「十一、各時代之社會狀態，吾儕據各方面之資料，總可以推見崖略，若某書中所言其時代之狀態，與情理相去懸絕者，即可斷為偽」,「十二、各時代之思想，其進化階段，自有一定，若某書中所表現之思想與其時代不相銜接者，即可斷為偽」,《中國歷史研究法》(臺北：臺灣中華書局，1985 年)，頁 85-88。

「偽」與「真」之考據問題，列舉數位專家之言，逐一釐清各家考據成果與主張，同時針對各家之考據主張提出回應與質疑，辨別各家考據《白虎通》「真」「偽」成果之有效性與論證強度。換言之，覆覈《白虎通》卷帙之「真」、「偽」，是本書之研究目的；釐清與陳述關於七百年來考據《白虎通》成果，是本書研究之對象與材料；而回應與商榷前人考據《白虎通》成果，則是構成本書之論述主體。因此，釐清與商榷七百年來《白虎通》之考據成果，乃是本書之研究目的與方法論緣起。

考據之學，是中國學術研究重點面向之一。胡應麟曰：

> 凡覈偽書之道：覈之《七略》以觀其源；覈之羣志以觀其緒；覈之並世之言以觀其稱；覈之異世之言以觀其述；覈之文以觀其體；覈之事以觀其時；覈之撰者以觀其託；覈之傳者以觀其人。覈茲八者，而古今贋籍亡隱情矣。[16]

胡應麟提出覆覈偽書有八項重要參考根據，所謂：一，以《七略》觀察圖書目錄之總源頭；二，以史書〈藝文志〉等類書觀察書目之端緒；三，以並時之文獻資料覆覈書目之稱謂；四，以後世之文獻覆覈書目之內容；五，以書目內容覆覈其體例；六，以書目內容之事跡覆覈並世之時事；七，以撰寫者之行誼覆覈書目內容之託事與寓意；八，以傳述者之敘述覆覈書目之作者。

胡應麟所論辨偽之道，實已含攝考據偽書之學根本大法，本書採取之研究方法，即以胡應麟所論為依據，並散見於全書

16 （明）胡應麟：《四部正譌》，頁 47。

各章節之中。元代大德九年《白虎通》之卷帙版本，固不在《七略》之內，其餘七項，即是本書考據《白虎通》之原則與方法：其一，排比史書〈藝文志〉與藏書目錄之類書，觀察《白虎通》書目之端緒與流變；其二，以史書記載東漢白虎觀會議之文獻資料，覆覈會議資料之稱謂；其三，以後世文獻資料，覆覈《白虎通》卷帙之內容性質；其四，以《白虎通》卷帙分析其成書體例；其五，以《白虎通》卷帙所涉之事跡，覆覈東漢之時事；其六，以文獻記載白虎觀會議資料之撰寫者之行誼，覆覈《白虎通》之託事與寓意；其七，以《白虎通》之傳述者敘述，覆覈《白虎通》之作者。簡言之：本書研究方法，首先以《白虎通》卷帙為中心，以東漢白虎觀會議發生歷史事跡為依據，以並世之言與事之外緣文獻為輔翼，覆覈《白虎通》卷帙與白虎觀會議事跡兩者間之關係；其次，依《白虎通》卷帙與白虎觀會議事跡之關係，釐清與商榷七百年來後世考據《白虎通》之成果與主張；最後，覈實《白虎通》卷帙文本性質與並世之言與事，探索《白虎通》卷帙與曹褒《漢禮》事跡之關係，尋求兩者間之相應關係，還原《白虎通》卷帙名實相應之真實性。

依據研究目的與方法，全書除「導論」、「結論」外，研究步驟規劃有九章：第一章：「漢代經學與白虎觀經學會議」，陳述兩漢經學發展脈絡軌跡，呈現章句之學與經學會議之因果關係，再依經學會議之緣起與宗旨目的，說明東漢白虎觀經學會議之性質。第二章：「《白虎通》發軔與校刊」，陳述元代大德九年《白虎通》問世始末，及明代版本流傳，期間或有文句修訂、增補文獻出處，大致無礙《白虎通》全書完整；至清代盧文弨重新校刊《白虎通》，始有專家探究《白虎通》正名、真偽之考據問題。第三章以降，四、五、六、七等五章，例舉莊述祖（1751-1816）、孫詒讓（1848-1908）、劉師培（1884-1919）、洪業（1893-1980）、林聰舜（1953-）五位專家考據《白虎通》之成果與主張，展現歷來考據《白虎通》之研究成果與發展軌轍，並各別商榷各家成果主張之得失。第八章：「《白虎通》在東漢經學史之地位與意義」，是以史書目錄為材料，分析白虎觀會議資料與《白虎通》卷帙在史書目錄中之分類變化，揭露白虎觀會議資料與《白虎通》卷帙二者之差異處。最終章：「論蔡邕與《白虎通》關係」，則是重新檢視歷史發生過程，以東漢蔡邕為考據對象，分析蔡邕校書東觀以及受賜「白虎議奏」百餘卷兩事件，與《白虎通》之關聯性，以及推測曹褒《漢禮》被誤植為「白虎議奏」之可能性，並且以此推測，說明造成七百年來《白虎通》考據成果均有商榷餘地之可能成因。簡言之：第一章揭露白虎觀會議之學術背景以供參照；第二章展示《白虎通》卷帙內容文本以備覆覈；第三章以降，依時間先後，分析商榷《白虎通》考據成果與發展；第八章以史書目錄分析說明白虎觀會議資料名稱與《白虎通》卷帙二者非同一書；最終章以蔡邕與《白虎通》兩者之關係為中心，探索造成七百年來考據《白虎通》治絲益棼之始作俑者。

最後，稍加說明本書撰寫經過。本書規劃撰寫至今十餘年，撰寫之初，為有利於發表或刊載，除第一、二章外，其餘各章均以單篇論文形式撰寫，並且發表於學術研討會或刊載於會議論文集與學報期刊；因此，每篇論文均以完整而獨立論述撰寫。

依本書章節順序，簡要說明各章論文發表歷程：

第三章：「莊述祖考據成果與商榷」，以〈莊述祖〈白虎通義考〉辨〉篇名，刊載於《淡江中文學報》第30期，2014年6月。

第四章：「孫詒讓考據成果與商榷」，以〈孫詒讓〈白虎通義考〉辨〉篇名，發表於臺北市立大學人文藝術學院儒學中心與中國語文學系「儒學與語文學術研討會」，2014年10月17日；同篇名〈孫詒讓〈白虎通義考〉辨〉，刊載於《儒學研究論叢》第6輯，2014年12月。

第五章：「劉師培考據成果與商榷」，以〈劉師培〈白虎通義源流考〉辨〉篇名，發表於中央研究院中國文哲研究所經學文獻研究室「變動時代的經學與經學家（1912-1949）」第三次學術研討會，2008年7月17日；同篇名〈劉師培〈白虎通義源流考〉辨〉，刊載於《經學研究集刊》第8期，2010年4月；同篇名〈劉師培〈白虎通義源流考〉辨〉，刊載於《變動時代的經學與經學家—民國時期（1912-1949）經學研究》第3冊，萬卷樓圖書出版公司，經學研究叢書‧臺灣高等經學研討論集叢刊，2014年12月。

第六章：「洪業考據成果與商榷」，以〈洪業〈白虎通引得序〉辨〉篇名，發表於中央研究院中國文哲研究所經學文獻研究室「變動時代的經學與經學家（1912-1949）」第七次學術研討會，2010年6月10日；同篇名〈洪業〈白虎通引得序〉辨〉，刊載於《臺北大學中文學報》第9期，2011年3月；同篇名〈洪業〈白虎通引得序〉辨〉，刊載於《變動時代的經學與經學家—民國時期（1912-1949）經學研究》第3冊，萬卷樓圖書出版公司，經學研究叢書・臺灣高等經學研討論集叢刊，2014年12月。

第七章：「林聰舜考據成果與商榷」，以〈林聰舜（1953-）治《白虎通》商榷—以〈帝國意識形態的重建—扮演「國憲」基礎的《白虎通》思想〉一章為中心〉篇名，發表於中央研究院中國文哲研究所經學文獻研究室「戰後臺灣的經學研究（1945～現在）」第二次學術研討會，2015年11月12日；以〈戰後臺灣《白虎通》研究商榷—以林聰舜〈帝國意識形態的重建—扮演「國憲」基礎的《白虎通》思想〉一章為例〉篇名，刊載於《淡江中文學報》第36期，2017年6月。

第八章：「《白虎通》在東漢經學史之地位與意義」，以〈《白虎通》在東漢經學史上的意義〉篇名，發表於中央研究院中國文哲研究所經學文獻研究室「經學史重探（Ⅰ）—中世紀以前文獻的再檢討」學術研討會，2018年11月9日。

第九章：「論蔡邕《白虎通》關係」，以〈蔡邕與《白虎通》關係考〉篇名，發表於輔仁大學中國文學系「第十二屆先秦兩漢學術國際研討會」，2015年5月16、17日；同篇名〈蔡邕與《白虎通》關係考〉，刊載於《中正漢學研究》第31期，2018年6月。

以上七章，均是本書依計畫程序撰寫，各章每篇論文均以完整而獨立論述撰寫。惟每篇論文在發表過程中，接受諸多寶貴批評與指正，如：研討會議論文討論者（或主持人、與談者）與期刊審查委員意見，因此，刊載於期刊、會議論文集之論文，均有所修改、調整或資料補充，與原初發表之論文不盡相同；又，因為每篇論文以單篇獨立之形式發表，為求論述完整，因此，與研究主題相關之引述文獻資料與論述內容，均可能重複出現於各篇之中。本書集結以上七篇論文，構成本書各章論述重點，為適應專書形式與格局，除力求首尾一貫、結構謹嚴之專書著作條件之外，為統一各章節撰寫體例，再次修改與調整原初各篇論文內容之結構與秩序，並且極力刪除與避免各篇論文重複引述之文獻資料與論述內容；同時，引述文獻資料出處不再重複加注說明。然而，為保留各章論述之完整性，與方便讀者閱覽，部分關鍵性之文獻資料仍不厭其煩摘要重述，或以注釋方式提供讀者比對與檢索。

關鍵詞：《白虎通》　白虎觀會議　曹褒　《漢禮》　蔡邕　莊述祖　孫詒讓　劉師培　洪業　林聰舜

第一章　漢代經學與白虎觀經學會議

第一節　西漢經學發展與石渠閣會議

一、《五經》博士與獨尊儒術

皮錫瑞（1850-1908）宣稱：「經學至漢武始昌明，而漢武時之經學為最純正。」[1]《漢書．儒林傳》贊曰：

> 自武帝立《五經》博士，開弟子員，設科射策，勸以官祿，訖於元始，百有餘年，傳對者寖盛，支葉蕃滋，一經說至百餘萬言，大師眾至千餘人，蓋祿利之路然也。初，《書》唯有歐陽，《禮》后，《易》楊，《春秋》公羊而已。至孝宣世，復立大、小夏候《尚書》，大、小戴《禮》，施、孟、梁丘《易》，穀梁《春秋》。至元帝世，復立京氏《易》。平帝時，又立左氏《春秋》、毛《詩》、逸《禮》、古文《尚書》，所以罔羅遺失，兼而存之，是在其中矣。[2]

1　（清）皮錫瑞：《經學歷史》，頁 62。

2　（漢）班固著．（唐）顏師古注：《漢書》（臺北：宏業書局，1992 年），〈儒林傳〉卷八十八，頁 3620-3621。

西漢武帝於建元五年（B.C.136）立《五經》博士，《五經》指：《書》、《禮》、《易》、《春秋》，與文帝時所立之《詩經》共五部典籍。[3]武帝時，《五經》有七博士，宣帝有十二博士，元帝有十三博士，至東漢光武帝增至十四位。[4]西漢不僅博士官銜陸續增立，連博士弟子員額亦隨之增置，太學規模自然相對擴大。武帝立《五經》博士，將經書學官化，經由政府倡導，使經學成為學術最重要之選項，而經學博士頓時擁有最優渥之學術資源與最高級之學術地位。

博士教授任職於太學，眾博士之上設首席博士，稱僕射，至東漢改稱為博士祭酒；而太學內之學生稱做博士弟子，至東漢改為太學生或諸生，太學是漢代數百年間選拔人才體系機構，而博士便成為掌理學術與負責教授學生之官員。元朔五年（B.C.124），《史記．儒林列傳》載公孫弘（B.C.200-B.C.121）建言曰：

> 古者政教未洽，不備其禮，請因舊官而興焉。為博士官置弟子五十人，復其身。太常擇民年十八已上，儀狀端正者，補博士弟子。郡國縣道邑有好文學，敬長上，肅政教，順鄉里，出入不悖所聞者，令相長丞上屬所二千石。二千石謹察可者，常與計偕，詣太常，得受業如弟

3　徐復觀言：「所以《儒林傳贊》言武帝立博士僅稱時『《書》唯有歐陽，《禮》后，《易》楊，《春秋》公羊而已』，未曾提到《詩》。因為《詩》早於文帝時立了。」《中國經學史的基礎》（臺北：臺灣學生書局，1982 年），頁 73。

4　《後漢書．百官二》載曰：「博士祭酒一人，六百石。本僕射，中興轉為祭酒。博士十四人，比六百石。本注曰：《易》四，施、孟、梁丘、京氏。《尚書》三，歐陽、大小夏侯氏。《詩》三，魯、齊、韓氏。《禮》二，大小戴氏。《春秋》二，公羊嚴、顏氏。」志二十五，頁 3572。

> 子。一歲皆輒試，能通一藝以上，補文學掌故缺；其高弟可以為郎中者，太常籍奏。即有秀才異等，輒以名聞。其不事學若下材及不能通一藝，輒罷之，而請諸不稱者罰。……制曰：「可。」自此以來，則公卿大夫士吏斌斌多文學之士矣。[5]

公孫弘以布衣治《春秋》而為丞相兼學官，不僅蔚為天下學士榜樣，且建言武帝為博士官設弟子員獲准後，更使博士之途成為天下學士追名逐利之徑，後世帝王亦在此基礎之上，逐次增加博士弟子員額。[6]

武帝立《五經》博士時，並未禁絕諸子傳記「百家語」，至董仲舒（B.C.192-B.C.104）積極倡導儒學，建議武帝「罷黜百家、獨尊儒術」。《漢書》載董仲舒應試武帝賢良對策，曰：

> 《春秋》大一統者，天地之常經，古今之通誼也。今師異道，人異論，百家殊方，指意不同，是以上亡以持一統；法制數變，下不知所守。臣愚以為諸不在六藝之科、孔子之術者，皆絕其道，勿使並進。邪辟之說滅息，然後統紀可一，而法度可明，民知所從矣。[7]

---

5 （漢）司馬遷撰，（劉宋）裴駰集解：《史記》（臺北：藝文印書館，1973 年）〈儒林列傳〉，卷一百二十一，頁 3119-3120。

6 《漢書．儒林傳》：「昭帝時舉賢良文學，增博士弟子員滿百人，宣帝末增倍之。元帝好儒，能通一經者皆復。數年，以用度不足，更為設員千人，郡國置《五經》百石卒史。成帝末，或言孔子布衣養徒三千人，今天子太學弟子少，於是增弟子員三千人。歲餘，復如故。」卷八十八，頁 3596。

7 《漢書．董仲舒傳》，卷五十六，頁 2523。

董仲舒在「賢良對策」中，以《春秋》大一統之觀念，建議武帝禁絕百家之言，以「六藝之科」、「孔子之術」為統紀、法度之唯一治術。董仲舒之建議，一方面禁絕諸子傳記百家之言，一方面提高「六藝之科」、「孔子之術」之學術地位，將儒學與《五經》推向前所未有之高峰。皮錫瑞言：

> 經學開闢時代，斷自孔子刪定《六經》為始。……故必以經為孔子作，始可以言經學；必知孔子作經以教萬世之旨，始可以言經學。[8]

西漢時期，經學與儒學形成密不可分之關聯，儒學以經學為職業，經學因儒學而興盛。皮錫瑞強化經學與孔子之關係，並且將經書視為孔子教萬世之經典，實與漢儒之立場見解一致。

依《漢書》所載，武帝「置《五經》博士」在建元五年（B.C.136），而董仲舒對武帝三策當在元光元年（B.C.134），[9] 從兩者發生之時間先後看，武帝置《五經》博士與董仲舒對策應無因果關係。然而《漢書．董仲舒傳》云：

> 自武帝初立，魏其、武安侯為相而隆儒矣。及仲舒對冊，推明孔氏，抑黜百家。立學校之官，州郡舉茂材孝廉，皆自仲舒發之。[10]

《漢書》將武帝「抑黜百家、立學校之官」推為董仲舒對策之

8 （清）皮錫瑞：《經學歷史》，「一、經學開闢時代」，頁 1-11。

9 《漢書．武帝紀》載：「（元光元年）五月，詔賢良曰：『……賢良明於古王今王事之體，受策察問，咸以書對，著之於篇，朕親覽焉。』於是董仲舒、公孫弘出焉。」頁 160-161。

10 《漢書．董仲舒傳》卷五十六，頁 2525。

功，應是溢美之辭；[11]然而，董仲舒在對策中建議武帝，「諸不在六藝之科、孔子之術者，皆絕其道，勿使並進」，強化孔子與經學之關係，提升儒學在經學上之地位，應有推波助瀾之功。

武帝之時「開弟子員，設科射策」，以祿利獎勵儒生，「博士藉儒而為業，儒因博士而得官」，然當時只有五經之名，未有各家之學；至經學博士官秩卑而職尊，附以其弟子員額之增衍，儒生為祿利所趨，一經解說有百萬言，激越出解經有門戶派別之分，祿利愈豐，解經愈多；解經愈繁，博士學位愈增，兩者互為因果循環，促成西漢經學師法與家法興起。

二、章句之學發展與流弊

武帝立《五經》博士在前，董仲舒建議罷黜諸子傳記百家之言繼之在後，太學教授範圍集中在《五經》之內，因此，太常博士及弟子儒生，終生獨守一經。經學博士既以鑽研一經之學為職志，教導弟子員亦僅限一經之學，並且窮畢生之精力詮釋一經之學，一博士便有一經之學，形成詮釋經學之「家法」或「師法」。林慶彰（1948-）言：

> 章句既是當時經師的一種解經方式，此種詮釋方式是由

11 劉汝霖考證言：「即按本文而言，明誌於魏其武安侯為相之後，則至早亦當在建元六年六月之後。且『臨政願治，七十餘載。』之文，亦須於建元五年之後方合。《禮樂志》又言仲舒對策之後『是時上方征討四夷，銳志武功，不暇留意禮文之事。』則仲舒之言，蓋未嘗見用，更足證明本傳所言為歸美之辭矣」，《漢晉學術編年》（上海：上海書店，據商務印書館1935年版影印），頁21。

> 創立學派的經師所傳，凡是受學於此一學派的經生，代代皆應以此種解經方式為典範。此種典範，即稱為「師法」或「家法」。[12]

章句乃是經師解經之方式之一，此詮釋經書之方式遂成為此一學派之「師法」或「家法」典範。章句之學即是「師法」或「家法」所形成之時代學術特色。皮錫瑞區分「師法」與「家法」曰：

> 前漢重師法，後漢重家法。先有師法，而後能成一家之言。師法者，溯其源；家法者，衍其流也。[13]

所謂「師法」，是博士以詮釋經書為根本，由此發展出一套解經之學說，博士以此學說教授諸生，諸生則奉此學說為師法，故師法必溯其源。「家法」乃是諸生既從師說，其後又各自發展出一種解經書或解師說之方法，且能成一家之言，故家法必衍其流。然而，無論是師法或是家法，皆必以經書文本為根本，而師法與家法皆是「章句」之學。

所謂「章句」，東漢王充（27-97？）曰：

> 夫經之有篇也，猶有章句；有章句也，猶有文字也。文字有意以立句，句有數以連章，章有體以成篇，篇則章句之大者也。謂篇有所法，是謂章句復有所法也。[14]

---

12 林慶彰：〈兩漢章句之學重探〉，收入《中國經學史論文選集》，（臺北：文史哲出版社，1992 年），頁 288。

13 《經學歷史》，頁 139。

14 （漢）王充撰，蔡鎮楚注譯，周鳳五校閱：《新譯論衡讀本》（臺北：三民書局，1997 年），卷二八〈正說篇〉，頁 1417。

基本上，一般經書是由數字構成一句，數句構成一章，數章構成一篇，數篇構成一部經書；故所謂「章句」，類似現代「段」、「句」，是構成一部經書之基本單位。古人無斷句標點，經常使用「虛詞」表示一句或一章之段落，而在解經之過程中，不同之斷句，往往造成解讀經書之歧義，亦影響解經之理論系統，故「章句」之寫定，具有定型化之功能，是一種詮釋經書之方法。

《史記》稱「子夏居西河教授」；[15]東漢徐防言，子夏承孔子之學，「發明章句」。[16]《漢書・夏侯勝傳》曰：

> 勝從父子建字長卿，自師事勝及歐陽高，左右采獲，又從《五經》諸儒問與《尚書》相出入者，牽引以次章句，具文飾說。勝非之曰：「建所謂章句小儒，破碎大道。」建亦非勝為學疏略，難以應敵。[17]

《漢書》載夏侯建師事夏侯勝及歐陽高，又從《五經》諸儒問與《尚書》相出入者，「牽引以次章句」，「具文飾說」，作《尚書章句》即是典型章句之學；而夏侯勝雖然批評夏侯建是「章句小儒」，「破碎大道」，但亦有章句之作，[18]可知章句之學在當時頗為流行。博士因教學之需要，遂對經書「離章辨句」，以求經義，同時為方便講學，遂有章句之作，博士詮釋

15 《史記・仲尼弟子列傳》曰：「孔子既沒，子夏居西河教授。為魏文侯師。」卷六十七，頁 2203。

16 《後漢書・徐防傳》載徐防上疏曰：「臣《詩》《書》《禮》《樂》，定自孔子；發明章句，始於子夏。」卷四十四，頁 1500。

17 《漢書・夏侯勝傳》卷七十五，頁 3159。

18 《漢書・藝文志》，卷三十載《尚書》類有《大、小夏侯章句》各二十九卷，頁 1705。有學者則以為夏侯勝之《章句》，可能是出於弟子後學之手。

經書所形成之章句，便是諸生學習之「師法」。

章句之學所以蔚為風氣，蓋祿利之途使然。[19]《漢書》載夏侯勝常謂諸生曰：「士病不明經術；經術苟明，其取青紫如俛拾地芥耳。學經不明，不如歸耕。」章句之學擴大對《五經》詮釋範圍，儒生投効於經學博士門下，不但傳業者經師所授，行有餘力，又自行增衍老師章句，獨立一家之學，師生孳乳，支葉繁茂；漢代經學便籠罩在這一片敷衍經義之氛圍中。後學諸儒、諸生遵從經學博士之說，且能成就另一學說者，如《後漢書．章帝紀》曰：「其後學者精進，雖曰承師，亦別名家」，[20]後學者既承一師之業，且能作章句，別為一家之學。

無論是師法或者家法，皆是一種經學詮釋理論，皮錫瑞稱西漢重師法，東漢重家法，無論重師法或家法，無非是在強化師生間之知識傳遞與倫理關係，諸生從經師學習，當以師說是命。因此，諸生在學習師法過程之中，縱使能成一家之言者，此一家之言亦不可悖逆師法；能守師說家法，且能成一家之言者，則可得到獎勵。[21]反之，「若不遵家法、師法，立即會被取消博士資格」。[22]例如《漢書》載孟喜之際遇：「博士缺，

---

19 班固於《漢書．儒林傳》贊曰：「自武帝立《五經》博士，開弟子員，設科射策，勸以官祿，訖於元始，百有餘年，傳業者寖盛，支葉蕃滋，一經說至百餘萬言，大師眾至千餘人，蓋祿利之路然也」，頁 3620-3621。

20 《後漢書．章帝紀》李賢注曰：「言雖承一師之業，其後觸類而長，更為章句，則別為一家之學。」卷三，頁 138。

21 如《漢書．儒林傳》載張山拊之弟子所學曰：「（張）無故善修章句，為廣陵太傅，守小夏侯說文。（秦）恭增師法至百萬言，為城陽內史。」卷八十八，頁 3605。

22 韓養民說：「所謂師法、家法，簡單地說就是傳經者必須嚴守老師的經說，不得任意更改，不能參雜異說。若不遵家法、師法，立即會被取消博士資格。」《秦漢文化史》（臺北：里仁書局，1986 年），頁 31。

眾人薦喜。上聞喜改師法，遂不用喜。」師法之嚴格，可見一斑。

從經學發展歷史觀察，漢代師法之興起，固然緣於博士學官祿利之途使然，但就經學內在發展而言，章句之學無異是擴大與深化經學研究；亦因章句學風一開，遂產生許多流弊。《漢書・藝文志》曰：

> 古之學者耕且養，三年而通一藝，存其大體，玩經文而已，是故用日少而畜德多，三十而《五經》立也。後世經傳既已乖離，博學者又不思多聞闕疑之義，而務碎義逃難，便辭巧說，破壞形體；說五字之文，至於二三萬言。後進彌以馳逐，故幼童而守一藝，白首而後能言；安其所習，毀所不見，終以自蔽。此學者之大患也。[23]

《漢書》相較於古之學者，三年通一藝，三十即能通《五經》大義；今之學者，「說五字之文，至於二三萬言」，「一經說至百餘萬言」，而後學者從師法之說，幼童至白首後始能言一經之義，如此「離章辨句」，必然走向「碎義逃難，便辭巧說，破壞形體」之途。鑽研章句之學，既只能窮一經之義，尚不能「存其大體」，王充既批評曰：「諸生能傳百萬言，不能覽古今，守信師法，雖辭說多，終不為博。」[24]而學者「安其所習，毀所不見」，形成專己守殘、黨同伐異之學術門閥。西漢末劉歆（?B.C.50-23）批評當時經學博士是「分文析字，煩言碎辭，學者罷老且不能究其一藝。信口說而背傳記，是末師而非往

23　《漢書・藝文志》卷三十，頁 1723。
24　《論衡・效力篇》，頁 657。

古」，[25]充分說明章句之學所衍生之流弊，著實令人生厭。

三、石渠閣會議事跡與卷帙

西漢章句之學盛行，敷衍經書有增無減，泛濫程度足以令人厭倦，於是便有減省章句之檢討聲浪。甘露三年（B.C.51）《漢書．宣帝紀》載：

> 詔諸儒講《五經》同異，太子太傅蕭望之等平奏其議，上親稱制臨決焉。乃立梁丘《易》、大、小夏侯《尚書》、穀梁《春秋》博士。[26]

史稱「石渠閣會議」於焉產生。石渠閣在長安未央宮殿北，乃西漢庋藏秘書之處，其下以礱石為渠，以此名閣。[27]

石渠閣講議《五經》同異，宣帝親稱制臨決。錢穆（1895-1990）言：

> 自漢武帝置《五經》博士，說經為利祿之途，於是說經者日眾，說經者日眾，而經說益詳密，而經之異說亦益歧。經之異說益歧，乃不得不謀整齊以歸一是。於是有宣帝石渠會諸儒論《五經》異同之舉。其不能歸一是者，乃於一經分數家，各立博士。其意實欲永為定制，使此

---

25 《漢書．楚元王傳》卷三十六，頁 1970。

26 《漢書．宣帝紀》卷八，頁 272。

27 《三輔黃圖》曰：「未央宮有石渠閣，蕭何所造，其下礱石為渠以導，若今御溝，因為閣名。所藏入關所得秦之圖籍，又成帝於此藏秘書焉。」撰人不詳：《三輔黃圖》（臺北：藝文印書館《百部叢書集成》據《平津館叢書》本影印，1970 年），頁 11。

後說經者限於此諸家，勿再生歧也。[28]

西漢宣帝詔開石渠閣會議之宗旨，目的在使日益嚴重之經說歧異，歸於一是，不能歸於一是者，則另分數家，並各立博士，確立一經分數家之說，往後說經者，必以所立《五經》數家博士之說為限，不得逾越各家博士之說。

依《漢書》記載，除宣帝親「稱制臨決」之外，參與石渠閣會議可考者有十五位：

《易》：施讎、[29]梁丘臨；[30]

《書》：歐陽地餘、[31]林尊、[32]周堪、[33]張山拊；[34]

---

28 錢穆：《兩漢經學今古文平議》（臺北：聯經出版事業公司，《錢賓四先生全集》第八冊，1998年），頁218。

29 《漢書．儒林傳》曰：「施讎字長卿，沛人也。沛與碭相近，讎為童子，從田王孫受《易》。後讎徙長陵，田王孫為博士，復從卒業，與孟喜、梁丘賀並為門人。……於是賀薦讎：「結髮事師數十年，賀不能及。」詔拜讎為博士。甘露中與《五經》諸儒雜論同異於石渠閣。」卷八十八，頁3598。

30 《漢書．儒林傳》曰：「梁丘賀字長翁，琅邪諸人也。以能心計，為武騎。從太中大夫京房受《易》。房者，淄川楊何弟子也。房出為齊郡太守，鎮賀更事田王孫。……年老終官。傳子臨，亦入說，為黃門郎。甘露中，奉使問諸儒於石渠。臨學精孰，專行京房法。琅邪王吉通《五經》，聞臨說，善之。時宣帝選高材郎十人從臨講，吉乃使其子郎中駿上疏從臨受《易》。」卷八十八，頁3600-3601。

31 《漢書．儒林傳》：「歐陽生字和伯，千乘人也。事伏生，授倪寬。寬又受業孔安國，至御史大夫，自有傳。寬有俊材，初見武帝，語經學。……歐陽、大小夏侯氏學皆出於寬。寬授歐陽生子，世世相傳，至曾孫高子陽，為博士。高孫地餘長賓以太子中庶子授太子，後為博士，論石渠。……地餘少子政為王莽講學大夫。由是《尚書》世有歐陽氏學。」卷八十八，頁3603。

32 《漢書．儒林傳》：「林尊字長賓，濟南人也。事歐陽高，為博士，論石渠。後至少府、太子太傅，授平陵平當、梁陳翁生。」卷八十八，頁3604。

33 《漢書．儒林傳》：「周堪字少卿，齊人也。與孔霸俱事大夏侯勝。霸為博士。堪譯官令，論於石渠，經為最高，後為太子少傅，……及元帝即位，堪為祿大夫，與蕭望之並領尚書事，……望之自殺，上愍之，乃擢堪為光祿勳，語在〈劉向傳〉。」卷八十八，頁3604。

《詩》：張長安、[35]薛廣德；[36]

《禮》：戴聖、聞人通漢、[37]韋玄成；[38]

《穀梁春秋》：劉向、[39]尹更始；[40]

---

34 《漢書・儒林傳》曰：「張山拊字長賓，平陵人也。事小夏侯建，為博士，論石渠，至少府。授同縣李尋、鄭寬中少君、山陽張無故子儒、信都秦恭延君、陳留假倉子驕。……倉以謁者論石渠，至膠東相。」卷八十八，頁 3605。

35 《漢書・儒林傳》曰：「山陽張長安幼君先事式，後東平唐長賓、沛褚少孫亦來事式，問經數篇，……張生、唐生、褚生皆為博士。張生論石渠，至淮陽中尉。唐生楚太傅。由是《魯詩》有張、唐、褚氏之學。張生兄子游卿為諫大夫，以《詩》授元帝。其門人琅邪王扶為泗水中尉，陳留許晏為博士。由是張家有許氏學。初，薛廣德亦事王式，以博士論石渠，授龔舍。廣德至御史大夫，舍泰山太守，皆有傳。」卷八十八，頁 3610-3611。

36 《漢書・儒林傳》曰：「初，薛廣德亦事王式，以博士論石渠，授龔舍。」卷八十八，頁 3611。《漢書・薛廣德傳》曰：「薛廣德字長卿，沛郡相人也。以《魯詩》教授楚國，龔勝、舍師事焉。蕭望之為御史大夫，除廣德為屬，數與論議，器之，薦廣德經行宜充本朝。為博士，論石渠，遷諫大夫，代貢禹為長信少府、御史大夫。」頁 3046-3047。

37 《漢書・儒林傳》曰：「倉說《禮》數萬言，號曰《后氏曲臺記》，授沛聞人通漢子方、梁戴德延君、戴聖次君、沛慶普孝公。孝公為東平太傅。德號大戴，為信都太傅；聖號小戴，以博士論石渠，至九江太守。由是《禮》有大戴、小戴、慶氏之學。通漢以太子舍人論石渠，至中山中尉。」卷八十八，頁 3615。

38 《漢書・儒林傳》曰：「韋賢治《詩》，事大江公及許生，又治《禮》，至丞相。傳子玄成，以淮陽中尉論石渠，後亦至丞相。玄成及兄子賞以《詩》授哀帝，至大司馬車騎將軍，自有傳。」卷八十八，頁 3608-3609。又，《漢書・韋賢傳》曰：「韋賢字長孺，魯國鄒人也。……賢四子，……少子玄成，復以明經歷位至丞相……乃召拜玄成為淮陽中尉。是時王未就國，玄成受詔，與太子太傅蕭望之及《五經》諸儒雜論同異於石渠閣，條奏其對。」卷七十三，3101-3113。按：《石渠禮論》載記韋玄成論禮於石渠閣議。

39 《漢書・楚元王傳》曰：「向字子政，本名更生。年十二，以父德任為輦郎。既冠，以行修飭擢為諫大夫。是時，宣帝循武帝故事，招選名儒俊材置左右。……會初立《穀梁春秋》，徵更生受《穀梁》，講論《五經》於石渠。復拜為郎中給事黃門，遷散騎諫大夫給事中。」卷三十六，頁 1928-1929。

40 《漢書・儒林傳》曰：「自元康中始講，至甘露元年，積十餘歲，皆明習。乃召《五經》名儒太子太傅蕭望之等大議殿中，平《公羊》、《穀梁》同異，各以經處是非。時《公羊》博士嚴彭祖、侍郎申輓、伊推、宋顯。《穀梁》

與會者未確認學術專長：蕭望之、[41]假倉。[42]

未確認可能與會石渠閣議者有六位：嚴彭祖、[43]申輓、伊推、宋顯、周慶、丁姓。[44]製作簡表如下。

石渠閣會議與會者學術專長				
《易》	《書》	《詩》	《禮》	《穀梁春秋》
施讎	歐陽地餘	張長安	戴聖	劉向
梁丘臨	林尊	薛廣德	聞人通漢	尹更始
	周堪		韋玄成	
	張山拊			

議郎尹更始、待詔劉向、周慶、丁姓並論。」卷八十八，頁3618。又，《禮記・禮運》疏曰：「議郎尹更始、待詔劉更生等議石渠，以為吉凶不並，瑞災不兼。今麟為周亡，天下之異，則不為瑞，以應孔子至。」卷二十二，頁437。按：尹更始理應以《穀梁》議郎與會石渠閣議。

41 《漢書・韋賢傳》曰：「韋賢字長孺，魯國鄒人也。……賢四子，……少子玄成，復以明經歷位至丞相……乃召拜玄成為淮陽中尉。是時王未就國，玄成受詔，與太子太傅蕭望之及《五經》諸儒雜論同異於石渠閣，條奏其對。」卷七十三，3101-3113。

42 《漢書・儒林傳》曰：「張山拊字長賓，平陵人也。事小夏侯建，為博士，論石渠，至少府。授同縣李尋、鄭寬中少君、山陽張無故子儒、信都秦恭延君、陳留假倉子驕。……倉以謁者論石渠，至膠東相。」卷八十八，頁3605。

43 《漢書・儒林傳》曰：「嚴彭祖字公子，東海下邳人也。與顏安樂俱事眭孟。孟弟子百餘人，唯彭祖、安樂為明，質問疑誼，各持所見。孟曰：『《春秋》之意，在二子矣！』孟死，彭祖、安樂各顓門教授。由是《公羊春秋》有顏、嚴之學。彭祖為宣帝博士，至河南、東郡太守。以高第入為左馮翊，遷太子太傅，廉直不事權貴。」卷八十八，頁3616。按：嚴彭祖宣帝時博士，理應與會石渠閣議。

44《漢書・儒林傳》曰：「自元康中始講，至甘露元年，積十餘歲，皆明習。乃召《五經》名儒太子太傅蕭望之等大議殿中，平《公羊》、《穀梁》同異，各以經處是非。時《公羊》博士嚴彭祖、侍郎申輓、伊推、宋顯。《穀梁》議郎尹更始、待詔劉向、周慶、丁姓並論。」卷八十八，頁3618。按：侍郎申輓、伊推、宋顯，待詔周慶、丁姓未可知。

與會者未確認學術專長
蕭望之、假倉
未確認可能與會石渠閣議者
嚴彭祖、申輓、伊推、宋顯、周慶、丁姓

《漢書・藝文志》著錄石渠閣會議之卷帙有：

《書・議奏》四十二篇（注曰：「宣帝時石渠論。」）；

《禮・議奏》三十八篇（注曰：「石渠。」）；

《春秋・議奏》三十九篇（注曰：「石渠論。」）；

《論語・議奏》十八篇（注曰：「石渠論。」）；

《五經雜議》十八篇（注曰：「石渠論。」）。

共五部一百五十五篇。[45]相較於會議與會者之事跡，石渠「議奏」卷帙缺《易》、《詩》兩種；又《漢書・藝文志》將《五經雜議》歸入六藝中之《孝經》類。

依唐代杜佑（735-812）《通典》所輯，[46]與清代洪頤煊撰集《石渠禮論》殘存佚文，目前可考石渠閣會議之卷帙文本如下。

（一）漢石渠禮議曰：「『經云：「宗子孤為殤」，言孤何也？』聞人通漢曰：『孤者，師傅曰「因殤而見孤也」，男二十冠而不為殤，亦不為孤，故因殤而見之。』戴聖曰：『凡為宗子者，無父乃得為宗子。然為人後者，父雖在，得為宗子。故稱孤。』聖又問通漢曰：『因殤

45 《漢書・藝文志》卷三十，頁 1701-1723。

46 （唐）杜佑撰，王文錦等點校：《通典》（北京：中華書局，1992 年）。

而見孤，冠則不為孤者，《曲禮》曰「孤子當室，冠衣不純采」。此孤而言冠，何也？』對曰：『孝子未曾忘親，有父母無父母衣服輒異。《記》曰「父母存，冠衣不純素；父母歿，冠衣不純采」，故言孤。言孤者，別衣服也。』聖又曰：『然則子無父母，年且百歲，猶稱孤不斷，何也？』通漢對曰：『二十冠而不為孤；父母之喪，年雖老，猶稱孤。』」[47]

（二）漢石渠議曰：「『鄉請射告主人，樂不告者，何也？』戴聖曰：『請射告主人者，賓主俱當射也。夫樂，主所以樂賓也，故不告於主人也。』」[48]

（三）宣帝甘露三年三月：「黃門侍郎臨奏：『《經》曰鄉射合樂，大射不，何也？』戴聖曰：『鄉射至而合樂者，質也。大射，人君之禮，儀多，故不合樂也。』聞人通漢曰：『鄉射合樂者，人禮也，所以合和百姓也。大射不合樂者，諸侯之禮也。』韋玄成曰：『鄉射禮所以合樂者，鄉人本無樂，故合樂歲時，所以合和百姓以同其意也。至諸侯，當有樂，《傳》曰「諸侯不釋懸」，明用無時也。君臣朝廷固當有之矣，必須合樂而後合，故不云合樂也。』時公卿以玄成議是。」[49]

（四）石渠禮曰：「『諸侯之大夫為天子、大夫之臣為

47 《通典》卷七十三，禮三十三，〈繼宗子〉，頁 1998。

48 《通典》卷七十七，禮三十七，〈天子諸侯大射鄉射〉，頁 2105。

49 《通典》卷七十七，禮三十七，〈天子諸侯大射鄉射〉，頁 2105。此則條文與上則條文，《通典》合併為一則，不分段；唯條文之中有「宣帝甘露三年三月」一文，本書於此離析為二則。

國君服何？』戴聖對曰：『諸侯之大夫為天子當繐縗，既葬除之。以時接見於天子，故既葬除之。大夫之臣無接見之義，不當為國君也。』聞人通漢對曰：『大夫之臣，陪臣也，未聞其為國君也。』又問：『庶人尚有服，大夫臣食祿，反無服，何也？』聞人通漢對曰：『《記》云「仕於家，出鄉不與士齒」，是庶人在官也，當從庶人之為國君三月服。』制曰：『從庶人服是也。』又問曰：『諸侯大夫以時接見天子，故服。今諸侯大夫臣，亦有時接見於諸侯不？』聖對曰：『諸侯大夫臣，無接見諸侯義。諸侯有時使臣奉賀，乃非常也，不得為接見。至於大夫有年，獻於君，君不見，亦非接見也。』侍郎臣臨待詔聞人通漢等皆以為有接見義。」[50]

（五）漢石渠議：「聞人通漢問云：『《記》曰：「君赴於他國之君曰不祿，夫人曰寡小君不祿，大夫士或言卒死。」皆不能明。』戴聖對曰：『君死未葬曰不祿，既葬曰薨。』又問：『尸服卒者之上服。士曰不祿，言卒何也？』聖又曰：『夫尸者，所以象神也。其言卒而不言不祿者，通貴賤尸之義也。』通漢對曰：『尸，象神也，故服其服。士曰不祿者，諱辭也。孝子諱死者曰卒。』」[51]

（六）漢石渠議：「問：『父卒母嫁，為之何服？』蕭太傅云：「當服周。為父後則不服。」韋玄成以為：『

50 《通典》卷八十一，禮四十一，〈諸侯之大夫為天子服議〉，頁 2208-2209。
51 《通典》卷八十三，禮四十三，〈初喪〉，頁 2244。

父歿則母無出義，王者不為無義制禮。若服周，則是子貶母也，故不制服也。』宣帝詔曰：『婦人不養舅姑，不奉祭祀，下不慈子，是自絕也，故聖人不為制服，明子無出母之義，玄成議是也。』」[52]

（七）石渠禮議：「又問：『夫死，妻稚子幼，與之適人，子後何服？』韋玄成對『與出妻子同服周』，或議以為子無絕母，應三年。」[53]

（八）漢石渠禮議：「戴聖曰：『大夫在外者，三諫不從而去，君不絕其祿位，使其嫡子奉其宗廟。言長子者，重長子也，承宗廟宜以長子為文。』蕭太傅曰：『長子者，先祖遺體也。大夫在外，不得親祭，故以重者為文。』宣帝制曰：『以在故言長子。』」[54]

（九）漢石渠禮議：「戴聖對曰：君子子為庶母慈己者，大夫之嫡妻之子，養於貴妾，大夫不服賤妾，慈己則緦服也。其不言大夫之子而稱君子子者，君子猶大夫。」[55]

（十）漢石渠禮議：「問曰：『大夫降乳母邪？』聞人通漢對曰：『乳母所以不降者，報義之服，故不降也。則始封之君及大夫，皆降乳母。』」[56]

（十一）漢石渠議：「大宗無後，族無庶子，己有一

52 通典》卷八十九，禮四十九，〈父卒為嫁母服〉，頁 2455。
53 《通典》卷八十九，禮四十九，〈父卒為嫁母服〉，頁 2455。
54 《通典》卷九十，禮五十，〈齊縗三月〉，頁 2472。
55 《通典》卷九十二，禮五十二，〈小功成人服五月〉，頁 2504-2505。
56 《通典》卷九十二，禮五十二，〈緦麻成人服三月〉，頁 2512。

> 嫡子，當絕父祀以後大宗不？戴聖云：『大宗不可絕。言嫡子不為後者，不得先庶耳。族無庶子，則當絕父以後大宗。』聞人通漢云：『大宗有絕，子不絕其父。』宣帝制曰：『聖議是也。』」[57]

> （十二）漢石渠禮議曰：「《經》云大夫之子為姑姊妹女子子無主後者，為大夫命婦者，唯子不報何？戴聖以為：『唯子不報者，言命婦不得降，故以大夫之子為文。唯子不報者，言猶斷周，不得申其服也。』宣帝制曰：『為父母周是也。』」[58]

> （十三）漢石渠禮議：「蕭太傅云：『以麻終月數者，以其未葬，除無文節，故不變其服為稍輕也。已除喪服未葬者，皆至葬反服。庶人為國君亦如之。』宣帝制曰：『會葬服喪衣是也。』或問蕭太傅：『久而不葬，唯主喪者不除。今則或十年不葬，主喪者除否？』答云：『所謂主喪者，獨謂子耳。雖過期不葬，子義不可以除。』」[59]

《通典》與《石渠禮論》可考石渠閣議佚文者，有十三則（或合併（二）、（三）兩則，為十二則）。

除此之外，《詩經．既醉》疏曰：

> 石渠論云：周公祭天，用太公為尸。[60]

---

57 《通典》卷九十六，禮五十六，〈總論為人後議〉，頁 2581。
58 《通典》卷九十九，禮五十九，〈為姑姊妹女子子無主後者服議〉，頁 2636。
59 《通典》卷一百三，禮六十三，〈久喪不葬服議〉，頁 2695。
60 （漢）毛公傳，（漢）鄭玄箋，（唐）孔穎達等正義：《詩經》（臺北：藝文印

《禮記・王制》正義曰：

> 石渠論、《白虎通》云：周以后稷文武特七廟。[61]

《禮記・禮運》疏曰：

> 議郎尹更始、待詔劉更生等議石渠，以為吉凶不並，瑞災不兼。今麟為周亡，天下之異，則不為瑞，以應孔子至。[62]

《後漢書・輿服志》注曰：

> 石渠論玄冠朝服。戴聖曰：「玄冠，委貌也。朝服布上素下，緇帛帶，素韋韠。」[63]

以上所列輯佚文獻，大致可窺探西漢宣帝詔開石渠閣會議之基本樣態，亦可提供以下討論東漢章帝詔開白虎觀會議之參考樣本。

第二節　東漢經學發展

一、東漢初期經學發展

自西漢武帝立《五經》博士，博士以當時流行文字「隸書」

書館，1997年，《十三經注疏附校勘記》）〈既醉〉卷十七之二，頁605。

61 （漢）鄭玄注，（唐）孔穎達等正義：《禮記》（臺北：藝文印書館，1997年，《十三經注疏附校勘記》），〈王制〉卷十二，頁241。

62 《禮記・禮運》卷二十二，頁437。

63 《後漢書・輿服志》志三十，頁3665。

寫定經書，此後，相繼出現與《五經》相關之經書，這些經書是用秦以前六國間使用之「古籀」寫成。為區分兩者之不同，後世遂以「今文經」稱武帝時博士寫定之經書，而以「古文經」指後來出現之經書。王葆玹認為：

> 所謂今文經僅限于漢武帝元朔五年或稍遲寫定的經書今文寫本，除此之外，凡有古文祖本的經書傳本，不論是隸體還是古籀，都可能屬于古文經的範圍。[64]

換言之，「今文經」僅限於武帝立《五經》博士時之經傳書目，其餘者，概指古文經。

今文經與古文經之區分，不僅止於書寫之字體不同，今、古文經學之分野，涉及「今學」、「古學」二種經學詮釋系統與觀念。周予同說：

> 而且字句有不同，篇章有不同，書籍有不同，書籍中的意義有大不同；因之，學統不同，宗派不同，對於古代制度以及人物各各不同；而且對於經書的中心人物，孔子，各具完全不同的觀念。[65]

錢穆則懷疑東漢經學有所謂今文、古文之分，但有「今學」、「古學」之辨：

> 由是言之，治章句者為「今學」，此即博士之官各家有師說之學也。其時光武方好圖讖，故官學博士亦不得不言圖讖，圖讖與章句本非一業，而在東漢初葉則同為隨

---

64 王葆玹：《今古文經學新論》（北京：中國社會科學出版社，1997 年），頁 61。
65 周予同：《經學史論著選集》（上海：上海人民出版，1983 年），頁 2。

> 時干祿所需，故合稱之曰「章句內學」，其不治章句者則為「古義」，「古義」即「古學」也。[66]

換言之，今古文經不僅在於書寫文字之字體不同，甚至是經文文本與文本詮釋亦大相逕庭，由此而衍出所謂「今學」與「古學」之對立觀念。

自劉歆發難為古文經學爭取學官地位，至東漢白虎觀會議為止，古文經學逐次壯大，足以抗衡今文經學，甚至引發學術界一連串激烈爭辯，史稱「今古文之爭」。[67]《漢書・楚元王傳》載：

> 及歆校秘書，見古文《春秋左氏傳》，歆大好之。……歆以為左丘明好惡與人同，親夫子，而公羊、穀梁在七十子後，傳聞之與親見之，其詳略不同。歆數以難向，向不能非問也，然猶自持其《穀梁》義。及歆親近，欲建立《左氏春秋》及《毛詩》、《逸禮》、《古文尚書》皆列於學官。哀帝令歆與《五經》博士講論其義，諸博士或不肯置對。[68]

劉歆因校領秘書，得古文經一批，欲將古文經傳《左氏春秋》、《毛詩》、《逸禮》、《古文尚書》等古文經推薦於博士學官

---

66 《兩漢經學今古文平議》，頁 236。

67 周予同歸納自劉歆至東漢之末，今古文經之爭論，舉其最重要者有四：「第一次是劉歆（古）和太常博士們（今）爭立《毛詩》、《古文尚書》、《逸禮》、《左氏春秋》。第二次是韓歆、陳元（古）和范升（今）爭立《費氏易》及《左氏春秋》。第三次是賈逵（古）和李育（今），第四次是鄭玄（古）和何休（今）爭論《公羊傳》及《左氏傳》的優劣。」《經學史論著選集》((上海：上海人民出版，1983 年)，頁 10。

68 《漢書・楚元王傳》卷三十六，頁 1967。

之列。哀帝令劉歆與《五經》博士對質討論，諸博士卻是置之不理，劉歆因此移書太常博士。劉歆曰：

> 及魯恭王壞孔子宅，欲以為宮，而得古文於壞壁之中，《逸禮》有三十九，《書》十六篇。天漢之後，孔安國獻之，遭巫蠱倉卒之難，未及施行。及《春秋》左氏丘明所修，皆古文舊書，多者二十餘通，臧於秘府，伏而未發。孝成皇帝閔學殘文缺，稍離其真，乃陳發秘臧，校理舊文，得此三事，以考學官所傳，經或脫簡，傳或間編。……往者綴學之士不思廢絕之闕，苟因陋就寡，分文析字，煩言碎辭，學者罷老且不能究其一藝。信口說而背傳記，是末師而非往古，至於國家將有大事，若立辟雍封禪巡狩之儀，則幽冥而莫知其原。猶欲保殘守缺，挾恐見破之私意，而無從善服義之公心，或懷妒嫉，不考情實，雷同相從，隨聲是非，抑此三事，以《尚書》為備，謂左氏為不傳《春秋》，豈不哀哉！[69]

劉歆移書太常博士之重點有三：其一，《逸禮》、《尚書》、《左氏春秋》等古書，藏於秘府，出書年代早於今文經學之前；其二：此三書適可以考據、比對今文經學之失；其三：劉歆痛陳當時章句之學「因陋就寡，分文析字，煩言碎辭，學者罷老且不能究其一藝」之弊病。劉歆憤而批評太常博士保殘守缺、不考情實，「信口說而背傳記，是末師而非往古」，猶「專己守殘，黨同門，妒道真，違明詔，失聖意」。[70]劉歆移書目的

---

69 《漢書．楚元王傳》卷三十六，頁 1969-1970。
70 《漢書．楚元王傳》卷三十六，頁 1971。

，乃是極力倡言古文舊書概與太常博士諸經同類，適可正「經或脫簡，傳或間編」之失，以廣道術。[71]劉歆此舉挑戰太常博士獨攬學官地位，甚至抵觸博士之權威，果然招致諸博士群情激憤，如大司空師丹便怒斥劉歆「改亂舊章，非毀先帝所立」；[72]故欲立古文經列於學官之目的，終究無法如願。

東漢初期，仍有古文學家力圖振興古文學，如尚書令韓歆上疏欲立《費氏易》、《左氏春秋》博士學官。光武帝下詔公卿、大夫、博士會議於雲臺，范升極力反對曰：「《左氏》不祖孔子，而出於丘明，師徒相傳，又無其人，且非先帝所存，無因得立。」[73]並退而奏曰：

> 近有司請置《京氏易》博士，群下執事，莫能據正。《京氏》既立，《費氏》怨望，《左氏春秋》復以比類，亦希置立。《京》、《費》已行，次復《高氏》，《春秋》之家，又有《騶》、《夾》。如令《左氏》、《費氏》得置博士，《高氏》、《騶》、《夾》，《五經》奇異，並復求立，各有所執，乖戾分爭。從之則失道，不從則失人，將恐陛下必有猒倦之聽。[74]

范升以為《左氏》淺末，非《五經》之本，立《左氏》博士官徒

---

71 錢穆言：「自歆言之，《公》、《穀》、《左氏》，其為《春秋》一經之傳則一也。孔壁《尚書》之與伏生《尚書》，其為往古舊書亦一也。烏嘗以己所爭立者為『古文』，而排詆先所立者為『今文』乎？蓋其時博士經學本無今文、古文之爭，歆之爭立諸經，亦猶如石渠議奏時之爭立《穀梁春秋》，故成帝曰：『歆意欲廣道術』也。」《兩漢經學今古文平議》，頁 233。

72 《漢書・楚元王傳》卷三十六，頁 1972。

73 《後漢書・范升傳》卷三十六，頁 1228。

74 《後漢書・范升傳》卷三十六，頁 1228。

增爭執，非當務之急。陳元則駁斥范升「前後相違，皆斷截小文，媟黷微辭，以年數小差，掇為巨謬，遺脫纖微，指為大尤，抉瑕擿釁，掩其弘美，所謂『小辯破言，小言破道』者也」。[75]陳元宣稱，左丘明孤學少與，《左氏》親受於孔子，而《公羊》、《穀梁》傳聞於後世，天子宜詔立《左氏》博詢眾言，以示不專，以廣道術。陳元並以漢武帝雖好《公羊》，而衛太子獨好《穀梁》，宣帝開石渠閣而興《穀梁》，至今與《公羊》並存為例，言先帝各有所立，不必其相因襲；建立《左氏》，與先帝所立不相妨礙。光武帝見范升與陳元奏書，又下詔范、陳二人議論，相互辯難凡十餘次；結果，光武帝立《左氏》、陳元為博士第一。只是諸儒論議依舊讙譁，數度抗爭於廷上，《左氏》旋即又廢。

章帝建初元年（76），賈逵（30-101）受詔入白虎觀、雲臺講學，賈逵申論「《左氏》義深於君父，《公羊》多任於權變」，深獲章帝喜愛。賈逵申論《左氏》優點有二：其一，《左氏》所載與圖讖合，證明漢劉為堯後，其所闡發，可以補益《五經》；此外，《左氏》獨有明文「以證圖讖明劉氏為堯後者」，可以補《五經》家之不足。其二，《左氏》主張「崇君父，卑臣子，彊幹弱枝，勸善戒惡」，適合帝王統治國家之需要。依賈逵之意，當時《易》、《尚書》皆有三家之異，皆可並行不悖；《左氏》「其所發明，補益實多」，亦應可與《公羊》、《穀梁》二傳並立於學官。[76]其後，李育杯葛賈逵，作

---

75 《後漢書．陳元傳》卷三十六，頁 1231。

76 賈逵具條奏之曰：「臣以永平中上言《左氏》與圖讖合者，先帝不遺芻蕘，省納臣言，寫其傳詁，藏之秘書。……至光武皇帝，奮獨見之明，興立《左

《難左氏義》四十一事，陳述《左氏》雖樂文采，然不得聖人深意，陳元、范升之徒多引圖讖而不據理體。賈逵與李育兩人之衝突，蔓延至建初四年白虎觀會議，李育「以《公羊》義難賈逵，往返皆有理證」，[77]略勝一籌，《左氏》又告失敗。

賈逵欲立《左氏》於學官失敗，卻影響東漢經學史上兩件大事：其一，提升古文經之學術地位。《後漢書．儒林列傳》載：

> 建初中，大會諸儒於白虎觀，考詳同異，……又詔高才生受《古文尚書》、《毛詩》、《穀梁》、《左氏春秋》，雖不立學官，然皆擢高第為講郎，給事近署，所以網羅遺逸，博存眾家。[78]

建初八年（83），《後漢書．章帝紀》詔曰：

> 《五經》剖判，去聖彌遠，章句遺辭，乖疑難正，恐先師微言將遂廢絕，非所以重稽古，求道真也。其令群儒選高才生，受學《左氏》、《穀梁春秋》、《古文尚書》、《毛詩》，以扶微學，廣異義焉。[79]

氏》、《穀梁》，會二家先師不曉圖讖，故令中道而廢。凡所以存先王之道者，要在安上理民也。今《左氏》崇君父，卑臣子，彊幹弱枝，勸善戒惡，至明至切，至直至順。且三代異物，損益隨時，故先帝博觀異家，各有所採。《易》有施、孟，復之梁丘，《尚書》歐陽，復有大小夏侯，今三傳之異亦猶是也。又《五經》家皆無以證圖讖明劉氏為堯後者，而《左氏》獨有明文。《五經》家皆言顓頊代黃帝，而堯不得為火德。《左氏》以為少昊代黃帝，即圖讖所謂帝宣也。如令堯不得為火，則漢不得為赤。其所發明，補益實多。」《後漢書．賈逵傳》，卷三十六，頁 1237。

77 《後漢書．儒林列傳》卷七十九下，頁 2582。

78 《後漢書．儒林列傳》卷七十九上，頁 2546。

79 《後漢書．章帝紀》卷三，頁 145。

古文經學雖未得立於學官，至少得到帝王片面肯定，同時朝廷也安排另一種升遷管道，提供古文學家安身立命之處，賈逵本身便是此一舉措之最大受惠者。[80]賈逵以《左氏》明漢為堯後，深獲章帝賞識；又因對古文經傳所做貢獻，遷為衛士令；建初八年，賈逵更因章帝下詔高才生受《左氏》、《穀梁春秋》、《古文尚書》、《毛詩》，此四書遂行於世，而所受之高才生，「皆拜逵所選弟子及門生為千乘王國郎，朝夕受業黃門署，學者皆欣欣羨慕焉」。[81]

其二，賈逵與李育《左氏》、《公羊》之爭，接間促成東漢章帝詔開白虎觀經學會議。章帝有感於當時楊終所謂「章句之徒，破壞大體」之學術環境，致使有「《五經》章句煩多，議欲減省」之要求，且「欲使諸儒共正經義」，於是詔諸儒「講議《五經》同異」，其目的在統一經說，效法「如石渠故事，永為後世則」。

二、宣布圖讖於天下

東漢光武帝（B.C.5-57）以赤伏符受命而為天子，[82]藉圖

---

80 《後漢書・賈逵列傳》曰：「鄭、賈之學，行乎數百年，遂為諸儒宗，亦徒有以焉爾。桓譚以不善讖流亡，鄭興以遜辭僅免，賈逵能附會文致，最差貴顯」卷三十六，頁 1241。

81 《後漢書・賈逵列傳》卷三十六，頁 1239。

82 《後漢書・光武帝紀》建武元年(25)：「行至鄗，光武先在長安時同舍生彊華自關中奉赤伏符，曰：『劉秀發兵捕不道，四夷雲集龍鬥野，四七之際火為主』。群臣因復奏曰：『受命之符，人應為大，萬里合信，不議同情，周之白魚，曷足比焉？今上無天子，海內淆亂，符瑞之應，昭然著聞，宜荅天神，以塞群望。』光武於是命有司設壇場於鄗南千秋亭五成陌。」卷一上，頁

讖力量得天下，且多喜研究圖讖；[83]乃至於建武中元元年（56）一月曰：「是歲，初起明堂、靈臺、辟雍，及北郊兆域。宣布圖讖於天下。」[84]東漢光武帝「宣布圖讖於天下」，《後漢書・張衡傳》曰：「河洛六藝，篇錄已定，后人皮傳，無所容篡。」李賢注曰：「《衡集》上事云：『河洛五九，六藝四九』謂八十一篇也。」[85]可知「河圖洛書」四十五篇與「六藝」三十六篇，應是以光武帝所定之圖讖篇目總數。張衡（78-139），〈請禁絕圖讖疏〉中舉證曰：「至於王莽篡位，漢世大禍，八十篇何為不戒，則知圖讖成於哀平之際也。」[86]張衡或取其八十篇整數而言。荀悅（148-209）《申鑒》曰：

> 世稱緯書，仲尼之作也。臣悅叔父故司空爽辨之，蓋發其偽也。有起于中興之前，終張之徒之作乎。或曰雜。曰：以己雜仲尼乎？以仲尼雜己乎？若彼者，以仲尼雜己而已。然則可謂八十一首，非仲尼之作矣。[87]

此言亦以緯書為圖讖之書八十一篇。黃復山考據得出結論言：「是以今日讖緯學者所引據含鄭玄注文之緯書輯本，亦即光武

21-22。《後漢書・光武帝紀》「讖記曰：『劉秀發兵捕不道，卯金修德為天子。』秀猶固辭，至于再，至于三。群下僉曰：『皇天大命，不可稽留。』敢不敬承。於是建元為建武，大赦天下，改鄗為高邑。」卷一上，頁 22。

83 《東觀漢記》載建武十七年：「帝以日食，避正殿，讀圖讖，多御座廡下淺露中，風發疾苦眩甚。」（漢）劉珍等撰：《東觀漢記》，（臺北：藝文印書館原刻景印《百部叢書集成》），卷一，頁 11。

84 後漢書・光武帝紀》卷一下，頁 84。

85 《後漢書》，頁 1913。

86 張衡：〈請禁絕圖讖疏〉，收錄於嚴可均輯：《全上古三代秦漢三國六朝文》（上海：上海古籍出版社，2002 年），〈全後漢文〉卷五十四，頁 772-2。

87 （漢）荀悅：《申鑒》（臺北：藝文印書館，1966 年，據四庫善本叢書子部影印），卷第三〈俗嫌〉，頁 7-8。

之官定圖讖也。」故「讖緯」篇目，當以八十一篇為主，而「緯書」，則以三十六篇為準，此亦極可能是終東漢之世所流傳緯書篇目之全數。

「讖緯」一詞，涵意頗為繁複，以「讖」為名者，是強調「讖緯」之本質為「讖」，但是卻無法彰顯「讖」在東漢時之發展流變；以「緯」為名者，可以點出「讖緯」之時代意義，卻掩蓋「緯」之本質仍是「讖」；並且，「讖緯」涵意不僅是「讖」與「緯」，而且包含「符」、「錄」、「圖」、「書」、「候」等與「讖」相同質性之典籍文獻。簡言之，「讖緯」之本質，仍是「讖」，或稱「圖讖」、「讖記」，其後因為比附經學，而有「緯」之名。

有關「讖緯」之思想內容，顧頡剛分析「有釋經的、有講天文的、有講歷法的、有講神靈的、有講地理的、有講史事的、有講文字的、有講典章制度的」，[88]可見讖緯思想所論述之內容範圍相當廣泛。陳槃言：

> 如〈孟荀列傳〉所述騶書內容，則與吾人現在所見之讖緯，並無二致，謂史公所述即為整部讖緯之大綱扼要，未嘗不可。[89]

陳槃稱《史記．荀卿列傳》中有關騶衍學說之描述，差可概括讖緯之思維規模。[90]約略而言，「讖緯」，起源於語意隱微、事有效驗之讖語，西漢發展成王者受命之徵驗「圖讖」、「讖

88 顧頡剛：《秦漢的方士與儒生》（臺北：里仁書局，1985 年）。
89 陳槃著：〈讖緯溯原上〉，收錄於《史語所集刊》第 11 本（臺北：中央研究院歷史語言研究所，1971 年再版），頁 318。
90 《史記．荀卿列傳》卷七十四，頁 2344。

記」，進而轉向比附經學而有「緯」之名，甚至宣稱「緯書」是仲尼閉門之作。「讖緯」思想內容與名稱之轉化，或許是受到武帝立《五經》博士與董仲舒倡導獨尊儒學之影響。

第三節　白虎觀會議事跡與卷帙

一、會議宗旨與程序

《後漢書・樊儵傳》曰：

> 永平元年，拜長水校尉，與公卿雜定郊祠禮儀，以讖記正《五經》異說。北海周澤、琅邪承宮並海內大儒，儵皆以為師友而致之於朝。上言郡國舉孝廉，率取年少能報恩者，耆宿大賢多見廢棄，宜敕郡國簡用良俊。又議刑辟宜須秋月，以順時氣。顯宗並從之。[91]

永平元年（58），樊儵（?-67）「以讖記正《五經》異說」，明顯呼應光武帝宣布圖讖之舉；而樊儵上言之事，明帝雖採納，但仍未言及先帝大業之事，甚且未提及有關經學博士之事。[92]

---

91 《後漢書・樊儵傳》卷三十二，頁 1122-1123。

92 《後漢書・樊準傳》載樊儵之族孫樊準嘗言：「……今學者蓋少，遠方尤甚。博士倚席不講，儒者競論浮麗，忘謇謇之忠，習諓諓之辭。文吏則去法律而學詆欺，銳錐刀之鋒，斷刑辟之重，德陋俗薄，以致苛刻。昔孝文竇后性好黃老，而清靜之化流景武之閒。臣愚以為宜下明詔，博求幽隱，發揚巖穴，寵進儒雅，有如孝、宮者，徵詣公車，以俟聖上講習之期。公卿各舉明經及舊儒子孫，進其爵位，使纘其業。復召郡國書佐，使讀律令。如此，則延頸者日有所見，傾耳者月有所聞。伏願陛下推述先帝進業之道。」卷三十二，章帝建初元年（76），楊終（?-100）上疏曰：

> 終又言：「宣帝博徵群儒，論定《五經》於石渠閣。方今天下少事，學者得成其業，而章句之徒，破壞大體。宜如石渠故事，永為後世則。」於是詔諸儒於白虎觀論考同異焉。[93]

楊終上疏宗旨有二：其一，楊終批評章句之徒，破壞《五經》大體，顯示當時經學發展流弊；其二，建議章帝博徵群儒，仿傚西漢宣帝論定《五經》於石渠閣，承繼經學會議傳統。事隔三年，建初四年（79），章帝下詔太常以下及諸生、諸儒會白虎觀，講議《五經》同異。

《後漢書・章帝紀》曰：

> 十一月壬戌，詔曰：「蓋三代導人，教學為本。漢承暴秦，褒顯儒術，建立《五經》，為置博士。其後學者精進，雖曰承師，亦別名家。孝宣皇帝以為去聖久遠，學不厭博，故遂立大、小《夏侯尚書》，後又立《京氏易》。至建武中，復置顏氏、嚴氏《春秋》，大、小戴《禮》博士。此皆所以扶進微學，尊廣道藝也。中元元年詔書，《五經》章句煩多，議欲減省。至永平元年，長水校尉儵奏言，先帝大業，當以時施行。欲使諸儒共正經義，頗令學者得以自助。孔子曰：『學之不講，是吾憂也。』又曰：『博學而篤志，切問而近思，仁在其中矣。』於戲，其勉之哉！」於是下太常，將、大夫、博士、議郎、

頁 1126-1127。

93 《後漢書・楊終傳》卷四十八，頁 1599。

> 郎官及諸生、諸儒會白虎觀，講議《五經》同異，使五官中郎將魏應承制問，侍中淳于恭奏，帝親稱制臨決，如孝宣甘露石渠故事，作《白虎議奏》。[94]

章帝詔書大意申論：其一，當時學術環境充斥「《五經》章句煩多」，遂有「議欲減省」之需求；其二，透過經學會議，達成統一學術共識，以利博士學官教授，且使博士弟子員生受益；其三，章帝詔「太常，將、大夫、博士、議郎、郎官及諸生、諸儒會白虎觀，講議《五經》同異」，會議規模與程序，乃是有意倣效西漢宣帝「石渠故事」。因此，章帝詔開白虎觀會議之宗旨，冀望藉由「諸儒共正經義」之方式，達到「講議《五經》同異」目的。

依章帝詔書內容推測，白虎觀會議進行程序，大致分四部分：首先，由五官中郎將魏應承制問，提供會議討論題目；其次，由與會者針對制問內容提出意見，並且交叉討論「共正經義」；再者，以諸儒共正經義之結論，交由侍中淳于恭整理討論資料後，再上奏章帝；最後，會議結論交由章帝親稱制臨決，作成最後結論，拍扳定案。白虎觀會議是以天子名義召開，經學專家齊聚一堂討論《五經》同異問題，會議進行方式承襲西漢宣帝「石渠故事」；因此，章帝詔開白虎觀會議亦是有意呼應楊終疏中所言之「永為後世則」之模式，藉此建立一種解決學術紛爭之傳統機制。

---

94 《後漢書・章帝紀》卷三，頁 137-138。

二、與會者學術背景

東漢建初四年，章帝下詔「太常、將、大夫、博士、議郎、及諸生、諸儒會白虎觀，講議《五經》同異」，就與會者之頭銜而言，已經涵蓋漢代經學學官範圍，足堪代表官方經學立場。依與會者之官職名稱，應可求知與會者之學術背景。

（一）與會者官職名稱

1.太常

《漢書・百官公卿表》載：

> 奉常，秦官，掌宗廟禮儀，有丞。景帝中六年更名太常。屬官有太樂、太祝、太宰、太史、太卜、太醫六令丞，又均官、都水兩長丞，又諸廟寢園食官令長丞，有廱太宰、太祝令丞，五時各一尉。又博士及諸陵縣皆屬焉。[95]

應劭曰：「常，典也，掌典三禮也」，「常是祭祀時之旗幟，奉常即主祭之意」。[96]太常，秦時稱奉常，至西漢景帝中更名為太常。其職掌宗廟禮儀，隸屬太常之官職人員眾多，博士亦是其中之一。《後漢書・儒林列傳》言：「凡十四博士，太常差次總領焉。」《後漢書・志・百官二》載：[97]

---

95 《漢書・百官公卿表》卷十九上，頁 726。

96 （清）黃本驥：《歷代職官表》（臺北：宏業書局，1994 年），附瞿蛻園〈歷代職官簡釋〉，頁 82。

97 《後漢書・志・百官一》志二十四曰：「唯班固著〈百官公卿表〉，記漢承秦置官本末，訖于王莽，差有條貫；然皆孝武奢廣之事，又職分未悉。世祖節約之制，宜為常憲，故依其官簿，粗注職分，以為〈百官志〉。凡置官之本，

> 太常，卿一人，中二千石。本注曰：掌禮儀祭祀。每祭祀，先奏其禮儀；及行事，常贊天子。每選試博士，奏其能否。大射、養老、大喪、皆奏其禮儀。每月前晦，察行陵廟。丞一人，比千石。本住曰：掌凡行禮及祭祀小事，總署曹事。其署曹掾史，隨事為員，諸卿皆然。[98]

東漢時，太常一人主掌禮儀祭祀，包含奏大射、養老、大喪等禮儀，並每月前晦，察行陵廟，擔任審核選試博士之職。太常以下隸屬官員有：太史令一人「掌天時、星曆」，博士祭酒一人「掌教弟子」、「國有疑事，掌承問對」，太祝令一人「凡國祭祀，掌讀祝，及迎送神」，太宰令一人「掌宰工鼎俎饌具之物」、「凡國祭祀，掌陳饌具」，大予樂令一人「掌伎樂」、「凡國祭祀，掌請奏樂，及大饗用樂，掌其陳序」，高廟令一人「守廟，掌案行掃除」，世祖廟令一人（如高廟），先帝陵、每陵園令各一人「掌守陵園，案行掃除」，先帝陵，每陵食官令各一人「掌望晦時節祭祀」，屬太常者凡十官，皆有定額。

2.博士、諸生、諸儒

《漢書・百官公卿表》載：

> 博士，秦官，掌通古今，秩比六百石，員多至數十人。武帝建元五年初置《五經》博士，宣帝黃龍元年稍增員

及中興所省，無因復見者，既在《漢書・百官表》，不復悉載。」，頁 3555。本文以下考據白虎觀會議之與會者官銜，主要以《漢書・百官公卿表》與《後漢書・志・百官》二部為主。

98 《後漢書・志・百官二》志二十五，頁 3571。

> 十二人。元帝永光元年分諸陵邑屬三輔。[99]

博士即是太常屬官之一，職掌宗廟祭祀禮儀，故又有禮官之稱。自西漢惠帝除挾書令後，文帝時《尚書》《詩》及諸子傳記皆已立於學官，並置博士，諸子傳說兼有博士之職。武帝之前，博士未有專責，仍屬「雜學」博士，武帝建元五年之後，始「置《五經》博士」，博士專治一經。武帝使博士各掌其經，各司其職，賦予經書法定權威地位，從而鞏固博士官與經學不可分隔之關係；此後，博士職權由「通古今」轉為「作經師」。《後漢書．志．百官二》載：

> 博士祭酒一人，六百石。本僕射，中興轉為祭酒。博士十四人，比六百石。本注曰：《易》四，施、孟、梁丘、京氏。《尚書》三，歐陽、大小夏侯氏。《詩》三，魯、齊、韓氏。《禮》二，大小戴氏。《春秋》二，公羊嚴、顏氏。掌教弟子。國有疑事，掌承問對。[100]

西漢博士教授任職於太學，至東漢改稱為博士祭酒，太學內之學生稱做博士弟子，至東漢改為太學生或諸生。

3.將、大夫、議郎、郎官

《漢書．百官公卿表》載：

> 郎中令，秦官，掌宮殿掖門戶，有丞。武帝太初元年更名光祿勳。屬官有大夫、郎、謁者，皆秦官。又期門、羽林皆屬焉。

---

99 《漢書．百官公卿表》卷十九上，頁 726。
100 《後漢書．志．百官二》志二十五，頁 3572。

大夫掌論議，有太中大夫、中大夫、諫大夫，皆無員，多至數十人。武帝元狩五年初置諫大夫，秩比八百石，太初元年更名中大夫為光祿大夫，秩比二千石，太中大夫秩比千石如故。

郎掌守門戶，出充車騎，有議郎、中郎、侍郎、郎中，皆無員，多至千人。議郎、中郎秩比六百石，侍郎比四百石，郎中比三百石。中郎有五官、左、右三將，秩皆比二千石。郎中有車、戶、騎三將，秩皆比千石。[101]

郎中令乃秦官之名，西漢武帝更名為光祿勳，其屬官有大夫、郎、謁者。大夫主掌論議，有太中大夫、中大夫、諫大夫。郎主掌守門戶，出充車騎，有議郎、中郎、侍郎、郎中。謁者主掌賓讚受事。《後漢書・志・百官二》載：

光祿勳，卿一人，中二千石。本注曰：掌宿衛宮殿門戶，典謁署郎更直執戟，宿衛門戶，考其德行而進退之。郊祀之事，掌三獻。丞一人，比千石。[102]

五官中郎將一人，比二千石。本注曰：主五官郎。五官中郎，比六百石。本注曰：無員。五官侍郎，比四百石。本注曰：無員。五官郎中，比三百石。本注曰：無員。凡郎官皆主更直執戟，宿衛諸殿門，出充車騎。唯議郎不在直中。[103]

光祿大夫，比二千石。本注曰：凡大夫、議郎皆掌顧應對，無常事，唯詔令所使。凡諸國嗣之喪，則光祿大夫

101　《漢書・百官公卿表》卷十九上，頁 727。
102　《後漢書・志・百官二》志二十五，頁 3574。
103　《後漢書・志・百官二》志二十五，頁 3574-3575。

掌弔。[104]

東漢光祿勳主掌宿衛宮殿門戶，典謁署郎更直執戟，宿衛門戶及侍從諸官之長。凡中郎將、大夫、議郎、郎官、謁者等，皆光祿勳之屬官。五官中郎將一人，主五官郎，郎官皆主更直執戟，宿衛諸殿門，出充車騎，皆無定額；此外，大夫、議郎皆掌顧應對，隨天子詔令機動行事。因此，郎乃是「殿廷侍從的意思，其任務是護衛、陪從、隨時建議，備顧問及差遣」，「無職務、無官署、無員額的官名，不在下規編制之內，而直接與皇帝接近，能起相當的政治作用」。[105]

依章帝下詔「太常、將、大夫、博士、議郎、及諸生、諸儒」等與會者之頭銜，大概可分為二系：一，以太常為首為一系，此系以經學為主軸之博士、儒生；二，以光祿勳為首為一系，以顧問論議為主軸之大夫、議郎。從參與白虎觀會議之官職與身分看，人數之多足以代表當時官方之學術立場，且會議「連月乃罷」，不難想像白虎觀會議規模之盛大。

《後漢書》雖然詳實記載章帝詔書之內容、會議日期與會議程序，然而，究竟有那些人，有多少人實際參與會議，《後漢書》並未整體紀錄。目前，僅可從史書中之個別傳記，或其他材料中爬梳若干資料。

（二）與會者學術專長

依白虎觀會議與會者之學術專長分類，並依《後漢書》列傳排列順序整理如下：

---

104 《後漢書・志・百官二》志二十五，頁 3577。
105 《歷代職官表》，頁 3。

1.《尚書》類

（1）桓郁（?-93）。《後漢書・桓郁傳》曰：

> 郁字仲恩，少以父任為郎。敦厚篤學，傳父業，以《尚書》教授，門徒常數百人。榮卒，郁當襲爵，上書讓於兄子汎，顯宗不許，不得已受封，悉以租入與之。帝以郁先師子，有禮讓，甚見親厚，常居中論經書，問以政事，稍遷侍中。帝自制《五家要說章句》，令郁校定於宣明殿，以侍中監虎賁中郎將。[106]

> 永平十五年，入授皇太子經，遷越騎校尉，詔敕太子、諸王各奉賀致禮。郁數進忠言，多見納錄。肅宗即位，郁以母憂乞身，詔聽以侍中行服。建初二年，遷屯騎校尉。[107]

> 和帝即位，富於春秋，侍中竇憲自以外戚之重，欲令少主頗涉經學，上疏皇太后曰：「……」由是遷長樂少府，復入侍講。頃之，轉為侍中奉車都尉。永元四年，代丁鴻為太常。明年病卒。[108]

> 郁經授二帝，恩寵甚篤，賞賜前後數百千萬，顯於當世。門人楊震、朱寵，皆至三公。[109]
> 初，榮受朱普學章句四十萬言，浮辭繁長，多過其實。及榮入授顯宗，減為二十三萬言。郁復刪省定成十二萬

---

106 《後漢書・桓郁傳》卷三十七，頁 1254-1255。
107 《後漢書・桓郁傳》卷三十七，頁 1255。
108 《後漢書・桓郁傳》卷三十七，頁 1255-1256。
109 《後漢書・桓郁傳》卷三十七，頁 1256。

言。由是有《桓君大小太常章句》。[110]

桓郁，字仲恩，沛郡龍亢人。桓郁之父桓榮，「少學長安，習《歐陽尚書》，事博士九江朱普」，[111]朱普則從平當學《歐陽尚書》。[112]桓郁既傳父業，且以《尚書》教授，至章帝建初二年（77）遷屯騎校尉，和帝永元四年（92）代丁鴻為太常，刪桓榮章句二十三萬言，為《桓君大小太常章句》十二萬言，其學當以《歐陽尚書》為主。

（2）丁鴻（?-94）。《後漢書．丁鴻傳》曰：

> 鴻年十三，從桓榮受《歐陽尚書》，三年而明章句，善論難，為都講，遂篤志精銳，布衣荷擔，不遠千里。[113]
>
> 肅宗詔鴻與廣平王羨及諸儒樓望、成封、桓郁、賈逵等，論定《五經》同異於北宮白虎觀，使五官中郎將魏應主承制問難，侍中淳于恭奏上，帝親稱制臨決。鴻以才高，論難最明，諸儒稱之，帝數嗟美焉。時人嘆曰：「殿中無雙丁孝公。」數受賞賜，擢徙校書，遂代成封為少府。門下由是益盛，遠方至者數千人。[114]
>
> 贊曰：五更待問，應若鳴鍾。庭列輜駕，堂修禮容。穆穆帝則，擁經以從。丁鴻翼翼，讓而不飾。高論白虎，

110 《後漢書．桓郁傳》卷三十七，頁 1256。

111 《後漢書．桓榮傳》卷三十七，頁 1249。

112 《漢書．儒林傳》曰：「林尊字長賓，濟南人也。事歐陽高，為博士，論石渠。後至少府、太子太傅，授平陵平當、梁陳翁生。……由是歐陽有平、陳之學。……而平當授九江朱普公文、……」卷八十八，頁 3604。

113 《後漢書．丁鴻傳》卷三十七，頁 1263。

114 《後漢書．丁鴻傳》卷三十七，頁 1264。

> 深言日食。[115]

丁鴻，字孝公，穎川定陵人。丁鴻早年從桓榮習《歐陽尚書》，與桓郁所學同出一系，為人善論難，讓而不飾，因經學至行，而得章帝賢之。建初四年，丁鴻徙封魯陽鄉侯，章帝詔丁鴻與諸儒與會白虎觀，丁鴻論難最明，帝數嗟歎其才美，曰「殿中無雙丁孝公」。[116]會後擢徙校書，遂代成封為少府，可知丁鴻與會白虎觀，會中以《歐陽尚書》論難群儒，諸儒稱之。

（3）張酺（?-104）。《後漢書・張酺傳》曰：

> 酺少從祖父充受《尚書》，能傳其業。又事太常桓榮。勤力不怠，聚徒以百數。永平九年，顯宗為四姓小侯開學於南宮，置《五經》師。酺以《尚書》教授，數講於御前。以論難當意，除為郎，賜車馬衣裳，遂令入授皇太子。[117]

> 帝先備弟子之儀，使酺講《尚書》一篇，然後脩君臣之禮。賞賜殊特，莫不沾洽。[118]

張酺，字孟侯，汝南細陽人。張酺少從祖父張充受《尚書》，能傳其業，並能以《尚書》教授，數講於御前，除為郎。章帝即位，擢張酺為侍中、虎賁中郎將。元和二年（85）章帝嘗以弟子之儀，使張酺講《尚書》一篇，然後再脩君臣之禮，尤見張酺之榮寵。張酺事太常桓榮，亦習《歐陽尚書》，其學與丁

---

115 《後漢書・丁鴻傳》卷三十七，頁 1269。

116 《東觀漢記》曰：「上嗟歎鴻才，號之曰：『殿中無雙丁孝公』。」卷十五，頁 2。

117 《後漢書・張酺傳》卷四十五，頁 1528-1529。

118 《後漢書・張酺傳》卷四十五，頁 1530。

鴻、桓郁系出同門。

2.《詩》類

（1）魯恭（32-112）。《後漢書・魯恭傳》曰：

> 其先出於魯（傾）頃公，為楚所滅，遷於下邑，因氏焉。世吏二千石，哀平閒，自魯而徙。祖父匡，王莽時，為義和，有權數，號曰「智囊」。父某，建武初，為武陵太守，卒官。時恭年十二，弟丕七歲，晝夜號踴不絕聲，郡中賻贈無所受，乃歸服喪，禮過成人，鄉里奇之。十五，與母及丕俱居太學，習《魯詩》，閉戶講誦，絕人間事，兄弟俱為諸儒所稱，學士爭歸之。[119]

> 建初初，丕舉方正，恭始為郡吏。太傅趙（喜）熹聞而辟之。肅宗集諸儒於白虎觀，恭特以經明得召，與其議。[120]

> 其後拜為《魯詩》博士，由是家法學者日盛。[121]

魯恭，字仲康，扶風平陵人。魯恭祖父魯匡為羲和之官，其父為武陵太守，堪稱世家；早年與弟魯丕居太學，習《魯詩》，學士爭相歸依門下。至建初初始為郡吏，建初四年，魯恭特以經明得召，與其議於白虎觀，其後拜為《魯詩》博士，建立家法，門下弟子更盛於以往。

（2）召馴（?）。《後漢書・儒林列傳》曰：

119 《後漢書・魯恭傳》卷二十五，頁 873。
120 《後漢書・魯恭傳》卷二十五，頁 874。
121 《後漢書・魯恭傳》卷二十五，頁 878。

> 曾祖信臣，元帝時為少府。父建武中為卷令，俶儻不拘小節。馴少習《韓詩》，博通書傳，以志義聞，鄉里號之曰「德行恂恂召伯春」。累仕州郡，辟司徒府。建初元年，稍遷騎都尉，侍講肅宗。拜左中郎將，入授諸王。帝嘉其義學，恩寵甚崇。出拜陳留太守，賜刀劍錢物。元和二年，入為河南尹。章和二年，代任隗為光祿勳，卒於官，賜冢塋陪園陵。[122]

召馴，字伯春，九江壽春人。召馴少習《韓詩》，且能博通書傳。建初元年稍遷騎都尉，侍講章帝，拜左中郎將。章和二年（88）代任隗為光祿勳。

（3）魏應（?）。《後漢書・魏應傳》曰：

> 少好學。建武初，詣博士受業，習《魯詩》。閉門誦習，不交僚黨，京師稱之。後歸為郡吏，舉明經，除濟陰王文學。以疾免官，教授山澤中，徒眾常數百人。永平初，為博士，再遷侍中。十三年，遷大鴻臚。十八年，拜光祿大夫。建初四年，拜五官中郎將，詔入授千乘王伉。[123]

> 應經明行修，弟子自遠方至，著錄數千人。肅宗甚重之，數進見，論難於前，特受賞賜。時會京師諸儒於白虎觀，講論《五經》同異，使應專掌難問，侍中淳于恭奏之，帝親臨稱制，如石渠故事。明年，出為上黨太守，徵拜騎都尉，卒於官。[124]

122　《後漢書・儒林列傳》卷七十九下，頁 2573-2574。
123　《後漢書・魏應傳》卷七十九下，頁 2571。
124　《後漢書・魏應傳》卷七十九下，頁 2571。

魏應，字君伯，任城人。魏應少年時習《魯詩》，永平初為博士，再遷侍中，十三年（70）遷大鴻臚、十八年（75）拜光祿大夫。建初四年拜五官中郎將，參與白虎觀會議。魏應因善於論難而深獲章帝重視，故章帝使魏應於議場之中，職在「專掌難問」、「主承制問難」，意即構思問題提供與會者討論，故理應不得參與討論其中。

3.《春秋》類

（1）賈逵（30-101）。《後漢書．賈逵傳》曰：

> 九世祖誼，文帝時為梁王太傅，曾祖父光，為常山太守，宣帝時以吏二千石自洛陽徙焉。父徽，從劉歆受《左氏春秋》，兼習《國語》、《周官》、又受《古文尚書》於塗惲，學《毛詩》於謝曼卿，作《左氏條例》二十一篇。[125]

> 肅宗立，降意儒術，特好《古文尚書》、《左氏傳》。建初元年，詔逵入講北宮白虎觀、南宮雲臺。……書奏，帝嘉之，賜布五百匹，衣一襲，令逵自選《公羊》嚴、顏諸生高才者二十人，教以《左氏》，與簡紙經傳各一通。[126]

> 逵數為帝言《古文尚書》與經傳《爾雅》詁訓相應，詔令撰《歐陽》、《大小夏侯尚書》《古文》同異。逵集為三卷，帝善之。復令撰《齊》、《魯》、《韓詩》與《毛氏》同異。并作《周官解詁》。遷逵為衛士令。八

125 《後漢書．賈逵傳》卷三十六，頁 1234。
126 《後漢書．賈逵傳》卷三十六，頁 1239。

> 年，乃詔諸儒各選高才生，受《左氏》、《穀梁春秋》、《古文尚書》、《毛詩》，由是四經遂行於世。皆拜逵所選弟子及門生為千乘王國郎，朝夕受業黃門署，學者皆欣欣羨慕焉。[127]

賈逵，字景伯，扶風平陵人。賈逵之父賈徽從劉歆受《左氏春秋》，兼習《國語》、《周官》、《古文尚書》、《毛詩》，作《左氏條例》二十一篇，而專精《左氏春秋》，學術涉獵廣泛，足稱淵博。賈逵承續父志，尤明《左氏春秋》，作《解詁》三十篇，《國語》二十一篇。[128]明帝永平十七年（74），賈逵作〈神雀頌〉，[129]拜為郎，與班固並校秘書，應對左右。賈逵之《左氏春秋》學與當時流行之圖讖結合，言「《左氏》與圖讖相合」，適章帝好《古文尚書》、《左氏傳》，乃召賈逵入講北宮白虎觀、南宮雲臺。帝善逵說，使發出《左氏傳》大義長於二傳者，賈逵則擿出《左氏》三十事尤著明者，[130]斯皆君

---

127 《後漢書・賈逵傳》卷三十六，頁 1239。

128 《後漢書・賈逵傳》卷三十六，李賢注：「《左氏》三十篇，《國語》二十一篇也。」頁 1235。

129 《後漢書・明帝紀》卷二載：「（永平十七年）是歲，甘露仍降，樹枝內附，芝草生殿前，神雀五色翔集京師。」

130 《後漢書》載賈逵擿出《左氏》三十事尤著明者，黃彰健考《太平御覽》引《三輔決錄》、徐彥《公羊序疏》、《後漢書・李育傳》，以為：「范曄《後漢書・賈逵傳》說：賈逵『謹擿出《左氏》三十事尤著明者』，三十，恐係『四十』之誤」。《經今古文學問題新論》，（臺北：中央研究院歷史語言研究所，1992 年 9 月），頁 157。實則，賈逵以《左氏》附會圖讖，強調《左氏》與圖讖合者，並以《左氏》獨有明文以圖讖證明劉氏為堯後者，故所舉三十事「尤著明者」皆與圖讖有關，其餘什有七八與《公羊》者同。《後漢書・張衡傳》言張衡上疏曰：「往者侍中賈逵摘讖互異三十餘事」，即是明證。黃彰健之言，恐受惑於《後漢書》言李育「嘗讀《左氏傳》，雖樂文采，然謂不得聖人深意，以為前世陳元、范升之徒更相非折，而多引圖讖，

臣之正義，父子之紀綱。故賈逵雖家學稱古學，亦習古文經，然其學術特色卻不必稱古學。章帝於建初元年（76）令逵自選《公羊》嚴、顏諸生高才者二十人，教以《左氏》，與簡紙經傳各一通；及建初八年（83）乃詔諸儒各選高才生，受《左氏》、《穀梁春秋》、《古文尚書》、《毛詩》，由是四經遂行於世，完全拜賈逵所賜。因此，從賈逵之家學淵源與其尤明《左氏春秋》而言，仍屬古文學陣營健將之一。

（2）楊終（?-100）。《後漢書．楊終傳》曰：

> 年十三，為郡小吏，太守奇其才，遣詣京師受業，習《春秋》。顯宗時，徵詣蘭臺，拜校書郎。[131]

> 終又言：「宣帝博徵群儒，論定《五經》於石渠閣。方今天下少事，學者得成其業，而章句之徒，破壞大體。宜如石渠故事，永為後世則。」於是詔諸儒於白虎觀論考同異焉。會終坐事繫獄，博士趙博、校書郎班固、賈逵等，以終深曉《春秋》，學多異聞，表請之，終又上書自訟，即日貰出，乃得與於白虎觀焉。後受詔刪《太史公書》為十餘萬言。[132]

> 帝東巡狩，鳳皇黃龍並集，終贊頌嘉瑞，上述祖宗鴻業，凡十五章，奏上，詔貰還故郡。著《春秋外傳》十二篇，

不據理體，於是作《難左氏義》四十一事」。李育作《難左氏義》四十一事，乃是泛指陳元、范升之徒多引圖讖，並非針對賈逵而發；即使李育《難左氏義》意在攻訐賈逵，在引述證據之數量上，亦不必與賈逵相對，以四十一事勝於三十事，在辯論上益顯優越。

131 《後漢書．楊終傳》卷四十八，頁 1597。

132 《後漢書．楊終傳》卷四十八，頁 1599。

> 改定章句十五萬言。永元十二年，徵拜郎中，以病卒。[133]

楊終，字子山，蜀郡成都人。楊終自小習《春秋》，明帝時拜校書郎，是促進章帝詔開白虎觀會議之主要人物。其學術治專在《春秋》，著有《春秋外傳》十二篇，[134]然《後漢書》未言楊終之《春秋》所習何家。[135]楊終因事入獄，待博士趙博、校書郎班固、賈逵等人表請楊終「深曉《春秋》，學多異聞」，乃得與於白虎觀會議之上。

（3）李育（?）。《後漢書．李育傳》曰：

> 少習《公羊春秋》。沈思專精，博覽書傳，知名太學，深為同郡班固所重。固奏記薦育於驃騎將軍東平王蒼，由是京師貴戚往交之。州郡請召，育到，輒辭病去。[136]常避地教授，門徒數百。頗涉獵古學。嘗讀《左氏傳》，雖樂文采，然謂不得聖人深意，以為前世陳元、范升之徒更相非折，而多引圖讖，不據理體，於是作《難左氏義》四十一事。[137]

> 建初元年，衛尉馬廖舉育方正，為議郎。後拜博士。四年，詔與諸儒論《五經》於白虎觀，育以《公羊》義難

133 《後漢書．楊終傳》卷四十八，頁 1600-1601。

134 《春秋外傳》即《國語》，《漢書．律曆志》亦稱《國語》為《春秋外傳》；王充《論衡．案書篇》曰：「《國語》，《左氏》之外傳也。」

135 王先謙則以為楊終之《春秋》所習皆《公羊》學也，曰：「而考終上疏三引皆《公羊傳》語，知所治必《公羊》，《春秋外傳》及改定之章句亦是《公羊》學也」，《後漢書集解》，頁 563。

136 《後漢書．李育傳》卷七十九下，頁 2582。

137 《後漢書．李育傳》卷七十九下，頁 2582。

> 賈逵，往返皆有理證，最為通儒。[138]

> 再遷尚書令。及馬氏廢，育坐為所舉免歸。歲餘復徵，再遷侍中，卒於官。[139]

李育，字元春，扶風漆人。李育少習《公羊春秋》，但不知從嚴、顏何氏，且博覽書傳。建初元年（76）為議郎，後拜博士。建初四年與諸儒會白虎觀，會中李育以《公羊春秋》論難賈逵，最為通儒。

（4）樓望（21-100）。《後漢書．樓望傳》曰：

> 少習《嚴氏春秋》。操節清白，有稱鄉閭。建武中，趙節王栩聞其高名，遣使齎玉帛請以為師，望不受。後仕郡功曹。永平初，為侍中、越騎校尉，入講省內。十六年，遷大司農。十八年，代周澤為太常。建初五年，坐事左轉太中大夫，後為左中郎將。教授不倦，世稱儒宗，諸生著錄九千餘人。年八十，永元十二年，卒於官，門生會葬者數千人，儒家以為榮。[140]

樓望，字次子，陳留雍丘人。樓望少習《嚴氏春秋》，永平中為侍中，十八年代澤為太常。建初五年（80），坐事左轉太中大夫，後為左中郎將。樓望教授不倦，作育英才無數，世稱儒宗。

與會者未確認學術專長：

（1）淳于恭（?-80）。《後漢書．淳于恭傳》曰：

---

138 《後漢書．李育傳》卷七十九下，頁 2582。
139 《後漢書．李育傳》卷七十九下，頁 2582。
140 《後漢書．樓望傳》卷七十九下，頁 2580-2581。

建初元年，肅宗下詔美恭素行，告郡賜帛二十匹，遣詣公車，除為議郎。引見極，訪以政事，遷侍中騎都尉，禮待甚優。其所薦名賢，無不徵用。進對陳政，皆本道德，帝與之言，未嘗不稱善。五年，病篤，使者數存問，卒於官。詔書褒歎，賜穀千斛，刻石表閭。除子孝為太子舍人。[141]

淳于恭，字孟孫，北海淳于人。淳于恭善說《老子》，章帝建初元年（76）除為議郎，其學與經學屬性不同。淳于恭與會白虎觀時為侍中，職掌上奏講議結果，章帝稱制臨決。

（2）劉羨（?-97）。《後漢書・陳敬王羨傳》曰：

陳敬王羨，永平三年封廣平王。建初三年，有司奏遣羨與鉅鹿王恭、樂成王黨俱就國。肅宗性篤愛，不忍與諸王乖離，遂留京師。明年，案輿地圖，令諸國戶口皆等，租入歲各八千。羨博涉經書，有威嚴，與諸儒講論於白虎殿。[142]

劉羨於明帝永平三年（60）封廣平王，其學術雖「博涉經書」，但無明確之學術專長。

（3）成封，生平與學術未可知。

（4）班固（32-92）。《後漢書・班固傳》曰：

年九歲，能屬文誦詩賦，及長，遂博貫載籍，九流百家之言，無不窮究。所學無常師，不為章句，舉大義而已。

141 《後漢書・淳于恭傳》卷三十九，頁 1301。
142 《後漢書・陳敬王羨傳》卷五十，頁 1667。

> 性寬和容眾，不以才能高人，諸儒以此慕之。[143]

> 父彪卒，歸鄉里。固以彪所續前史未詳，乃潛精研思，欲就其業。……顯宗甚奇之，召詣校書部，除蘭臺令史，與前睢陽令陳宗、長陵令尹敏、司隸從事孟異共成世祖本紀。遷為郎，典校秘書。固又撰功臣、平林、新市、公孫述事，作列傳、載記二十八篇，奏之。帝乃復使終成前所著書。[144]

> 及肅宗雅好文章，固愈得幸，數入讀書禁中，或連日繼夜。每行巡狩，輒獻上賦，朝廷有大議，使難問公卿，辯論於前，賞賜恩寵甚渥。固自二世才術，位不過郎，感東方朔、楊雄自論，以不遭蘇、張、范、蔡之時，作〈賓戲〉以自通焉。後遷玄武司馬。天子會諸儒講論《五經》，作《白虎通德論》，令固撰集其事。[145]

> 固所著〈典引〉、〈賓戲〉、〈應譏〉、詩、賦、銘、誄、頌、書、文、記、論、議、六言，在者凡四十一篇。[146]

班固，字孟堅，扶風安陵人。班固能屬文誦詩賦，著作亦以此為主而兼備史學，明帝永平中為郎，典校秘書。[147]班固之成就，乃是明帝時受詔撰寫，歷經二十餘年，至章帝建初中時所

---

143 《後漢書·班固傳》卷四十上，頁 1330。

144 《後漢書·班固傳》卷四十上，頁 1333-1334。

145 《後漢書·班固傳》卷四十下，頁 1373。

146 《後漢書·班固傳》卷四十下，頁 1386。

147 《漢書·敘傳》卷一百上曰：「（班固）永平中為郎，典校秘書，專篤志於博學，以著述為業。」頁 4225。

完成之《漢書》。班固亦能「博貫載籍，九流百家之言，無不窮究」，「專篤志於博學，以著述為業」，所學既無明確師承，亦無專治典籍。班固於白虎觀會議作「白虎通德論」，章帝令班固「撰集其事」。

白虎觀會議與會者主要專長，製作簡表如下。

白虎觀會議與會者學術專長				
《易》	《書》	《詩》	《禮》	《春秋》
	桓郁	魯恭		賈逵
	丁鴻	召馴		楊終
	張酺	魏應		李育
				樓望
白虎觀會議與會者未確認學術專長				
淳于恭、劉羨、成封、班固				

依史書所載，實際參與白虎觀會議之成員，凡以上所列十四人，章帝「稱制臨決」不在此列。而與會者中，魏應「承制問」，淳于恭「奏」，班固「撰集其事」，三人職責分明，應非會議中之講議者；因此，實際參與講議者，可考者有十一人。然而，章帝下詔太常以下，以至於諸生、諸儒，會白虎觀講議《五經》同異，歷經「連月乃罷」，實際參與講議者，理應不止上述十一人。相較於石渠閣會議，白虎觀會議與會者之主要經學專長，集中在《書》、《詩》與《春秋》三經，《易》與《禮》二經則付之闕如；因此，十一人之學術背景，無

法涵蓋《五經》，不足以代表與會全體。

與會者之中，治《尚書》者：丁鴻少年從桓榮受《歐陽尚書》，桓郁傳父業以《尚書》教授，張酺少從祖父張充受《尚書》，三者係同出桓榮《歐陽尚書》。治《詩》者：召馴少習《韓詩》，魯恭習《魯詩》。治《春秋》者：楊終以深曉《春秋》，李育少習《公羊春秋》，樓望少習《嚴氏春秋》。而賈逵悉傳賈徵學業，劉羨則「博涉經書」，二人非專治一經而名；至於成封之學術則無可考。若以今古文學之立場區分，與會學者中，除賈逵具有鮮明之古文學立場，與班固兼通古今學之外，大要皆屬今文經學者。

三、會議卷帙與名稱

「白虎通」之書名，主要有「白虎通」、「白虎通義」與「白虎通德論」等不同名稱；造成此種一書多名之現象，固然是史料記載已見分歧，亦源自史料對此書之來源與性質有不同見解所致。

《東觀漢記》載東漢明帝永平元年（58）：

> 永平元年，帝即阼，長思遠慕，至踰年正月，乃率諸王侯、公主外戚郡國計吏上陵，如會殿前禮。長水校尉樊鯈奏言：先帝大業當以時施行。欲使諸儒共正經義，頗令學者得以自助，于是下太常、將軍、大夫、博士、議郎、郎官及諸王、諸儒，會白虎觀講議《五經》同

異。[148]

《東觀漢記》記載東漢明帝於永平二年（59）採長水校尉樊鯈之奏言，下太常至諸儒等人會白虎觀，講議《五經》同異。同書又載，章帝建初四年（79）：

四年冬十一月，詔諸王、諸儒會白虎觀，講《五經》同異。[149]

若依《東觀漢記》所載，東漢明帝、章帝各自詔開一次白虎觀會議。但永平二年，明帝率公卿列侯祀于明堂，登靈臺，正儀度，並未重述樊鯈之奏，以及明帝下詔諸人會白虎觀講議《五經》同異；[150]《後漢書》亦未記載明帝詔開此會。[151]《後漢書·樊鯈列傳》曰：

永平元年，拜長水校尉，與公卿雜定郊祠禮儀，以讖記正《五經》異說。[152]

《後漢書》載樊鯈於永平元年拜長水校尉，並與公卿雜定郊祠禮儀，以讖記正《五經》異說，但並未載永平二年之奏言。因此，《東觀漢記》載東漢明帝永平元年詔諸人會白虎觀講議《五經》同異之事，可能誤植。

---

148 《東觀漢記》卷二，頁 2。

149 《東觀漢記》卷二，頁 7。

150 《東觀漢記》卷二：「（永平）二年春正月辛未，宗祀光武皇帝于明堂，帝及公卿列侯始服冕冠衣裳，祀畢，升靈臺望雲物，大赦天下。詔曰：登靈臺，正儀度」，頁 2。

151 《後漢書》卷二：「永平元年春正月，帝率公卿已下朝於原陵，如元會議。」頁 99。

152 《後漢書·樊鯈列傳》卷三十二，頁 1122。

《後漢書·章帝紀》建初四年記載曰：「於是下太常，將、大夫、博士、議郎、及諸生、諸儒會白虎觀，講議《五經》同異，使五官中郎將魏應承制問，侍中淳于恭奏，帝親稱制臨決，如孝宣甘露石渠故事，作白虎議奏。」白虎觀又稱白虎殿，在未央宮內，[153]因會議在白虎觀處，故所作議奏名之曰「白虎議奏」，李賢（651-684）注之曰「今《白虎通》。」《隋志》以後通稱此次會議資料為「白虎通」。可知，「白虎通」一辭乃是以地名書。

《後漢書·儒林列傳》又載：

> 建初中，大會諸儒於白虎觀，考詳同異，連月乃罷。肅宗親臨稱制，如石渠故事，顧命史臣，著為通義。[154]

此文與上文同記一事，但所作會議資料有「通義」之名，故《新唐書·藝文志》稱之為「白虎通義」。《後漢書·班固列傳》又載：

> 固自以二世才術，位不過郎，感東方朔、楊雄自論，以不遭蘇、張、范、蔡之時，作〈賓戲〉以自通焉。後遷玄武司馬。天子會諸儒講論《五經》，作《白虎通德論》，令固撰集其事。[155]

故此會議資料又有「白虎通德論」之名，《崇文總目》亦以此

153 《三輔黃圖》曰：「未央宮有宣室、麒麟、金華、承明、武臺、鈞弋等殿。又有殿閣三十有二，有：壽成、萬歲、廣明、椒房、清涼、永延、玉堂、壽安、平就、宣德、東明、飛雨、鳳皇、通光、曲臺、白虎等殿。」頁 7。

154 《後漢書·儒林列傳》卷七十九上，頁 2546。

155 《後漢書·班固列傳》卷四十下，頁 1373。

稱之。

《後漢書》所載記錄白虎觀會議之資料，或曰「白虎議奏」、「通義」、「白虎通德論」，可知當時並未統一其名，甚至未有「白虎通」之名。因此，後世史書或私家藏書目錄對此一會議文獻資料，滋生諸多不同名稱，且後世目錄對此一資料之不同稱呼，是否指涉同一料資，亦未可知。而後世學者對此一資料之不同名稱與性質，亦有不同見解。但無論是「白虎通德論」、「白虎通義」、「白虎議奏」或者是「白虎通」，皆是指向東漢章帝詔開白虎觀會議之討論文獻資料，此說歷經一千九百餘年，至今仍未曾動搖。

章帝詔書透露白虎觀會議二項重要訊息：第一，章帝詔開白虎觀會議之目的，主要在試圖透過會議之手段以解決當時所產生「《五經》章句煩多」之經學問題；第二，白虎觀會議之進行，係採「諸儒共正經義」之方式，由五官中郎將魏應承制問，侍中淳于恭奏，最後結論由章帝親稱制臨決，藉此會議達到「講議《五經》同異」之目的，這種以天子詔開會議討論經學問題之方式，乃是刻意仿傚西漢宣帝甘露石渠故事。因此，推論白虎觀會議，當以「講議《五經》同異」討論經學為宗旨目的，並以西漢甘露石渠故事為模仿對象。換言之：如果白虎觀會議當時保存任何形式之會議紀錄，無論是稱之曰：「白虎通德論」、「白虎通義」、「白虎議奏」或是「白虎通」，其卷帙內容理應以討論《五經》為內容，以石渠故事為形式範本，始能合乎史書文獻對白虎觀會議事跡與卷帙之記載與論述。

第二章　《白虎通》發軔與校刊

第一節　元大德本《白虎通》

自東漢章帝詔開白虎觀會議之後，史書或私家藏書目錄，記載白虎觀會議之卷帙名稱，歷經一千二百（79-1305）始終參差不齊。元代張楷為《白虎通》作序曰：

> 《白虎通》之為書其來尚矣。羣書中多見其引用，然不知出於何代？誰氏之手？考之載籍，始於漢建初中，淳于恭作《白虎奏議》；又〈班固傳〉作《白虎通德論》；《唐・藝文志》亦載班固等《白虎通義》六卷；此其所自歟？平生欲見其完書，未之得也。余分水監歷常之無錫，有郡之耆儒李顯翁晦識余於官舍，翌日攜是帙來，且云：州守劉公家藏書舊本，公名世常字平父，迺大元開國之初行省，公之子魯齋許左轄之高弟，收書不啻萬卷，其經、史、子、集、士夫之家，亦或互有，惟此帙世所罕見，郡之博士與二三子請歸之於學，將鏤板以廣其傳，守慨然許之。今募匠矣，求余識於卷首，余謂：是書韜晦於世何止數百歲而已，一旦顯於是邦，殆亦有數而然邪！以郡守之博古廣文，暨諸生之好事，俱可嘉尚。

於是乎書。大德九年四月旦日。東平克齋張楷序。[1]

張楷序中記載《白虎通》卷帙重現於世大致過程。當時州守劉平父家藏舊本《白虎通》，慨允募匠鏤板重印，以廣其傳；付雕之初，李顯翁攜《白虎通》善本請張楷為《白虎通》作序，時在元代大德九年（1305）四月。李顯翁稱《白虎通》卷帙元代之前甚為罕見，張楷亦感歎《白虎通》韜晦於世何止數百歲而已。嚴度題辭曰：

> 漢唐書籍以通名者五，惟《白虎通》與《風俗通》行於世，乃諸儒之所討論，實為鉅典，而所至缺此板。余嘗持節七閩如建安書市，號為群籍所萃，訪求無有也。今錫學得劉守平父家藏《白虎通》善本，繡梓以廣其傳，是亦明經之一助，豈小補哉！大德乙巳四月望日。中奉大夫雲南諸路行中書省參知政事東平嚴度恪齋題。[2]

嚴度稱李顯翁見張楷所持州守劉平父家藏《白虎通》善本，即是目前所知《白虎通》最早之版本；嚴度肯定《白虎通》堪稱鉅典，乃因此書是東漢「諸儒之所討論」之成果。

清代盧文弨（1717-1795）重新校刻《白虎通》，稱此版本為「元大德本」；而當前所見《白虎通》版本，如明、清以後所刻之《抱經堂叢書》、《漢魏叢書》、《兩京遺編》、《古今逸史》、《秘書二十一種》等均收錄此書，亦多復刻元大德本。

1 （漢）班固等撰：《白虎通》（臺北：藝文印書館，《百部叢書集成》據《抱經堂叢書》本影印，1969 年），「白虎通序」，頁 1。

2 抱經堂本《白虎通》，「白虎通序」，頁 1-2。

第二節 盧文弨校刻《白虎通》版本

盧文弨（1717-1796），浙江杭州人，清朝中葉著名校刊、考據專家，校刊翻刻古籍，兼藏書，「抱經」是其堂號，世稱「抱經先生」。盧文弨於「校刻《白虎通》序」曰：

> 乾隆丁酉之秋，故人子陽湖莊葆琛見余於鍾山講舍，攜有所校《白虎通》本。此書訛謬相沿久矣，葆琛始為之條理而是正之，厥功甚偉。因亟就案頭所有之本傳錄其上，舟車南北，時用自隨，并思與海內學者共之，在杭州楷寫一本，留於友人所；在太原又寫一本，所校時有增益；後又寫一本，寄曲阜桂未谷。今年家居長夏無事，決意為此書發雕，復與二三友人嚴加攷覈，信合古人所云，校書如讎之恉，凡所改正，咸有據依於是。元明以來，訛謬之相沿者，幾十去八九焉。梓將畢工，海寧吳槎客又示余小字舊刻本，其情性篇足以正後人竄改之失，蓋南宋以前本也，與其餘異同，皆於補遺中具之。此書流傳年久，閒有不可知者闕之，然要亦無幾矣。……當時天子雖稱制臨決，而亦不偏主一解，以盡繩眾家之說，此猶吾夫子多聞見而擇之、識之之意云爾。世有善讀者，則此書之為益也大矣！倘泥其偏端，掩其全美，而輒加以輕詆，夫豈可哉！若夫是書之緣起，與歷代相傳卷帙異同之數，則具見於葆琛之所為攷，余又奚贅！乾隆四十有九年九月既望，東里盧文弨書於太倉州之婁東書

院。[3]

清高宗乾隆四十二年（1777），莊述祖攜《白虎通》校本見盧文弨，盧文弨贊揚莊述祖考據《白虎通》「厥功甚偉」。盧文弨因亟就案頭所有版本傳抄，並前後手抄三本，於清乾隆四十九年（1784），與友人嚴加考覆，決意發雕《白虎通》。即在校刻付梓之際，海寧吳槎客以南宋以前本之「小字舊刻本」示盧文弨，盧文弨比對版本，「與其餘異同，皆於補遺中具之」。盧文弨序文中意有所指，奉勸世有善讀者，《白虎通》實有益於學；若有考據拘泥於偏執，乃至動輒詆毀此書，實不可取。最後，盧文弨再次提醒讀者，《白虎通》相傳卷帙異同之數，仍可以參考莊述祖之考據。

盧文弨「元大德本跋後」曰：

> 或謂是書中間多有魚魯之嫌，……由是觀之，《白虎通》亦猶是也。閒有不安，盡從其舊。蓋纂之者班固，漢時人去古未遠，必有所祖，假借通用，未可盡知，後人未得班固之心，安可輕議班固之述作？儻能知《禮記·緇衣》以「君牙」為「君雅」、「說命」為「兌命」之意，則能釋魚魯之疑矣！昔人有云：讀書未到康成處，安敢高談議漢儒。觀書者試思之！
>
> 案：古書不宜輕改，此論極是。今刻於其甚訛者，據他書之文改正，亦必明注本文及何書所引，不敢憑臆奮筆，猶斯志也。特初就何允中《漢魏叢書》本校訂付雕，於其語句通順者，不復致疑。後得小字宋本，元大德本參

3 （漢）班固等撰：《白虎通》，「校刻白虎通序」，頁1。

校，始知何本閒有更改之處。因亟加刊修以還舊觀，書內不能改者，具著其說於補遺中。[4]

由盧文弨前後序跋中，可以體會當時校刻《白虎通》之困難，以及所受外界之質疑。基本上，盧文弨校刻《白虎通》全書態度極為保守，「古書不宜輕改」，「閒有不安，盡從其舊」，皆以舊本為基礎，若有明顯訛誤處，必據他書改正，並標明所引何書本文。換言之，盧文弨校刻《白虎通》「以還舊觀」為職志。盧文弨初就何允中之《漢魏叢書》之元大德本校訂，然於付雕之際，始見南宋以前小字舊刻本，但因其所校刻本即將付梓，遂捨棄小字宋本，其校刻仍依《漢魏叢書》重印本。至於其所刻之版本與小字宋本相參校，間有更改者，具著其說於「補遺」之中。

盧文弨《抱經堂叢書》校刻《白虎通》所據新舊本有五：[5]

一，明遼陽傅鑰本。（字希準，嘉靖元年刻於太平，有泠宗文序，依元大德九年無錫所梓本，止分上下兩卷，其元刻未得見。）

二，明新安吳琯本。

三，明新安程榮本。

四，明武林何允中本。（四卷，今本多就此本訂正。）

五，明錢塘胡文煥本。

其中，傅本乃「依元大德九年無錫所梓本，止分上下兩卷」，何本「四卷，今本多就此本訂正」。換言之，盧文弨校刻《白

4　《白虎通》，「元大德本跋後」，頁 1。
5　抱經堂本《白虎通》，「白虎通䜛所据新舊本并校人姓名」，頁 1。

虎通》之時，仍尚未見元大德本，而其所刊之《白虎通》，乃是依明代之五種版本，並「据莊校本覆校並集眾家」而成。

北京燕京大學圖書館《白虎通引得》，所收《白虎通》之傳本有十七本：[6]

一，四部叢刊本十卷。

二，隨盦徐氏叢書本十卷。

三，明俞元符校吳氏刊單行本二卷。

四，明楊祜校兩京遺編本二卷。

五，四庫鈔本二卷。

六，三餘堂袖珍漢魏叢書本二卷。

七，汪士漢校秘書二十一種本二卷。

八，明吳琯校古今逸史本二卷。

九，明胡文煥校本二卷。

十，涵芬樓影印漢魏叢書本二卷。

十一，王模增訂（趙宜崙校）漢魏叢書本四卷。

十二，廣漢魏叢書本四卷。

十三，明郎璧刊單行本四卷。

十四，崇文子書百家本四卷。

十五，掃葉石印百子全書本四卷。

十六，育文石印漢魏叢書本四卷。

十七，黃元壽石印小字漢魏叢書本四卷。

以上十七本，「多出元大德重印宋監本」。[7]此外，國家圖書館

---

6 《白虎通引得》：燕京大學圖書館引得編纂處編（北京：燕京大學圖書館引得編纂處，1931 年），頁 11。

7 洪葉：〈白虎通引得序〉，收在燕京大學圖書館引得編纂處編：《白虎通引得》，

善本書目中，存有明嘉靖元年遼陽傅鑰本二卷，明新安程榮刊《漢魏叢書》本二卷，明天啟六年郎壁刊本四卷，清道光二十一年張氏書種軒傳鈔元大德本十卷等。

第三節　《白虎通》目錄與篇章

一、抱經堂本《白虎通》

依《抱經堂叢書》本《白虎通》之「目錄」，卷數、篇名與章名，製作簡表如下。

抱經堂本《白虎通》目錄[8]				
卷　數	篇　名	章　名		
第一卷[9]	爵	天子為爵稱	制爵三等五等之義	內爵
		天子諸侯爵稱之異	王者太子稱士	婦人無爵
		庶人稱匹夫	爵人於朝封諸侯於廟	追賜爵
		諸侯襲爵	天子即位改元（共十一章）	
	號	皇帝王之號	王者接上下之稱	君子為通稱

頁 10。

8 盧文弨下注曰：「今所定。」

9 盧文弨下注曰：「本書六卷，本廣為十卷，俗本又合為四卷。今不得古書校正，卷數、篇目姑仍其舊；至於錯簡失編，皆分注各題下如左。」

		三皇五帝三王五伯	伯子男於國中得稱公（共五章）	
	諡	總論諡[10]	帝王制諡之義	諡天子於南郊
		天子諡諸侯	卿大夫老有諡	無爵無諡
		諡后夫人	號諡取法（共八章）	
	五祀	總論五祀	大夫已上得祭	五祀順法五行
		祭五祀所用牲（共四章）		
	社稷	總論社稷	歲再祭	天子諸侯祭社稷所用牲
		王者諸侯兩社	誡社	社稷之位
		大夫有社稷	名社稷之義	社無屋有樹
		王者親祭	社稷之壇	祭社稷有樂
		祭社稷廢禮（共十三章）		
第一卷下[11]	禮樂	總論禮樂	太平制作	帝王之樂
		天子諸侯佾數	王者六樂	四夷之樂
		歌舞異處	降神之樂	侑食之樂
		五聲八音	通論異說（共十一章）	

10　抱經堂本「揔」，陳立疏證本作「總」；「揔」、「總」古今字，互用無別，今依陳立疏證本改。

11　盧文弨下注曰：「今因舊卷各分上下，取便檢閱。」

	封公侯	三公九卿	封諸侯	設牧伯
		諸侯卿大夫	封諸侯制土之等	封諸侯親賢之義
		夏封諸侯	諸侯繼世	立太子
		昆弟相繼	為人後	興滅繼絕之義
		大夫功成未封得封子	周公不之魯（共十四章）	
	京師	建國	遷國	京師
		三代異制	制祿	諸侯入為公卿食菜
		太子食菜	公卿大夫食菜（共八章）	
第二卷	五行	總論五行	五行之性	五味五臭五方
		陰陽盛衰	十二律	五行更王相生相勝變化之義
		人事取法五行之義（共七章）		
	三軍	總論三軍	王者征伐所服	告天告祖之義
		商周改正誅伐先後之義	天子自出與使方伯之義	兵不內御
		遣將於廟	受兵還兵	師不踰時
		大喪伐畔（共十章）		
	誅伐	誅不避親	不伐喪	討賊之義

		誅大罪	父殺子	誅佞人
		復讎	總論誅討征伐之義	冬至休兵（共九章）
第二卷下	諫諍	總論諫諍之義	三諫待放之義	士不得諫
		妻諫夫	子諫父	五諫
		記過徹膳之義	隱惡之義（共八章）	
	鄉射	天子親射	射侯	總論射義
		鄉飲酒	養老之義（共五章）	
	致仕	（一章）		
	辟雍	總論入學尊師之義	父不教子	師道有三
		辟雍泮宮	庠序之學	靈臺明堂（共六章）
	災變	災變譴告之義	災異妖孽異名	霜雹
		日月食水旱（共四章）		
	耕桑	論王與后親耕親桑之禮（一章）		
第三卷	封禪	封禪之義	符瑞之應（共二章）	
	巡狩	總論巡狩之禮	巡狩以四仲義	巡狩述職行國行邑義
		祭天告祖禰載遷主義	諸侯待於竟	巡狩舍諸侯祖廟
		三公從守	道崩歸葬	太平乃巡狩義
		五嶽四瀆（共十章）		

	考黜	總論黜陟	九　錫	三考黜陟義
		諸侯有不免黜義（共四章）		
	王者不臣	三不臣	五暫不臣	諸侯不純臣
		不臣諸父兄弟	子為父臣異說	王臣不仕諸侯異義
		五不名（共七章）		
	蓍龜	總論蓍龜	蓍龜尺寸	決疑之義
		龜蓍卜筮名義	筮必於廟	卜筮方向
		卜筮之服	占卜人數	先筮後卜
		灼　龜	埋蓍龜	周官卜筮及取龜義（共十二章）
	聖人	總論聖人	知　聖	古聖人
		異表（共四章）		
	八風	論八風節候及王者順承之政（一章）		
	商賈	（一章）		
	瑞贄[12]	諸侯朝會合符信	五瑞制度名義	合符還圭之義
		見君之贄	私相見贄	婦人之贄
		子無贄臣有贄（共七章）[13]		
第三卷下	三正	改朔之義	改朔征伐先後（重出，略有異同。）	三正之義

12 盧文弨下注曰：「俗本作文質，今訂正。其文質章本在下〈三正〉篇。」
13 盧文弨下注曰：「案此與闕文〈朝聘〉篇互有異同，今各仍之。」

		改正右行	正言月不言日	改正不隨文質
		百王不易之道	存二王之後	文質（共九章）
	三教	聖王設三教之義	三教始於夏	三教所法
		總論教	三教所以失	論三代祭器明器之義（共六章）
	三綱六紀	總論綱紀	三綱之義	綱紀所法
		六紀之義	詳論綱紀別名之義（共五章）	
	情性[14]	總論性情	五性六情	五藏六府主性情
		六情所配之方	魂　魄	精　神（共六章）
	壽命	論三命之義（一章）[15]		
	宗族	論五宗	論九族（共二章）	
	姓名	論　姓	論　氏	論　名
		論　字（共四章）		
第四卷	天地	釋天地之名	論天地之始	論左右旋之義
		論天地何以無總名	論天行反勞於地（共五章）	
	日月	日月右行	日月行遲速分晝夜之義	釋日月星之名
		晝夜長短	月有大小	閏　月（共六章）

14 抱經堂本作「情性」，陳立疏證本作「性情」，

15 盧文弨下注曰：「當與前篇合為一篇。夫子過鄭八十三字，文義不類，疑後人誤鈔入。」

	四時	論歲	四　時	三代歲異名
		朝夕晦朔（共四章）		
	衣裳	總論衣裳	裘	帶
		珮（共四章）		
	五刑	刑罰科條	刑不上大夫義（共二章）	
	五經	孔子定《五經》	《孝經》《論語》	文王演《易》
		伏羲作八卦	《五經》象五常	《五經》之教
		書契所始（共七章）		
	嫁娶	總論嫁娶	嫁娶不自專	嫁娶之期
		贄幣納徵納采辭	親迎授綏	遣女戒女
		昏禮不賀	授綏親迎辭	父醮子辭
		不先告廟義	廟見	嫁娶以春
		妻不得去夫	天子諸侯適媵之義	卜娶妻
		人君宗子自娶	大夫受封不更聘	世子與君同禮
		天子必娶大國	諸侯不娶國中	同姓外屬不娶
		同姓諸侯主昏	卿大夫士妻妾之制	人君嫡死媵攝
		嫁娶變禮	婦人有師傅	事舅姑與夫之義
		不娶有五	出婦之禮	王后夫人
		妻　妾	論嫁娶男女夫婦婚姻名義	閉房開房之義（共三十三章）

第四卷下	紼冕	紼	總論冠禮	皮　弁
		冕　制	委貌母 追章甫	爵　弁 （共六章）[16]
	喪服	諸侯為天子	庶人為君	臣下服 有先後
		論三年喪義	衰絰	杖
		倚廬	喪禮不言	變禮
		婦人不 出竟弔	三不弔	弟子為師
		私喪公事 重輕義	奔喪	哭位
		論周公以 王禮葬 （共十六章）		
	崩薨	崩薨異稱	天子至庶人 皆言喪	天子赴告諸 侯
		諸侯奔大喪	臣赴於君	諸侯赴鄰國
		諸侯夫人 告天子	諸侯歸瑞圭	天子弔諸侯
		君弔臣	含歛	贈襚賻賵
		殯日	三代殯禮	天子舟車殯
		祖　載	棺槨厚薄 之制	尸　柩
		葬	兆域	合　葬
		墳　墓 （共二十二章）		
	闕文			
	郊祀			
	宗廟			
	朝聘			
	貢士			
	車旂			

16 盧文弨下注曰：「當與〈衣裳〉篇合為一篇。」

	田獵			
	雜錄			
	今本四十三篇闕文			
	封禪			
	五刑			
	嫁娶			

抱經堂本《白虎通》目錄共：四卷（各分上、下），四十三篇（不含闕文），三百一十一章。其「闕文」以下七篇乃莊述祖所輯，盧文弨校刊增訂，為舊本所無。

關於卷數問題，盧文弨於第一卷下注曰：「本書六卷，宋本廣為十卷，俗本又合為四卷，今不得古書校正卷數篇目，姑仍其舊。至於錯簡失編，皆分注各題下如左。」史書記載《白虎通》之卷數，自《隋書》、《舊唐書》、《新唐書》皆稱六卷，宋《崇文總目》始稱十卷，盧文弨所見小字宋本即分十卷，[17]且元大德本亦分十卷；[18]而盧文弨校刻乃依舊本，故分四卷。是知《白虎通》之卷數，歷來有不同分法，亦未有共識。

二、陳立疏證本《白虎通》

陳立（1809-1869）作《白虎通疏證》，分成十二卷五十篇（含卷十二以下闕文七篇），其篇目排列順序悉依盧本。陳立疏證本目錄分卷、篇名與細目名稱，製作簡表如下。

17 抱經堂本「《白虎通》校勘補遺」曰：「此書剞劂將竣，海寧吳槎客以小字舊本見示，目錄前略有小序云：凡十卷。今作上下卷。云其細目，上作圓圍者凡十，此必十卷之舊也。」頁 1。

18 抱經堂本「《白虎通》校勘補遺」曰：「後於蘇州朱文游家又借得小字本上卷，乃影鈔者，吳本有模糊處，鈔本皆分明，并借得元大德九年刻本，分十卷。」，頁 1。

<table>
<tr><th colspan="5">陳立《白虎通疏證》目錄</th></tr>
<tr><th>卷　數</th><th>篇　名</th><th colspan="3">細　目[19]</th></tr>
<tr><td rowspan="4">卷一</td><td rowspan="4">爵</td><td>天子為爵稱</td><td>制爵五等三等之異</td><td>天子諸侯爵稱之異</td></tr>
<tr><td>王者太子稱士</td><td>婦人無爵</td><td>庶人稱匹夫</td></tr>
<tr><td>爵人於朝封諸侯於廟</td><td>追賜爵</td><td>諸侯襲爵</td></tr>
<tr><td>天子即位改元</td><td></td><td></td></tr>
<tr><td rowspan="7">卷二</td><td rowspan="2">號</td><td>皇帝王之號</td><td>王者接上下之稱</td><td>君子為通稱</td></tr>
<tr><td>三皇五帝三王五伯</td><td>伯子男於國中得稱公</td><td></td></tr>
<tr><td rowspan="3">謚</td><td>總論謚</td><td>帝王制謚之義</td><td>天子謚南郊</td></tr>
<tr><td>天子謚諸侯</td><td>卿大夫老有謚</td><td>無爵無謚</td></tr>
<tr><td>謚后夫人</td><td>號謚取法</td><td></td></tr>
<tr><td rowspan="2">五祀</td><td>總論五祀</td><td>大夫已上得祭</td><td>祭五祀順五行</td></tr>
<tr><td>祭祀所用牲</td><td></td><td></td></tr>
<tr><td rowspan="2">卷三</td><td rowspan="2">社稷</td><td>總論社稷</td><td>歲再祭</td><td>祭社稷所用牲</td></tr>
<tr><td>天子諸侯兩社</td><td>誡社</td><td>社稷之位</td></tr>
</table>

19 陳立注曰：「舊無細目，今依盧本。」《白虎通疏證》，頁 10。

		大夫有社稷	名社稷之義	社無屋有樹
		王者親祭	社稷之壇	祭社稷有樂
		祭社稷廢祀		
	禮樂	總論禮樂	太平乃制禮樂	帝王禮樂
		天子諸侯佾數	王者六樂	四夷之樂
		歌舞異處	降神之樂	侑食之樂
		五聲八音	通論異說	
卷四	**封公侯**	三公九卿	封諸侯	設牧伯
		諸侯卿大夫	封諸侯制土之等	封諸侯親賢之義
		夏封諸侯	諸侯繼世	立太子
		昆弟相繼	為人後	興滅繼絕之義
		大夫功成未封得封子	周公不之魯	
	京師[20]	建國	遷國	京師
		三代異制	制祿	諸侯入為公卿食采
		太子食采	公卿大夫食采	
	五行	總論五行	五行之性	五味五臭五方
		陰陽盛衰	十二律	五行更王相生相勝變化之義
		人事取法五行		

20 陳立疏證本脫〈京師〉篇名。《白虎通疏證》，頁 188。

卷五	三軍	總論三軍	王者征伐所服	告天告祖之義
		商周改正誅伐先後之義	天子自出與使方伯之義	兵不內御
		遣將於廟	受兵還兵	師不踰時
		大喪作畔		
	誅伐	誅不避親	不伐喪	討賊之意
		誅大罪	父煞子	誅佞人
		冬至休兵[21]	復仇	總論誅討征伐之義
	諫諍	總論諫諍之義	三諫待放之義	士不得諫
		妻諫夫	子諫父	五諫
		記過徹膳之義	隱惡之義	
	鄉射	天子親射	射侯	總論射義
		鄉飲酒	養老之義	
卷六	致仕	總論致仕義		
	辟雍	總論入學尊師之義	父不教子	師道有三
		辟雍泮宮	庠序之學	靈臺明堂
	災變	災變譴告之義	災異妖孽異名	霜雹
		日月食水旱		
	耕桑	論王與后親耕親桑之禮		
	封禪	封禪之義	符瑞之應	
	巡狩	總論巡狩之禮	巡守以四仲義	巡守述職行國行邑義

21 抱經堂本之「復讎」、「總論誅討征伐之義」、「冬至休兵」三章，陳立疏證本之細目名稱與抱經堂本相同，但細目內文次序調整如上，與抱經堂本互異。

<table>
<tr><td rowspan="3"></td><td rowspan="3"></td><td>祭天告祖禰載遷主義</td><td>諸侯待於竟</td><td>巡守舍諸侯祖廟</td></tr>
<tr><td>三公從守</td><td>道崩歸葬</td><td>太平乃巡守義</td></tr>
<tr><td>五嶽四瀆</td><td></td><td></td></tr>
<tr><td rowspan="13">卷七</td><td rowspan="2">考黜</td><td>總論黜陟</td><td>九錫</td><td>三考黜陟義</td></tr>
<tr><td>諸侯有不免黜義</td><td></td><td></td></tr>
<tr><td rowspan="3">王者不臣</td><td>三不臣</td><td>五暫不臣</td><td>諸侯不純臣</td></tr>
<tr><td>不臣諸父兄弟</td><td>子為父臣異說</td><td>王臣不仕諸侯異義</td></tr>
<tr><td>五不名</td><td></td><td></td></tr>
<tr><td rowspan="4">蓍龜</td><td>總論筮龜</td><td>蓍龜尺寸</td><td>決疑之義</td></tr>
<tr><td>龜蓍卜筮名義</td><td>筮必於廟</td><td>卜筮方向</td></tr>
<tr><td>卜筮之服</td><td>占卜人數</td><td>先筮後卜</td></tr>
<tr><td>灼　龜</td><td>埋蓍龜</td><td>周禮卜筮及取龜義</td></tr>
<tr><td rowspan="2">聖人</td><td>總論聖人</td><td>知　聖</td><td>古聖人</td></tr>
<tr><td>異表</td><td></td><td></td></tr>
<tr><td>八風</td><td>論八風節候及王者順承之政</td><td></td><td></td></tr>
<tr><td>商賈[22]</td><td></td><td></td><td></td></tr>
<tr><td rowspan="4">卷八</td><td rowspan="3">瑞贄</td><td>諸侯朝會合符信</td><td>五瑞制度</td><td>合符還圭之義</td></tr>
<tr><td>見君之贄</td><td>私相見贄</td><td>婦人之贄</td></tr>
<tr><td>子無贄臣有贄</td><td></td><td></td></tr>
<tr><td>三正</td><td>改朔之義</td><td>改朔征</td><td>三正之義</td></tr>
</table>

22 抱經堂本與陳立疏證本〈商賈〉篇，均一章，均無章名與細目名稱。

<table>
<tr><td rowspan="11"></td><td rowspan="3"></td><td></td><td>伐先後</td><td></td></tr>
<tr><td>改正右行</td><td>正言月
不言日</td><td>改正不隨
文質</td></tr>
<tr><td>百王不易
之道</td><td>存二王之後</td><td>文　質</td></tr>
<tr><td rowspan="2">三教</td><td>聖王設三教
之義</td><td>三教</td><td>三教所法</td></tr>
<tr><td>總論教</td><td>三教之失</td><td>論三代祭器
明器之義</td></tr>
<tr><td rowspan="2">三綱六
紀</td><td>總論綱紀</td><td>三綱之義</td><td>綱紀所法</td></tr>
<tr><td>六紀之義</td><td>詳論綱紀
別名之義</td><td></td></tr>
<tr><td rowspan="2">性情[23]</td><td>總論性情[24]</td><td>五性六情</td><td>五藏六府
主性情</td></tr>
<tr><td>六情所配
之方</td><td>魂　魄</td><td>精　神</td></tr>
<tr><td>壽命</td><td>論三命之義</td><td></td><td></td></tr>
<tr><td>宗族</td><td>論五宗</td><td>論九族</td><td></td></tr>
<tr><td rowspan="6">卷九</td><td rowspan="2">姓名</td><td>論　姓</td><td>論　氏</td><td>論　名</td></tr>
<tr><td>論　字</td><td></td><td></td></tr>
<tr><td rowspan="2">天地</td><td>釋天地之名</td><td>論天地之始</td><td>論左右
旋之象</td></tr>
<tr><td>論天地
無總名</td><td>論天行反勞
於地</td><td></td></tr>
<tr><td rowspan="2">日月</td><td>日月右行</td><td>日月行遲速
分晝夜之象</td><td>釋日月
星之名</td></tr>
<tr><td>晝夜長短</td><td>月有大小</td><td>閏月</td></tr>
</table>

23 抱經堂本目錄〈情性〉，總論稱「性情」；陳立疏證篇名改〈性情〉。

24 陳立疏證本「總論性情」重複二次，《白虎通疏證》，頁 452，453。觀後者之內容，主要討論「五性六情」之內容，而其後接細目「五性六情」，故後者「總論性情」應屬衍文。

	四時	論　歲	四　時	三代歲異名
		朝夕晦朔		
	衣裳	總論衣裳	裘	帶
		珮		
	五刑	刑法科條	刑不上大夫	
	五經	孔子定《五經》	《孝經》《論語》	文王演《易》
		伏羲作八卦	《五經》象五常	《五經》之教
		書契所始		
卷十	嫁娶	總論嫁娶	嫁娶不自專	嫁娶之期
		贄幣	親迎	遣女戒女
		昏禮不賀	授綏親迎醮子詞	不先告廟
		嫁娶以春	妻不得去夫	天子嫡媵
		卜娶妻	人君宗子自娶	大夫受封不更聘及世子與君同禮
		天子必娶大國	諸侯不娶國中	同姓外屬不娶
		同姓諸侯主婚	卿大夫士妻妾之制	人君嫡死媵攝
		變　禮	婦人有師傅	事舅姑與夫之義
		不娶有五	出婦之禮	王后夫人
		妻妾	論嫁娶諸名義	閉房開房之義
	紼冕	紼	總論冠禮	皮　弁
		冕　制	委貌毋追章甫	爵　弁
卷十一	喪服	諸侯為天子	庶人為君	臣下服有

				先後
		論三年喪義	衰	杖
		倚廬	喪禮不言	變禮
		婦人不出境弔	三不弔	弟子為師
		私喪公事重輕	奔　喪	哭　位
		論周公以王禮葬		
	崩薨	崩薨異稱	天子至庶人皆言喪	天子赴告諸侯
		諸侯奔大喪	臣赴于君	諸侯赴鄰國
		諸侯夫人告天子	諸侯歸瑞圭	天子弔諸侯
		君弔臣	含歛	贈襚賻賵
		殯　日	三代殯禮	天子舟車殯
		祖　載	棺槨厚薄之制	尸　柩
		葬	兆　域	合　葬
		葬北首	墳　墓	
卷十二	**郊祀**[25]			
	宗廟			
	朝聘			
	貢士			
	車旂			
	田獵			
	雜錄			

關於《白虎通》篇數及其篇目名稱問題，抱經堂本所存目

25　陳立疏證下注曰：「此下闕文，並莊氏述祖補。」下冊，頁 663

錄四十三篇，除第一卷〈爵〉、〈號〉、〈諡〉三篇，一卷下〈封公侯〉，三卷〈王者不臣〉，以及三卷下〈三綱六紀〉外，其餘皆以二字名篇。抱經堂本篇名係依莊述祖考據所得，[26]而莊述祖以為，四十三篇篇名，乃後人類編而成，非原始樣貌。[27]因此，推論元大德本《白虎通》成書之時，是否即有篇數與篇名，不得而知；全書各篇之章數（陳立疏證稱「細目」）不一，少則一章，（如：〈致仕〉、〈耕桑〉、〈八風〉、〈商賈〉、〈壽命〉等），多則三十三章，（如：〈嫁娶〉），應是後人彙集類編之結果。

三、抱經堂本與陳立疏證本《白虎通》

抱經堂本與陳立疏證本兩者不同之處，在於抱經堂本將各章名稱臚列於目錄篇名之後，而陳立疏證本則是將細目附於每節細目文本之後。若抱經堂本章名首字有「總論」、「詳論」、「論」、「釋」者，陳立疏證本均保留原字，並加一「右」字以示區別；若抱經堂本無以上字首者，則陳立疏證本均冠以「右論」二字，以示細目，此亦是陳立遵循抱經堂本之章名分細目之慣例。

抱經堂本《白虎通》四十三篇，共分三百一十一章，而陳

26 抱經堂本盧文弨記「《白虎通》讎所据新舊本并校人姓名」於莊述祖下注曰：「考及目錄、闕文皆所定」，頁2。

27 莊述祖曰：「古書流傳既久，字蝕簡脫，會有好事者表章之，亦不過存什一於千百而已，故卷數、篇數皆減於昔，惟《白虎通義》不然。……《崇文》目四十篇，而今本則有四十三篇，文雖減於舊，而篇目反增於前，是〈爵〉、〈號〉以至〈嫁娶〉，皆後人編類，非其本真矣。」抱經堂本《白虎通》附〈白虎通義考〉，頁2。

立雖知章節乃舊本所無，亦悉依抱經堂本分其細目而稍異。[28]至於二本所定之章與細目名稱若干差異，[29]製作簡表如下。（篇名以抱經堂本為參照。）

篇　名	抱經堂本《白虎通》章名	陳立《白虎通疏證》細目
爵	制爵三等五等之義	制爵五等三等之異
	內爵	（無細目）[30]
謚	謚天子於南郊	天子謚南郊
五祀	五祀順法五行	祭五祀順五行
	祭五祀所用牲	祭祀所用牲
社稷	天子諸侯祭社稷所用牲	祭社稷所用牲
	王者諸侯兩社	天子諸侯兩社
	祭社稷廢禮	祭社稷廢祀
禮樂	太平制作	太平乃制禮樂
	帝王之樂	帝王禮樂
五行	人事取法五行之義	人事取法五行
三軍	大喪伐畔	大喪作畔
誅伐	討賊之義	討賊之意

28 《白虎通疏證》於首卷〈爵〉第一章「右論天子為爵稱」下云：「舊無細目，今依盧本」，頁 10。

29 所列，僅示抱經堂本之章名與陳立疏證本之細目兩者之異；若「揔」、「總」，「于」、「於」，「辭」、「詞」，「菜」、「采」，「昏」、「婚」古今字，兩字互用無別則不列。

30 抱經堂本分「內爵」、「天子諸侯爵稱之異」二章，陳立疏證本則合為「天子諸侯爵稱之異」一細目。

	父殺子	父煞子
	復讎[31]	冬至休兵
	總論誅討征伐之義	復仇
	冬至休兵	總論誅討征伐之義
致仕	（無章名）	總論致仕義
巡狩	巡狩以四仲義	巡守以四仲義
	巡狩述職行國行邑義	巡守述職行國行邑義
	巡狩舍諸侯祖廟	巡守舍諸侯祖廟
	太平乃巡狩義	太平乃巡守義
蓍龜	總論蓍龜	總論筮龜
	周官卜筮及取龜義	周禮卜筮及取龜義
瑞贄	五瑞制度名義	五瑞制度
三教	三教始於夏	三教
	三教所以失	三教之失
天地	論左右旋之義	論左右旋之象
	論天地何以無總名	論天地無總名
日月	日月行遲速分晝夜之義	日月行遲速分晝夜之象
五刑	刑罰科條	刑法科條
	刑不上大夫義	刑不上大夫
嫁娶	贄幣納徵納采辭	贄幣
	親迎授綏	親迎
	授綏親迎辭	

31　抱經堂本之「復讎」、「總論誅討征伐之義」、「冬至休兵」三章，陳立疏證本之細目名稱與抱經堂本相同，但細目內文次序調整如上，與抱經堂本互異。

	父醮子辭	授綏親迎醮子詞[32]
	不先告廟義	不先告廟
	廟見（有章名無內文）	（無）
	天子諸侯適媵之義	天子嫡媵
	大夫受封不更聘	
	世子與君同禮	大夫受封不更聘及世子與君同禮[33]
	嫁娶變禮	變禮
	論嫁娶男女夫婦婚姻名義	論嫁娶諸名義
紼冕	委貌母追章甫	委貌毋追章甫
喪服	衰絰	衰
	婦人不出竟弔	婦人不出境弔
	私喪公事重輕義	私喪公事重輕
崩薨	（無章名）	葬北首

比較兩本之章數（陳立稱細目），抱經堂本凡三百一十一章，陳立疏證本則三百零七章，（不含重複「總論性情」）兩本相差四章。兩本章數之差異，在於：抱經堂本〈爵〉分十一章，陳立疏證本只十章；抱經堂本〈嫁娶〉分三十三章，陳立

32 抱經堂本分「授綏親迎辭」、「父醮子辭」二章，陳立疏證本則合為「授綏親迎醮子辭」一細目。

33 抱經堂本分「大夫受封不更聘」、「世子與君同禮」二章，陳立疏證本則合為「大夫受封不更聘及世子與君同禮」一細目。

疏證本只三十章；抱經堂本〈崩薨〉分二十二章，陳立疏證本有二十三章。

比較兩本章名之差異，除抱經堂本〈爵〉之「內爵」為陳立疏證本所無、抱經堂本〈致仕〉無章名而陳立疏證本定「總論致仕義」細目、陳立疏證本重複〈情性〉之「總論性情」、抱經堂本〈嫁娶〉之「廟見」有章名無文本而陳立疏證本不立其細目、陳立疏證本〈崩薨〉有「葬北首」為抱經堂本所無、有三處抱經堂本分為二章而陳立疏證本合為一細目之外，基本上，陳立所定細目，大多依抱經堂本之章名，兩本之章名並無明顯差異。而兩本之文本最大不同處，乃在於抱經堂本〈誅伐〉「復讎」、「總論誅討征伐之義」、「冬至休兵」三章，陳立疏證本之細目雖依抱經堂本，但文本次序調整為「冬至休兵」、「復仇」、「總論誅討征伐之義」，以至影響兩本《白虎通》文本之原貌。

觀其各章之名稱，主要是對於四十三篇之內容加以統合，各冠以章名以彰顯每篇主要論述之議題。以抱經堂本為例，除〈致仕〉、〈耕桑〉、〈八風〉、〈商賈〉、〈壽命〉等五篇只有一章外，有二十篇標有「總論」之章名。[34]製作簡表如下：

34 抱經堂本「揔」，陳立疏證本作「總」；「揔」、「總」古今字，互用無別，今依陳立疏證本改。

抱經堂本《白虎通》各篇標示總論之章名		
卷　數	篇　名	章　名
第一卷	謚	總論謚
	五祀	總論五祀
	社稷	總論社稷
第一卷下	禮樂	總論禮樂
第二卷	五行	總論五行
	三軍	總論三軍
	誅伐	總論誅討征伐之義
第二卷下	諫諍	總論諫諍之義
	鄉射	總論射義
	辟雍	總論入學尊師之義
第三卷	巡狩	總論巡狩之禮
	考黜	總論黜陟
	蓍龜	總論蓍龜
	聖人	總論聖人
第三卷下	三教	總論教
	三綱六紀	總論綱紀
	情性	總論性情
第四卷	衣裳	總論衣裳
	嫁娶	總論嫁娶
第四卷下	紼冕	總論冠禮

上表二十篇標有「總論」之章目，除少數如：〈誅伐〉「總論誅討征伐之義」置於九章之八，（陳立疏證本調整至篇末）〈鄉射〉「總論射義」置於五章之三，〈三教〉「總論教」置於六章之四，〈紼冕〉「總論冠禮」則置於六章之二外，其餘皆置於每篇之首，此應具有「開宗明義」之意味。且觀其文本內容，亦具有「正名」之性質與作用。而〈天地〉篇首章「釋天地之名」，雖有不同於「總論」體例，但亦有「總論」之性質，亦可以「總論」視之。

除盧文弨抱經堂本與陳立疏證本外，目前市面流通版本，是中華書局出版《白虎通疏證》（全二冊）。[35]此書書名沿用陳立疏證之名，並以「光緒元年淮南書局刊本為底本」，[36]由吳則虞點校。本書附錄盧文弨「今本四十四篇闕文」（或〈三綱六紀〉離析為〈三綱〉、〈六紀〉二篇）、莊述祖〈白虎通義考〉、劉師培〈白虎通義斠補〉、〈白虎通義闕文補訂〉、〈白虎通義佚文考〉、〈白虎通義定本〉、〈白虎通義源流考〉、〈白虎通德論補釋〉等文獻資料，方便檢索閱讀。

---

35 （清）陳立撰，吳則虞點校：《白虎通疏證》（北京：中華書局《新編諸子集成》（第一輯），1994 年）。

36 同上註，中華書局編輯部「出版說明」，頁 4。

第三章　莊述祖考據成果與商榷

元代大德九年（1305），劉平父慨允家藏舊本《白虎通》鏤板重印，世人有幸一睹完整卷帙，對於傳播《白虎通》卷帙與研究東漢經學而言，居功厥偉。清代盧文弨於乾隆四十九年（1784）校刻《白虎通》，依據明代新舊五種元大德版本，致力復原《白虎通》，「以還舊觀」；特別是盧文弨堅持沿用舊名，顯示元大德本原始書名即是「白虎通」；因此，盧文弨對於保存與推廣《白虎通》，亦功不可沒。然而，盧文弨校刻《白虎通》時，乃是「據莊校本覆校，並集眾家」而成，並於《白虎通》序文盛贊：「葆琛始為之條理而是正之，厥功甚偉。」處處可見盧文弨肯定莊述祖考據《白虎通》之貢獻。抱經堂本「《白虎通》讎校所據新舊本并校人姓名」於莊述祖下注曰：「考及目錄、闕文皆所定。」莊述祖除定目錄，補闕文之外，抱經堂本附錄之「考」文，即是附錄〈白虎通義考〉。[1]莊述祖〈白虎通義考〉對《白虎通》之考據成果，最重要之主張，即是元大德本《白虎通》應正名為「白虎通義」。

1 抱經堂本《白虎通》附錄〈白虎通義考〉，頁 1-7。本章以下凡引莊述祖〈白虎通義考〉，皆從此本，隨文附加頁碼，不另加註。

第一節　莊述祖〈白虎通義考〉

莊述祖，字葆琛，世稱珍藝先生，江蘇武進人。生於清高宗乾隆十六年，卒於清仁宗嘉慶二十一年（1751-1816），享年六十六歲。

莊述祖〈白虎通義考〉全文，分「卷帙」、「事跡」與「序文」三部分。「卷帙」部分，列舉史料文獻記載白虎觀會議後之會議討論內容資料，如：卷帙名稱、篇卷數與作者等。「事跡」部分，則是蒐羅史料文獻記載有關白虎觀會議事件之始末，如：會議之緣起、會議之程序、與會者與會議記錄等。「卷帙」、「事跡」二項所引史料文獻，莊述祖凡有意見者，附加案語於後。全篇最後以「序文」做結。

一、卷　帙

莊述祖於「卷帙」部分，列舉史料文獻記錄白虎觀會議卷帙資料概況，製作簡表如下。

書　　籍	類　　別	名　　稱	卷篇數	作　者
《五代史》[2]	〈經籍志〉	《白虎通》	六卷	
《舊唐書》[3]	卷四十六〈經籍志・七經雜解〉	《白虎通》	六卷	漢章帝撰

2 《舊五代史》、《新五代史》未有〈經籍志〉。考「隋書刊本原跋」曰：「貞觀十五年，又詔左僕射于志寧、太史令李淳風、著作郎韋安仁、符璽郎李延壽同修『五代史志』。凡勒成十志三十卷。顯慶元年五月己卯，太尉長孫無忌等詣朝堂上進，詔藏秘閣。後又編第入『隋書』，其實別行，亦呼為『五代史志』。」楊家駱「隋書述要」曰：「（隋書）紀傳成於眾手，卷帙又多，牴牾難免，十志原為梁、陳、周、齊、隋五代史而作，後各史單行，十志遂專稱『隋志』。唐太宗崩後，將志編入『隋書』，其實別行，亦呼為『五代史志』。」（唐）魏徵等撰：《隋書》（臺北：鼎文書局，1976 年），頁 3。則莊述祖稱《五代史》者，應是指《隋書・經籍志》。《隋書・經籍志》曰：「《白虎通》六卷。」卷三十二，頁 937。

3 （後晉）劉昫等撰：《舊唐書》（臺北：鼎文書局，1976 年），卷四十六，頁 1982。

《新唐書》[4]	卷五十七〈藝文志・經解〉	《白虎通義》	六卷	班固等
《崇文總目》[5]	卷一〈論語類〉	《白虎通德論》	十卷，四十篇[6]	班固撰
《通志》[7]	卷六十三〈藝文略〉	《白虎通》	六卷	班固
《三榮郡齋讀書志》[8]	卷四〈經解〉	《白虎通德論》	十卷	班固奉詔纂
《直齋書錄解題》[9]	卷三〈經解〉	《白虎通》	十卷，四十四門	漢尚書郎班固撰
《山堂群書考索》[10]		《白虎通》		
《玉海》[11]				

4 （宋）歐陽修等撰：《新唐書》（臺北：鼎文書局，1976 年），卷五十七，頁 1445。

5 （宋）王堯臣等編次，（清）錢東垣等輯釋：《崇文總目》（臺北：藝文印書館，《百部叢書集成》據《粵雅堂叢書》影印，1965 年），卷一，頁 42。莊述祖下引：「章帝建初四年，詔諸儒會白虎觀，講議《五經》同異，詔集其事，凡四十篇。」

6 按：《崇文總目》原「凡十四篇。」姚振宗《隋書經籍志考證》曰：「按：當是四十四篇之誤。此始稱《白虎通德論》，似是而非，周氏廣業嘗辨之。見抱經堂校刊本卷首。」（清）姚振宗撰：《隋書經籍志考證》（北京：北京圖書館《續修四庫全書》據浙江圖書館藏開明書店鉛印師石山房叢書本影印，2005 年），頁 144。

7 （宋）鄭樵撰：《通志》（臺北：新興書局，1962 年），卷六十三，頁 762。

8 （宋）晁公武撰：《郡齊讀書志》（臺北：臺灣商務印書館，《國學基本叢書》，1968 年），卷一下，頁 81。莊述祖下引：「後漢章帝會群臣於白虎殿，講論《五經》同異，班固奉詔纂。」

9 （宋）陳振孫撰：《直齋書錄解題》（臺北：藝文印書館，《百部叢書集成》據《聚珍版叢書》影印，1965 年），卷三，頁五。莊述祖下引：「章帝建初四年，詔諸儒會白虎觀，講議《五經》同異。五官中郎將魏應承制問，侍中淳于恭奏，帝親稱制臨決，作《白虎議奏》，蓋用宣帝石渠故事也。石渠議奏今不傳矣。〈班固傳〉稱作《白虎通德論》，令固撰集其事，云凡四十四門。」

10 （宋）章如愚撰：《羣書考索》（臺北：新興書局，1971 年），考索前集卷之八，頁 277。莊述祖下引：「後漢章帝建初四年，詔諸儒會白虎觀，講《五經》同異，帝親稱制臨決，如石渠故事作《白虎通》，令班固撰集其事，凡四十篇。今所存本凡四十四卷篇，首於『爵』，終於『嫁娶』。大抵皆引經斷論，卻不載『稱制臨決』之語。」

《宋史》[12]	卷二百二〈藝文志・經解〉	《白虎通》	十卷	班固
《蔡中郎集》[13]	卷九〈巴郡太守謝版〉	《白虎議奏》[14]		
《困學紀聞》[15]		《白虎通義》	十卷	

莊述祖〈白虎通義考〉於《宋史・藝文志》後加案語曰：

> 古書流傳既久，字蝕簡脫，會有好事者表章之，亦不過存什一於千百而已，故卷數篇數皆減於昔。惟《白虎通

11　（宋）王應麟撰：《玉海》（揚州：廣陵書社，2003 年），卷四十二，頁 791-792。莊述祖下引：「《隋志》《白虎通》六卷。《新》、《舊唐志》卷數皆同。宋《崇文總目》《白虎通德論》十卷。《中興書目》《白虎通》十卷，凡四十篇。今本自「爵」、「號」至「嫁娶」凡四十三篇。」《玉海》歸類有三名：「白虎議奏」、「通義」與「通德論」。

12　（元）脫脫等撰：《宋史》（臺北：臺灣商務印書館，1988 年），卷一百五十五，頁 2366。

13　（漢）蔡邕：《蔡中郎集》（臺北：中華書局，《四部備要》據海原閣校刊本校刊，1965 年）。〈巴郡太守謝版〉云：「詔書前後賜《禮經》素字、《尚書章句》、《白虎奏議》，合成二百一十二卷。」卷九，頁 5。莊述祖下引：「詔書前後賜《禮經》素字、《尚書章句》、《白虎議奏》，合成二百一十二卷。」「奏議」與「議奏」不同。

14　考（漢）蔡邕：《蔡中郎文集》（臺北：藝文印書館，百部叢書集成據清光緒陸心源校刊十萬卷樓叢書本影印，1968 年）稱「白虎議奏」，卷八，頁 3；與（漢）蔡邕撰，（清）陸心源校：《蔡中郎文集》（臺北：臺灣商務印書館，萬有文庫薈要重雕蘭雪堂本，1965 年）亦稱「白虎議奏」卷八，頁 48。莊述祖或從此說。莊述祖或作「奏議」，或作「議奏」，是將二種稱呼視為一事。

15　（宋）王應麟撰，（清）翁元圻等注：《困學紀聞》（上海：上海古籍出版社，2008 年），卷七，頁 920。莊述祖下引：「《左傳》正義云：『漢代古學不行，明帝集諸學士作《白虎通義》，因《穀梁》之文為之生說曰：「王者諸侯所以田獵何？為苗除害，上以共宗廟，下以簡集士眾也。春謂之田何？春，歲之本，舉本名而言之也。夏謂之苗何？擇其懷任者也。秋謂之蒐何？蒐索肥者也。冬謂之狩何？守地而取之也。四時之田總名為田何？為田除害也。」』今《白虎通義》十卷無此語，豈亦有逸篇歟？然章帝會諸儒於白虎觀，正義謂明帝，亦誤。」《困學紀聞》所引「《左傳》正義云」，見《左傳》隱公五年。

> 義》不然，《隋志》、《唐志》六卷，而《崇文總目》則有十卷；《崇文》目四十篇，而今本則有四十三篇。文雖減於舊，而篇目反增於前。是「爵」、「號」以至「嫁娶」，皆後人編類，非其本真矣。（頁2）

一般古書文獻之卷篇數，隨時間流逝日益遞減，然而「白虎通義」卷數與篇目反增於前，故莊述祖推測，《白虎通》四十三篇之篇目，乃後人編類而成，應非最早原始面貌。

莊述祖引東漢蔡邕（133-192）《蔡中郎集》〈巴郡太守謝版〉：「詔書前後，賜石鏡奩，《禮經》素字、《尚書章句》、《白虎議奏》，合成二百一十二卷。」後加案語曰：

> 《禮》古經五十六卷，今《禮》十七卷，《尚書章句》歐陽、大、小夏侯三家，多者不過三十一卷。二書卷不盈百，則奏議無慮百餘篇，非今之《通義》明矣。（頁2）

莊述祖考據，今文《禮經》有十七卷，古文《禮》有五十六卷，而《尚書章句》歐陽、大、小夏侯三家，多者不過三十一卷，「《禮經》素字」與《尚書章句》二者總加，至多不過八十七卷。[16]

16　《漢書・藝文志》曰：「《尚書古文經》四十六卷。（為五十七篇。）《經》二十九卷（大、小夏侯二家。《歐陽經》三十二卷。）《傳》四十一篇。《歐陽章句》三十一卷。《大》、《小夏侯章句》各二十九卷。《大》、《小夏侯解故》二十九篇。《歐陽說義》二篇。劉向《五行傳記》十一卷。許商《五行傳記》一篇。《周書》七十一篇。（周史記）。《議奏》四十二篇。（宣帝時石渠論。）凡《書》九家，四百一十二篇。（入劉向《稽疑》一篇。）」卷三十，頁1705-1706。又〈藝文志〉曰：「《禮古經》五十六卷，《經》十七篇。（后氏、戴氏。）《記》百三十一篇。（七十子後學者所記也。）《明堂陰陽》三十三篇。（古明堂之遺事。）《王史氏》二十一篇。（七十子後學者。）《曲臺后倉》九篇。《中庸說》二篇。《明堂陰陽說》五篇。《周官經》六篇。（王莽時劉歆置博士。）

〈巴郡太守謝版〉既言「《禮經》素字」、《尚書章句》、「白虎奏議」三者，合成二百一十二卷，則「白虎奏議」必有百篇以上。「白虎奏議」既有百篇以上，而今本「白虎通義」只有四十三篇，則蔡邕所言之「白虎奏議」，與今之「白虎通義」兩者必不相同。

莊述祖於《困學紀聞》後加案語曰：

> 此宋本雖卷數與今多少不同，其闕文則一也。（頁3）

王應麟《困學紀聞》指正《左傳正義》云「明帝集諸學士作《白虎通義》」一事，乃是誤植章帝為明帝。其次，《左傳正義》所引「白虎通義」文句，對照「白虎通義」並無此語，莊述祖由此推論，今本《白虎通》與宋本之「白虎通義」，兩者皆有闕文。

二、事　跡

莊述祖〈白虎通義考〉「事跡」部分，舉引史料文獻有十二條，要皆以《後漢書》記載為主。第一條引《後漢書・章帝紀》載曰：

> 建初四年冬十一月壬戌，詔曰：「蓋三代導人，教學為本。漢承暴秦，褒顯儒術，建立《五經》，為置博士。

《周官傳》四篇。《軍禮司馬法》百五十五篇。《古封禪羣祀》二十二篇。《封禪議對》十九篇。（武帝時也。）《漢封禪羣祀》三十六篇。《議奏》三十八篇。（石渠。）凡《禮》十三家，五百五十五篇。（入《司馬法》一家，百五十五篇。）」《漢書》卷三十，頁1709-1710。

> 其後學者精進，雖曰承師，亦別名家。孝宣皇帝以為去聖久遠，學不厭博，故遂立大、小《夏侯尚書》，後又立《京氏易》。至建武中，復置顏氏、嚴氏《春秋》，大、小戴《禮》博士。此皆所以扶進微學，尊廣道藝也。中元元年詔書，《五經》章句煩多，議欲減省。至永平元年，長水校尉儵奏言，先帝大業，當以時施行。欲使諸儒共正經義，頗令學者得以自助。孔子曰：『學之不講，是吾憂也。』又曰：『博學而篤志，切問而近思，仁在其中矣。』於戲，其勉之哉！」於是下太常，將、大夫、博士、議郎、郎官及諸生、諸儒會白虎觀，講議《五經》同異，使五官中郎將魏應承制問，侍中淳于恭奏，帝親稱制臨決，如孝宣甘露石渠故事，作白虎議奏。（頁3-4）

此文記敘白虎觀會議事跡最詳盡。章帝建初四年詔開會議，緣起於光武帝中元元年（56）詔書：「《五經》章句煩多，議欲減省。」 及明帝永平元年（58）樊儵奏言：「先帝大業，當以時施行。」「欲使諸儒共正經義，頗令學者得以自助。」 會議進行程序，首先由魏應制問，太常以下至諸生、諸儒等與會者，講議《五經》同異，再命淳于恭記錄講議結果，上奏，最後由章帝稱制臨決。此會議程序仿傚西漢宣帝甘露三年（B.C.51）「石渠故事」。白虎觀又稱白虎殿，在未央宮內， 因會議在白虎觀詔開，故所得議奏名之曰「白虎議奏」，李賢（651-684）注之曰：「今《白虎通》。」莊述祖加案語曰：

> 〈儒林傳〉云「命史臣著為『通義』」，即今《白虎通

義》也。〈議奏〉，隋唐時已亡佚。〈注〉以為「今《白虎通》」，非是。（頁4）

莊述祖認為，淳于恭上奏會議結果，經章帝親稱制臨決後，即是「白虎議奏」，「白虎議奏」即是「白虎通」；「白虎議奏」再經史臣整理而成「通義」，乃是「白虎通義」。換言之：「白虎議奏」是會議全本，而「白虎通義」則是「白虎議奏」之略本。莊述祖主張今本《白虎通》應正名為「白虎通義」，即是肯定今本《白虎通》乃是「白虎議奏」經史臣整理後之略本；因此，莊述祖同時糾正李賢注以「白虎議奏」為今本《白虎通》，並不正確。

其後，莊述祖所引文獻出處與第一條文獻類似，製作簡表如下。

文獻出處	引文內容
《後漢書·魯恭傳》	恭為郡吏，太傅趙憙聞而辟之。肅宗集諸儒於白虎觀，恭特以經明得召，與其議。
《後漢書·賈逵傳》	肅宗立，降意儒術，特好古文《尚書》、《左氏傳》。建初元年，詔逵入講北宮白虎觀、南宮雲臺。帝善逵說，使發出《左氏傳》大義長於二傳者。逵於是具條奏之云云。帝嘉之，賜布五百匹，衣一襲，令逵自選《公羊》嚴、顏諸生高才者二十人，教以《左氏》，與簡紙經傳各一通。
《後漢書·丁鴻傳》	肅宗詔鴻與廣平王羨及諸儒樓望、成封、

	桓郁、賈逵等論定《五經》同異於北宮白虎觀。鴻以才高，論難最明，諸儒稱之，帝數嗟美焉。時人歎曰：「殿中無雙丁孝公。」
《後漢書·班固傳》	遷玄武司馬。天子會諸儒講論《五經》，作《白虎通德論》，令固撰集其事。
《後漢書·楊終傳》	終言：『先帝博徵羣儒，論定《五經》於石渠閣。方今天下少事，學者得成其業，而章句之徒，破壞大體。宜如石渠故事，永為後世則。』於是詔諸儒於白虎觀論考同異焉。會終坐事繫獄，博士趙博、校書郎班固、賈逵等以終深曉《春秋》，學多異聞，表請之，終又上書自訟，即日貰出，乃得與於白虎觀焉。
《後漢書·孝明八王傳》	陳敬王羨博涉經書，有威嚴，與諸儒講論於白虎殿。
《後漢書·儒林傳》	建初中，大會諸儒於白虎觀，考詳同異，連月乃罷。肅宗親臨稱制，如石渠故事，顧命史臣，著為通義。 時會京師諸儒於白虎觀，講論《五經》同異，使應專掌難問。 建初元年，衞尉馬廖舉育方正，為議郎，後拜博士。四年，詔與諸儒論《五經》於白虎觀。育以《公羊》義難賈逵，往返皆有理證，最為通儒。

《後漢書‧蔡邕列傳》	邕上封事曰：「昔孝宣會諸儒於石渠，章帝集學士於白虎，通經釋義，其事優大。」
《東觀漢紀》[17]	建初四年，詔諸王、諸儒會白虎觀，講《五經》同異。
袁宏《後漢紀》	建初四年秋，詔諸儒會白虎觀，議《五經》同異，曰《白虎通》。
《三國典略》	祖珽等上言：「昔漢時諸儒雜論經傳，奏之白虎閣，因名《白虎通》。」

第二節　莊述祖考據成果與主張

莊述祖〈白虎通義考〉宗旨，在考據元大德本《白虎通》應正名為「白虎通義」。

莊述祖正名「白虎通義」之理據有四：其一，莊述祖引《山堂群書考索》所得，《白虎通》「大抵皆引經斷論，卻不載『稱制臨決』之語」；其二，今本《白虎通》所存篇目四十三篇，「皆後人編類，非其本真」；其三，莊述祖引蔡邕〈巴郡太守謝版〉，考得「《奏議》無慮百餘篇，非今之《通義》」；其四，莊述祖判斷〈儒林傳〉云「命史臣著為《通義》」者，即今「白虎通義」，而「『議奏』，隋唐時已亡佚」。以下分析四項理據之考據與主張。

17 《東觀漢記》卷二，頁7。

一、《白虎通》大抵皆引經斷論卻不載稱制臨決之語

《後漢書．章帝紀》曰：「使五官中郎將魏應承制問，侍中淳于恭奏，帝親稱制臨決，如孝宣甘露石渠故事。」東漢章帝白虎觀會議討論形式，係由魏應提問，與會者依問題提出各人見解，再由淳于恭上奏，最後由章帝裁判定奪；如此會議討論程序，一如西漢宣帝之石渠閣會議。「石渠故事」乃是西漢宣帝所樹立之學術典範：天子下詔會議，集會群儒講議經學，最後由天子稱制臨決，藉此解決經學分歧之問題，並使學者達成共識。今以《通典》所輯《石渠禮論》舉一例證，窺探石渠閣會議之梗概。

> 漢石渠議：「問：『父卒母嫁，為之何服？』蕭太傅云：「當服周。為父後則不服。」韋玄成以為：『父歿則母無出義，王者不為無義制禮。若服周，則是子貶母也，故不制服也。』宣帝詔曰：『婦人不養舅姑，不奉祭祀，下不慈子，是自絕也，故聖人不為制服，明子無出母之義，玄成議是也。』」[18]

此例是標準範例。會議先有提問：「父卒母嫁，為之何服？」與會者依據大會問題，先後提出個人見解，如蕭太傅主張：「當服周。為父後則不服。」韋玄成則以為：「父歿則母無出義，王者不為無義制禮。若服周，則是子貶母也，故不制服也。」最後，宣帝詔曰：「婦人不養舅姑，不奉祭祀，下不慈

18 《通典》卷七十三，禮三十三，〈繼宗子〉，頁2455。

子，是自絕也，故聖人不為制服，明子無出母之義，玄成議是也。」宣帝不僅對大會問題提出自己意見，並且裁奪定論。

〈章帝紀〉明文記載「帝親稱制臨決」，為何《白虎通》不載章帝「稱制臨決」之語？白虎觀會議既以西漢宣帝「石渠故事」為典範，則理應倣效石渠閣會議形式，然而今本《白虎通》文本體例，只有問與答，無如《石渠禮論》記載宣帝稱制臨決、討論者姓名與討論決議產生方式之詳實。《山堂群書考索》所言確有理據，是項值得商榷之重大發見。

二、今本《白虎通》四十三篇皆後人編類非其本真

抱經堂本《白虎通》目錄共四卷（各分上、下），四十三篇（不含闕文），「闕文」以下七篇乃莊述祖所輯，盧文弨校刊增訂，乃舊本所無。莊述祖考據主張：《白虎通》「今本則有四十三篇，文雖減於舊，而篇目反增於前，是〈爵〉、〈號〉以至〈嫁娶〉，皆後人編類，非其本真矣。」《崇文總目》卷一〈論語類〉：《白虎通論》十卷。莊述祖下引：「章帝建初四年，詔諸儒會白虎觀，講議《五經》同異，詔集其事，凡四十篇。」按：《崇文總目》原「凡十四篇。」無論是原「十四篇」，或「四十篇」，總是比今本《白虎通》四十三篇少。雖然《直齋書錄解題》云四十四門，《山堂羣書考索》言「今所存本凡四十四篇」，亦不過是〈三綱六紀〉一篇離析為二而已。

莊述祖認為，《隋志》以下不分篇，至《崇文總目》始分

四十篇，而今本《白虎通》則有四十三篇，是篇目反增於前，故篇數與名稱，乃後人依《白虎通》之內容離析合併而有，是後人按類分篇之結果，非白虎觀會議之本真文獻。

三、據蔡邕〈巴郡太守謝版〉考據《奏議》無慮百餘篇

莊述祖依蔡邕〈巴郡太守謝版〉中，「詔書前後，賜石鏡奩，《禮經素字》、《尚書章句》、《白虎奏議》，合成二百一十二卷」之言，[19]以為「白虎通義」與「白虎議奏」有別。莊述祖曰：

> 《禮古經》五十六卷，《今禮》十七卷，《尚書章句》、歐陽大、小夏侯三家，多者不過三十一卷，二書卷不盈百，則《奏議》無慮百餘篇，非今之《通義》明矣。（頁2）

莊述祖考據，在蔡邕之時，「白虎議奏」至少有百篇以上，而「白虎通義」僅有四十三篇，「白虎通義」與「白虎通」實指兩事。莊述祖認為，章帝命班固依白虎觀會議討論內容撰集其事之前，是未經修改之全文，即是「白虎議奏」，即是「白虎通」，故「白虎通」當有百篇以上。

19　《百部叢書集成》影印《十萬卷樓叢書》本《蔡中郎文集》，卷八，頁3。《四部備要．集部》據《海原閣校刊本》校刊《蔡中郎集》，王昶考據蔡邕作〈巴郡太守謝版〉當於中平六年（189），見附「中郎年表」，頁6。

四、〈儒林傳〉云命史臣著為《通義》者即今「白虎通義」

上述蔡邕依〈巴郡太守謝版〉考據所得，「議奏」與「通義」乃有全略之分。「議奏」是會議討論全文，而「通義」是會議全文再經史臣整理編纂之略本，「夫通義固議奏之略也」；則今本《白虎通》即是章帝親臨稱制之後，業經「顧命史臣，著為通義」之「通義」本。故莊述祖主張，「白虎通」之名，應是指「白虎議奏」會議全文，而「白虎通義」之名，則是會議全文經史臣整理編纂之略本。今本《白虎通》既是會議全文經史臣整理編纂之略本，則今本《白虎通》應正名為「白虎通義」。

至於今本《白虎通》內容，充斥「傳以讖記，援緯證經」之奇怪現象，莊述祖將之歸於世主所好，風尚使然。莊述祖雖已發見今本《白虎通》文本「雜論經傳」、「《論語》、《孝經》、六藝並錄，傳以讖記，援緯證經」、「不載稱制臨決之語」，實與章帝詔書內容不符，亦異於石渠佚文；莊述祖將此一現象，歸咎於世主所好，風尚所趨使然。

第三節　莊述祖考據成果與主張之商榷

一、《白虎通》大抵皆引經斷論卻不載稱制臨決之語

今本《白虎通》與西漢《石渠禮論》二書，最明顯不同處，

即《石渠禮論》詳實記載宣帝稱制臨決、討論者姓名與討論決議產方式，而《白虎通》全無。莊述祖辯稱，「白虎通義」既是「白虎議奏」之略本，則略本未必如《石渠禮論》載「稱制臨決」之語。可知莊述祖只是以既有之事實，推論可能之原因；換言之，莊述祖即是以《白虎通》不載「稱制臨決」之實，證「白虎通義」可能之虛；莊述祖並無實證證明，所謂白虎觀會議之「略本」，必不載「稱制臨決」之語。莊述祖極力「正名」今本《白虎通》應「還原」為「白虎通義」，即是企圖用「正名」方式，規避史書記載白虎觀會議事跡與卷帙兩者不相應問題，進而使會議事跡與卷帙兩者不相應問題合理化。

二、今本《白虎通》四十三篇皆後人編類非其本真

莊述祖引《隋志》、《唐志》六卷，與《崇文總目》十卷四十四篇、今本四十三篇比較，「卷」與「篇」單位不同，其實無法比較少多。《崇文總目》四十四篇與今本《白虎通》四十三篇，不過是一篇之差，極可能是〈三綱六紀〉一篇之分合不同而已，亦無法證成四十三篇篇目皆後人編類，非其本真？縱使莊述祖雖然懷疑《白虎通》四十三篇篇目，非其本真，但從未質疑《白虎通》是白虎觀會議之卷帙。

三、據蔡邕〈巴郡太守謝版〉考據《奏議》無慮百餘篇

莊述祖考據得一重要結論，主張東漢白虎觀會議之後有兩

種文本傳世：一種是「白虎議奏」，是未經修改之會議全文，即是後世流俗省稱的「白虎通」，「白虎議奏」當有百篇以上；一種是「白虎通義」，「《通義》固《議奏》之略也」，「白虎通義」有四十三篇。百篇以上之「白虎議奏」，在隋唐時即已亡佚，而四十三篇之「通義」，則倖存至今。因此，莊述祖〈白虎通義考〉主張非常明確，即今本《白虎通》應正名為「白虎通義」。

莊述祖考據「白虎議奏」必在百篇以上，是項重大發見，主張今本《白虎通》應正名為「白虎通義」，更是一項創舉。然而，莊述祖以蔡邕〈巴郡太守謝版〉推論，必在百篇以上之《白虎議奏》與現存之四十三篇《白虎通》兩者必不相同，此說證據與推論，皆有商榷餘地。

東漢和帝元興年前（105），記錄著作之載體主要有兩種材料：一是竹簡，一是縑帛；以竹簡為材料之典籍，計量單位稱「篇」，以縑帛為典籍之計量單位稱「卷」。《說文》曰：「篇，書也。」「簡，牒也。」[20]「卷，膝曲也。」[21]段玉裁注曰：「書，著也。箸於簡牘者也，亦謂之篇。古曰篇，漢人亦曰卷。卷者，縑帛可捲也。」[22]「篇」或「卷」，皆是西漢計量著作之單位名稱。以《漢書．藝文志》為例：《易》類十三家，「二百九十四篇」，全以「篇」計；《書》類九家有篇有卷，合計為「四百一十二篇」；《詩》類六家「四百一十六卷」，全以「卷」計；「凡六藝一百三家，三千一百二十三

20 （漢）許慎：《說文解字》（臺北：黎明文化事業，1989 年），頁 192。
21 《說文解字》，頁 435。
22 《說文解字》，頁 192。

篇」，卻悉以「篇」計。此外，「諸子」類百八十九家，四千三百二十四篇，與「詩賦」類百六家，千三百一十八篇，悉以「篇」計；而「數術」類百九十家，二千五百二十八卷，悉以「卷」計。以上圖書有篇有卷，而〈藝文志〉則總計：「大凡書，六略三十八種，五百九十六家，萬三千二百六十九卷。」[23]竹簡修長，易於寫字；縑帛寬廣，利於繪圖，兩者各有優點，在使用上，撰述者因著作之性質而有不同選擇。例如：《漢書·藝文志》「陰陽」類：「《黃帝》十六篇。圖三卷」、「《風后》十三篇。圖二卷」、「《鵊冶子》一篇。圖一卷」、「《鬼容區》三篇。圖一卷」、「《別成子望軍氣》六篇。圖三卷」，〈藝文志〉分計為：「陰陽十六家，二百四十九篇，圖十卷。」[24]因此，「篇」多適用於竹簡，而「卷」則偏指縑帛，兩者只是著作之材料有異，於數量統計則無所差別。竹簡之「篇」與縑帛之「卷」畢竟有別，竹簡之「篇」，每「篇」亦可成一捲（卷），其形式與「卷」同類，故亦可以稱「卷」；但是縑帛之「卷」，則不適於稱「篇」，此亦是《漢志》總計六藝圖書時，捨「篇」而用「卷」之可能初衷。

東漢和帝元興年前，「篇」、「卷」兩名可以互稱，然而「縑貴而簡重」，既不便於使用，且使用者又限於少數人；至蔡倫造紙以後，情況稍有改變。《後漢書·蔡倫列傳》曰：

> 自古書契多編以竹簡，其用縑帛者謂之為紙。縑貴而簡重，並不便於人。倫乃造意，用樹膚、麻頭及敝布、魚

23　《漢書·藝文志》，卷三十，頁 1701-1781。

24　《漢書·藝文志》卷三十，頁 1760。

> **網以為紙。元興元年奏上之，帝善其能，自是莫不從用焉，故天下咸稱「蔡侯紙」。**[25]

和帝元興元年，蔡倫「用樹膚、麻頭及敝布、魚網以為紙」，世稱「蔡侯紙」，而天下「自是莫不從用焉」；因此，《隋書．經籍志》所載圖書，「大凡經傳存亡及道佛，六千五百二十部，五萬六千八百八十一卷」，[26]全部悉以「卷」數，不復稱「篇」，避免單位名稱不同產生疑義。

《隋書．經籍志》載「《白虎通》六卷」，「六卷」固是卷帙計量單位；至《崇文總目》稱「《白虎通德論》十卷，四十篇」，同時記錄卷數計量單位「十卷」，與著作意義之計量單位「四十篇」，殆無疑義。蔡邕〈巴郡太守謝版〉曰「合成二百一十二卷」，莊述祖卻將「卷」逕自改成「篇」，進而宣稱「《奏議》無慮百餘篇」。今本《白虎通》四十三篇；莊述祖考據：「《崇文》目四十篇，而今本則有四十三篇，文雖減於舊，而篇目反增於前，是〈爵〉、〈號〉以至〈嫁娶〉，皆後人編類，非其本真矣。」莊述祖既知《白虎通》「四十三篇」，是指著作意義之單位，卻又將蔡邕〈巴郡太守謝版〉之「白虎議奏」百「卷」以上，逕改稱「篇」，再以百篇以上之「白虎議奏」比較四十三篇之《白虎通》，混淆著作意義單位之「篇」與計量單位之「卷」，由此推論：「白虎議奏」百篇以上與今本《白虎通》四十三篇，兩者必不相同？此乃是不恰當之類比所產生之謬誤。質言之，白虎觀會議之卷帙，未必有

25 《後漢書．蔡倫列傳》卷七十八，頁 2513。
26 《隋書．經籍志》卷三十二至卷三十五，頁 468-539。

「全本」與「略本」兩本；而蔡邕所謂「白虎議奏」百餘卷與今本《白虎通》四十三篇，仍然可能指同一卷帙。莊述祖徵引考據蔡邕資料固然重要，但是擅改資料內容，進而主張今本《白虎通》應正名為「白虎通義」，殊為可惜。

四、〈儒林傳〉云命史臣著為《通義》者即今「白虎通義」

莊述祖為了合理解釋《白虎通》無章帝稱制臨決之語，與大會討論過程，故將白虎觀會議後之資料分裂為二，以為「白虎議奏」乃是白虎觀會議之全文，而「白虎通義」「固議奏之略」本。然而，東漢章帝詔開白虎觀會議，目的在「講議《五經》同異」，而《白虎通》卻是「雜論經傳」、「《論語》、《孝經》、六藝並錄，傅以讖記，援緯證經」，實與章帝詔開會議之宗旨不相應；莊述祖卻認為，造成會議宗旨與會議結果不相應問題，乃是「風尚所趨然」，「附世主之好」之結果。

至於《後漢書》記載白虎觀會議卷帙語焉不詳，與當時「所以不僅許慎馬融不能得其書而讀之，且蔡邕鄭玄並不曾舉引」之現象，[27]莊述祖如此解釋：

> 石渠既亡逸，而白虎議奏當時已頗珍秘，晉以來學者罕能言之，使後之人，概無以見兩代正經義、屬學官之故事。（頁7）

莊述祖辯稱，白虎觀會議之後百年內，世人所以不知有「白虎

27 洪業：〈白虎通引得序〉，頁9。

議奏」者，乃是因為「白虎議奏」並未對外公開，僅止於觀內收藏，因此，不僅當時不知有其書，甚至「晉以來學者罕能言之，使後之人，概無以見兩代正經義、厲學官之故事」。莊述祖此說頗為矛盾。若「白虎議奏」是「正經義、厲學官之故事」，則應即時公諸於世，豈是「珍秘」其書，以致當時「所以不僅許慎馬融不能得其書而讀之，且蔡邕鄭玄並不曾舉引」，以及「晉以來學者罕能言之」？況且，章帝詔開白虎觀會議之目的，乃「欲使諸儒共正經義，頗令學者得以自助」，「永為後世則」，若會議之後有如「白虎議奏」或「白虎通義」，即時刊立猶稱未及，豈會如此「珍秘」？莊述祖之解釋與主張，顯然忽略章帝詔開白虎觀會議之宗旨與目的。

第四節　莊祖考據成果之影響

莊述祖〈白虎通義考〉引用考據文獻與考據主張，突顯白虎觀會議事跡與卷帙間諸多不相應問題，擴大後世學者研究《白虎通》之格局與視域，並直接影響後繼者對《白虎通》之解讀與判斷。以下略舉數家之說，說明莊述祖〈白虎通義考〉對後世研究《白虎通》之實質影響。

清人姚振宗（1842-1906）於《隋書經籍志考證》曰：

> 按：《白虎議奏》非《白虎通》，章懷此注，誤也；莊氏述祖考之甚詳。見抱經堂校刊本卷首。[28]

28（清）姚振宗撰：《隋書經籍志考證》（上海：上海古籍出版社，《續修四庫姚振宗肯定莊述祖之考據，同意今本《白虎通》非「白虎議奏」，並承接莊述祖之判斷，指明李賢注「今《白虎通》」，是個誤解。

孫詒讓（1848-1908）〈白虎通義考〉曰：

> 《議奏》與《通義》本屬兩書，特同出於白虎觀耳。今考《議奏》、《通義》卷數，多寡懸殊，莊氏謂非一書，其說是矣。[29]

孫詒讓承莊述祖之說，以為白虎觀會議卷帙不止一書，並且同意今本《白虎通》乃「白虎通義」。孫詒讓曰：

> 《蔡中郎集》所舉者，尚其全帙，故亦如《石渠議奏》，有百餘卷。晉宋以後，議奏全帙漸至散佚，而《通義》一編，析出別行，僅存於世，展轉傳迻，忘其本始。於是存其白虎之名，昧其雜議之實，或以通義該議奏，或以議奏疑通義，皆考之不審，故舛誤互見矣。[30]

孫詒讓關注《白虎通》文本雜議《五經》之事，將《白虎通》視為「白虎議奏」之部分。孫詒讓認為，百餘卷之「白虎議奏」，晉宋以後漸至散佚，而「白虎通義」僅存於世；今本《白虎通》既是「通義」一編，則應正名為「白虎通義」。

劉師培（1884-1919）亦同意《白虎通》應正名為「白虎通

全書》據浙江圖書館藏開明書店鉛印師石山房叢書本影印原書版，1995年），卷八，頁144。

29 孫詒讓，〈白虎通義考〉上，《國粹學報》第五年第二冊第五十五期（1909年）（臺北：文海出版社，1970年2月），頁2114。

30 孫詒讓，〈白虎通義考〉上，頁2116。

義」，但所持理據又與莊、孫兩人之說迥異。[31]劉師培認為：

> 今所傳《通義》四十餘篇，體乃迥異，……此則《通義》異於《議奏》者矣。然《通義》所有之文，均《議奏》所已著，《通義》之於《議奏》，采擇全帙，亦非割裂數卷，裁篇別出，如石渠《五經》雜議也。故〈班固傳〉中，稱為「撰集」，體異於舊謂之撰，會合眾家謂之集，按詞審實，厥體乃章。或以深沒姓名為誚，不知此書雖撰，《議奏》仍復並存，故桓、靈之際，伯喈守巴，仍拜帝賜。蓋詳者可以覈群說之紛，約者所以暴朝廷好尚，離以並美，誼仍互昭。嗣則《議奏》泯湮，惟存《通義》，而歧名孳生。[32]

劉師培認為，「通義」所有之文，乃是采擇「議奏」所已著者，「議奏」之詳者，可以覈群說之紛；「通義」之約者，所以暴朝廷好尚，故「通義」乃「議奏」之略本。劉師培極力綰合文本與事跡之關係，辯稱白虎觀會議之後有兩種不同卷帙：其一「議奏」，至桓、靈之時，賜予蔡邕之後，旋即亡佚；其二「通義」，卷帙仍在秘書，流傳至今；今本《白虎通》即是采擇「議奏」而成之「通義」，故應正名為「白虎通義」。雖然劉師培主張與莊述祖稍異，但是劉師培採納之證據與結果，均與莊述祖無別。

---

31 劉師培曰「陽湖莊氏別《通義》於《奏議》之外，謂與《議奏》為二書，瑞安孫氏列《通義》於奏議之中，謂即奏議之一類。以今審之，二說均違。」〈白虎通義源流考〉，收在中華本《白虎通疏證》，頁 783。

32 〈白虎通義源流考〉，頁 783-784。

洪業（1893-1980）則更進一步指稱《白虎通》為「偽作」。[33]

> 夫蔡邕之時（初平三年，192，卒）尚有《白虎議奏》，卷數逾百。倘其後有好事者，用其材料，更撮合經緯注釋，而成《白虎通義》，殆非難事。玩其文義，不似有意偽托班固，疑更有好事者，附會而歸之于固，晉宋而後，引者遂多耳。[34]

洪業採用莊述祖引蔡邕〈巴郡太守謝版〉為證據，肯定蔡邕之時，尚有卷數逾百之「白虎議奏」；後世有好事者，以「白虎議奏」為底本，更摻雜經緯注釋而成「白虎通義」，即今本《白虎通》，晉宋以後，始有引述者。至於今本《白虎通》正名問題，洪業曰：

> 謂之「白虎通引得」者，非謂原書之名必為「白虎通」三字而已。孫考據俗稱《風俗通義》為《風俗通》之例，而定其原名必為《白虎通義》，論頗近是。然魏晉以來簡稱既久，無妨仍用焉。[35]

洪業為燕京圖書館「白虎通引得」作序時，依然沿用「白虎通」之名。洪業認為，依孫詒讓之考據，今本《白虎通》原名必為「白虎通義」，[36]然而，今本《白虎通》既是好事者摻雜經緯注釋之「偽作」，而「白虎通」之名，乃魏晉以來流俗省稱，沿

33 〈白虎通引得序〉，頁 2。
34 〈白虎通引得序〉，頁 9。
35 〈白虎通引得序〉，頁 9。
36 孫詒讓〈白虎通義考〉下曰：「竊嘗以『白虎通義』、『白虎通德論』、『白虎通』三名詳考之，而知『通義』為建初之原名，『通德論』為六朝人之改題，『白虎通』為援引之省字也。」頁 2118。

用既久，仍用無妨。

第五節　小　結

莊述祖〈白虎通義考〉所徵引考據文獻彌足珍貴，由考據文獻擴大研究《白虎通》領域，是別開生面之創舉，尤其是凸顯白虎觀會議事跡與《白虎通》卷帙間不相應問題，值得世人持續關注。然而，莊述祖誤解可貴之文獻，逕自主張白虎觀會議卷帙有兩本，不僅影響後世思考與研究方向，徒令後繼者在研究《白虎通》之進程中，節外生枝，治絲益棼。

第四章　孫詒讓考據成果與商榷

莊述祖考據，白虎觀會議之後留有二種卷帙文獻：一種是會議全文，即蔡邕所稱「白虎議奏」，又稱「白虎通」；一種是「白虎議奏」全文經過整理、排比後之「略本」，稱「白虎通義」。因此，莊述祖主張，元大德本《白虎通》即是議奏之略本，應正名為「白虎通義」，還原本來面貌。莊述祖之主張，影響至為深遠。後世學者分析、比對白虎觀會議事跡與《白虎通》卷帙之關係時，動輒以「正名」方式，解決存在於事跡與卷帙間之若干問題；莊述祖〈白虎通義考〉是典型與濫觴，而孫詒讓〈白虎通義考〉，[1]則是繼莊述祖之後，踵事增華，變本加厲之同名表代作。

本章分析探討孫詒讓〈白虎通義考〉，論述層次有三：首先，略述孫詒讓研究《白虎通》之著作領域；其次，分析〈白虎通義考〉全篇結構，歸納孫詒讓考據成果與主張；最後，商榷孫詒讓考據之有效性與主張之合理性。

1　（清）孫詒讓撰，雪克點校：《籀廎述林》（北京：中華書局，許嘉璐主編：《孫詒讓全集》，2010 年）。本章以下凡引孫詒讓〈白虎通義考〉，皆從此本，隨文附加頁碼，不另加註。

第一節 孫詒讓〈白虎通義考〉

孫詒讓，字仲容，號籀廎，浙江溫州瑞安人。生於清宣宗道光二十八年，卒於清德宗光緒三十四年（1848-1908），享年六十一歲。

孫詒讓學術著作頗豐。依朱芳圃所編《孫詒讓年譜》附錄「孫氏著述目錄表」，計有：《周禮正義》、《周禮政要》、《墨子閒詁》、《尚書駢枝》、《逸周書斠補》、《大戴禮記斠補》、《古籀拾遺》、《九旗古義述》、《六厤甄微》、《名原》、《契文舉例》、《廣韻姓氏刊誤》、《札迻》、《永嘉郡記集本》、《大篆沿革考》、《宋政和禮器文字考》、《周禮三家佚注》、《溫州經籍志》、《四部別錄》、《溫州古甓記》、《百晉精廬碑錄》、《溫州建置沿革表》、《籀廎述林》等二十三種。[2]朱芳圃《年譜》書前揭章炳麟與梁啟超二先生之評語，稱讚孫詒讓學術乃「三百年絕等雙」、「得此後殿，清學有光」。[3]王更生折衷二說，讚揚孫詒讓「巋然為有清三百年學術之殿」，[4]「理不空談，必有誼據，皆實學也」，其治學

---

2 朱芳圃編：《孫詒讓年譜》（上海：上海書店，《民國叢書》據商務印書館 1934 年版影印，第四編，第 86 冊），頁 100-102。

3 章炳麟曰：「詒讓治六藝，旁理墨氏，其精竱足以摩致姬漢，三百年絕等雙矣。」又曰：「詒讓學術，蓋籠有金榜，錢大昕，段玉裁，王念孫四家，其明大義，鉤深窮高過之。」梁啟超曰：「清學在蛻分期中，猶有一二大師焉，為正統派死守最後之壁壘；曰俞樾，曰孫詒讓，皆得統於高郵王氏：樾著書惟二三種獨精絕，餘乃類無行之袁枚，亦衰落期之一徵也；詒讓則有醇無疵，得此後殿，清學有光矣。」

4 王更生著：《籀廎學記——孫詒讓先生之生平及其學術》四冊（臺北：花木

精要以經學為第一。[5]

依前賢整理相關著作，得知孫詒讓研究《白虎通》部分，有《白虎通校補》與〈白虎通義考〉二種。關於《白虎通校補》一書，朱芳圃《年譜》附錄「孫氏著述目錄表」未列，然《年譜》於孫詒讓四十二歲，清光緒十五年（1889）記：「先生撰《白虎通校補》。」並加案語：

> 案是書原稿未見，諸家亦未有言及者。其目僅見於瑞安廣明印刷所之書目中。成書時代無考，姑繫於是年。[6]

朱芳圃既未得見《白虎通校補》原書，亦無人言及，故《年譜》僅存書目。王更生《籀廎學記》則是將《白虎通校補》歸為「疑非先生自著為時人誤署者」一類，[7]並以三項理據推論：「《朱譜》採瑞安廣明印刷所之書目，殆為失考，其必非先生自著也明矣。」[8]王更生認為，《白虎通校補》原書既未得見，而《

蘭文化出版社，《古典文獻研究輯刊》十一編，第六～九冊，2010 年），第一冊，頁 3。

5　王更生言：「先生之著述，方面極多，余以為最精要者有七事：一為經學，二為子學，三為甲體為，四為金石學，五為文字學，六為斠讐學，七為目錄學。」《籀廎學記——孫詒讓先生之生平及其學術》第四冊，頁 803。

6　《孫詒讓年譜》，頁 56。

7　《籀廎學記》附錄：「孫詒讓先生著述經眼錄」，將孫詒讓著述分五類：（一）先生著述經手刊布並有傳本可案者；（二）先生著述經後人蒐輯代刊行者；（三）先生所著之未刊或已刊而未見刻本者；（四）他人著述經先生校補勘者；（五）疑非先生自著為時人誤署者；得三十六種。如《白虎通校補》不計，止三十五種而已。頁 809-828。

8　王更生言：「觀先生斥盧校『亡古』之論，則其就有校補，亦必不取『白虎通』為名。今《白虎通校補》竟署名於先生，此其可疑者一也。案《札迻》卷十，先生所校書，適為『《白虎通德論》』，亦不云所謂『校補』者，此其可疑者二也。又先生斠讐古籍，單獨成帙者，必不再入《札迻》，避複重也；如《周書斠補》、《大戴記斠補》、《墨子閒詁》是其證，今《札迻》卷十既有朱譜》單憑瑞安廣明印刷所之書目，便稱「先生撰《白虎通校補》」，考據失實。

至於〈白虎通義考〉上、下二篇，收錄於孫詒讓雜著《籀廎述林》卷一之中，[9]清宣統元年（1909），《國粹學報》刊印「孫仲容先生遺著」，[10]〈白虎通義考〉上、下二篇即在其中。

第二節　孫詒讓考據成果與主張

孫詒讓〈白虎通義考〉上、下二篇，王更生分析言：「〈考上〉徵《白虎通義》成書之經過，〈考下〉辨《白虎通義》一書名義。」[11]孫詒讓分上、下二篇，與莊述祖同名之〈白虎通義考〉分「卷帙」與「事跡」二項論述，如出一轍。「成書經過」之「卷帙」與「一書名義」之「事跡」，二者互為表裡因果，區分為二，只是方便說解，其實理據一貫。孫詒讓〈白虎通義考〉篇名與莊述祖一致，撰寫策略亦與莊述祖暗合，顯

『《白虎通德論》』之校語若干條，則不應外此復著『《白虎通校補》』，此其可疑者三也。據此可推《朱譜》採瑞安廣明印刷所之書目，殆為失考，其必非先生自著也明矣。」《籀廎學記》第四冊，頁 828。

9 雪克點校《籀廎述林》言：「孫氏於光緒二年丙子（時年二十九歲）草撰《撢藝宧雜著》，三十歲後改署『籀廎述林』，直至他逝世前，陸續收入各類攷、說、述、釋義、敘跋、鐘鼎釋文、金石攷證、記辨等單篇專撰百二十餘篇，定稿為十卷。」「點校說明」，頁 1。王更生《籀廎學記》言：「此本之刊布先後經兩次結集，前八卷為初定本，疑先生手定，後二卷乃其介弟芃先生所續補，均不述刻行年月。」頁 821。

10 孫詒讓：〈白虎通義考〉上、下（臺北：臺灣商務印書館《景印國粹學報舊刊全集》，第五年第二冊第五十五期，1974 年），頁 2113-2119。

11 《籀廎學記》第四冊，頁 828。

示孫詒讓〈白虎通義考〉不僅呼應莊述祖之考據主張，甚至有意將兩者之考據主張，相提並論，一較高下。

〈白虎通義考〉上篇內容大致可分三項：其一，問題之導出；其二，檢視莊述祖考據得失；其三，申論考據成果與主張；下篇內容則是以上篇考據所得，分判其他名稱之得失。以下即就上述四項，分別申論〈白虎通義考〉宗旨主張。

一、問題之導出

孫詒讓開宗明義指出《白虎通》書名問題所在：「范氏《後漢書》載其事頗詳，而史臣撰集之書，則文三見而各異。」（頁41）孫詒讓引《後漢書》曰：

> 肅宗紀云：「建初四年冬十一月，下太常，將、大夫、博士、議郎、郎官及諸生、諸儒會白虎觀，講議《五經》同異，使五官中郎將魏應承制問，侍中淳于恭奏，帝親稱制臨決，如孝宣甘露石渠故事，作《白虎議奏》。」（頁41）

依《後漢書》所載，[12]章帝建初四年下詔太常、將、大夫、博士、議郎、諸生、諸儒等，會於白虎觀，講議《五經》同異。白虎觀又稱白虎殿，在未央宮內，[13]因會議在白虎觀處，故所

12　《後漢書・章帝紀》曰：「中元元年詔書，《五經》章句煩多，議欲減省。至永平元年，長水校尉儵奏言，先帝大業，當以時施行。欲使諸儒共正經義，頗令學者得以自助。……於是下太常，將、大夫、博士、議郎、及諸生、諸儒會白虎觀，講議《五經》同異，使五官中郎將魏應承制問，侍中淳于恭奏，帝親稱制臨決，如孝宣甘露石渠故事，作《白虎議奏》。」卷三，頁137-138。

13　《三輔黃圖》曰：「未央宮有宣室、麒麟、金華、承明、武臺、鈎弋等殿。

作議奏名之曰「白虎議奏」，李賢（651-684）注：「今《白虎通》。」《隋志》以降，或稱「白虎通」；可知「白虎通」之名，乃是以地名書。《後漢書》記此會議議程具體而詳實，並稱淳于恭所奏會議講議資料曰「白虎議奏」，然而，《後漢書》並未以「白虎議奏」之名，一貫通稱此會議資料。孫詒讓續引《後漢書》二段文獻：

> 班固傳云：「遷玄武司馬。天子會諸儒講論《五經》，作《白虎通悳論》，令固撰集其事。」（頁41）
> 儒林傳云：「建初中，大會諸儒於白虎觀，考詳同異，連月迺罷。肅宗親臨稱制，如石渠故事，顧命史臣，著為通義。」（頁41）

《後漢書．班固傳》稱作「白虎通德論」，並明指班固受令撰集；[14]而〈儒林傳〉則稱史臣著為「通義」。[15]孫詒讓認為，《後漢書》記載白虎觀會議事跡詳盡，但是對於記錄會議內容之相關資料文獻，則三處稱呼不同，同一資料前後三種稱呼，亦是問題之癥結所在。

孫詒讓並引後世袁宏（328-376）《後漢紀》云：「建初四年秋，詔諸儒會白虎觀，議《五經》同異，曰《白虎通》。」

又有殿閣三十有二，有：壽成、萬歲、廣明、椒房、清涼、永延、玉堂、壽安、平就、宣德、東明、飛雨、鳳皇、通光、曲臺、白虎等殿。」頁7。

14 《後漢書．班固傳》曰：「（班）固自以二世才術，位不過郎，感東方朔、楊雄自論，以不遭蘇、張、范、蔡之時，作〈賓戲〉以自通焉。後遷玄武司馬。天子會諸儒講論《五經》，作《白虎通德論》，令固撰集其事。」卷四十下，頁1373。

15 《後漢書．儒林傳》曰：「建初中，大會諸儒於白虎觀，考詳同異，連月乃罷。肅宗親臨稱制，如石渠故事，顧命史臣，著為通義。」卷七十九上，頁2546。

（頁42）又引《太平御覽》六百一引邱悅《三國典略》云：「祖珽等上言，昔漢時諸儒，雜論經傳，奏之白虎閣，因名《白虎通》。」（頁42） 兩者相繼統一名稱為「白虎通」；至李賢注亦稱「白虎通」。可知，以「白虎通」之名，稱呼東漢白虎觀會議之資料文獻，乃是六朝、唐人以來之慣例。降至清代盧文弨於乾隆四十九年（1784）所據新舊本五種元大德九年（1305）版本校刻之《白虎通》，[16]亦沿用此名。

二、檢視莊述祖考據得失

孫詒讓考據《白虎通》卷帙文本應正名為「白虎通義」，應是受到莊述祖之啟發。孫詒讓曰：

> 近儒陽湖莊氏述祖，作〈白虎通義考〉，則據蔡中郎集〈巴郡太守謝版〉云：「詔書前後賜《禮經素字》、《尚書章句》、《白虎議奏》，合成二百一十二卷。」謂《禮古經》五十六卷，《今禮》十七卷，《尚書章句》歐陽、大、小夏侯三家，多者不過三十一卷；二書卷不盈百，則《議奏》無慮百餘篇，非今之《通義》明矣。又駁章懷《後漢書》注云：「按〈儒林傳〉云『命史臣著為《通義》』，即今《白虎通義》也。」《議奏》，隋唐時已亡佚，注以為今《白虎通》，非是。則又謂《議奏》與《通義》本屬兩書，特同出於白虎觀耳。（頁42）

16 參考本書第二章第二節「盧文弨校刻《白虎通》版本」。

孫詒讓分析，莊述祖依據蔡邕〈巴郡太守謝版〉中所云，以為《禮古經》五十六卷，《今禮》十七卷，而《尚書章句》歐陽、大、小夏侯三家，至多者不過三十一卷；《禮經素字》與《尚書章句》二書，合計卷不盈百，則「白虎奏議」必有百篇以上，故蔡邕所稱之「白虎議奏」非今之《白虎通》矣。莊述祖考據，「白虎議奏」在蔡邕之時，至少百篇以上，而元大德本《白虎通》僅四十三篇，故「白虎議奏」與《白虎通》實為兩種。莊述祖推論，東漢章帝命班固撰集其事，即是「白虎議奏」，即是「白虎通」，「白虎議奏」應有百餘篇，且在隋唐時亡佚；而現存《白虎通》即是章帝命史臣所作之「白虎通義」，乃是「白虎議奏」之略本。雖然「議奏」與「通義」皆出於白虎觀會議，然而，百餘篇之「白虎議奏」與四十三篇之《白虎通》本屬兩書，二者不可混淆。

孫詒讓一方面肯定莊述祖之考據，以為「今考《議奏》、《通義》，卷數多寡懸殊，莊氏謂非一書，其說是矣。」（頁42）另一方面同時質疑，若是白虎觀會議果真有「議奏」與「通義」兩種卷帙，則《後漢書．章帝紀》為何不記「通義」，而《後漢書．儒林傳》卻又恰巧不記「議奏」？且《後漢書》同記一事，卻分別記稱二種卷帙名稱？另人費解。孫詒讓認為，《後漢書》不可能犯此謬誤，況且，若白虎觀會議當時果有「議奏」、「通義」兩種卷帙，則後世袁宏、李賢與袁山松三人，不應同時犯相同錯誤，混稱「議奏」與「通義」兩種卷帙為「白虎通」。[17]

17　孫詒讓曰：「袁宏、李賢，皆得見《東觀漢記》，及袁山松《後漢書．藝文志》，倘《通義》《議奏》灼為兩帙，亦不應不考，以致誤合也。」〈白虎通義考〉，

三、考據成果與具體主張

孫詒讓雖然推翻莊述祖主張「議奏」與「通義」只是全本與略本之別之考據結果，卻從莊述祖之考據中得到啟發，肯定蔡邕時有百餘篇之「白虎議奏」，並且同意元大德本《白虎通》應正名為「白虎通義」。孫詒讓之考據方向，乃是從西漢石渠閣會議之卷帙著眼。孫詒讓曰：

> **竊謂建初之制，祖述甘露，《議奏》之作，亦襲石渠，《白虎議奏》，雖佚其卷帙，體例要可以《石渠議奏》推也。（頁42）**

《後漢書·章帝紀》既云：「如孝宣甘露石渠故事，作白虎議奏。」則白虎觀會議之「白虎議奏」，其體例應與石渠閣會議之《石渠議奏》相當；換言之，「白虎議奏」之體例，可由《石渠議奏》類推而知。孫詒讓曰：

> **《漢書·藝文志》《書》九家，內《議奏》四十二篇，（本注：「宣帝時石渠論。」）《禮》十三家，內《議奏》三十八篇，（本注：「石渠。」）《春秋》二十三家，內《議奏》三十九篇，《論語》十二家，內《議奏》十八篇，《孝經》十三家，內《五經雜議》十八篇，（以上本注並云《石渠論》。）共五部百五十五篇。蓋石渠舊例，有專論一經之書，有雜論《五經》之書，合則為一帙，分則為數家。（頁42-43）**

頁42。

考《漢書・藝文志》之石渠卷帙，「有專論一經之書，有雜論《五經》之書，合則為一帙，分則為數家」之舊例，如：《書》、《禮》、《春秋》、《論語》各經之《議奏》，即是專論一經之書；專論一經之書至晉以後，獨存《禮》家，《五代志》稱之「石渠禮論」，唐代杜佑《通典》所輯，與清代洪頤煊撰集《石渠禮論》殘存部分佚文，即是專論《禮》一經之《議奏》。而《孝經》內之《五經雜議》，即是雜論《五經》之議奏，亦即是《唐書・經籍志》誤題其名為劉向之《五經雜義》七卷。[18]石渠《議奏》卷帙之體例既明，則白虎《議奏》之體例，猶可即而求之。

孫詒讓曰：

> 白虎講論，既依石渠故事，則其議奏，必亦有專論一經與雜論《五經》之別，今所傳《通義》蓋《白虎議奏》內之《五經雜議》也。（頁43）

《石渠議奏》既有專論一經與雜論《五經》之別，則「白虎議奏」之體例亦應如是；今「白虎通義」（即元大德本《白虎通》）內有「雜議《五經》」之實，則「白虎通義」應是「白虎議奏」之「《五經》雜議」也。孫詒讓再綜合《漢書・藝文志》與蔡邕〈巴郡太守謝版〉二項證據，曰：

> 其書在漢代，統於《議奏》，本為一書，《蔡中郎集》

18　孫詒讓〈白虎通義考〉曰：「《五經雜議》，，雜論《五經》者也，《唐書・經籍志》有劉向《五經雜義》七卷，王應麟《玉海》、朱彝尊《經義考》，並以為即石渠《五經雜議》，蓋《漢志》載劉向所敘六十七篇，內無說經之書，而石渠論經，劉向校定，或錄其奏於篇首，故誤題其名也。」頁43。

> 所舉者，尚其全帙，故亦如《石渠議奏》，有百餘卷。晉宋以後，《議奏》全帙，漸至散佚，而《通義》一編，析出別行，僅存於世，展轉傳迻，忘其本始。於是存其白虎之名，昧其雜議之實，或以通義該議奏，或以議奏疑通義，皆考之不審，故外誤互見矣。（頁44）

孫詒讓推論，白虎觀會議卷帙全編，即是「白虎議奏」，全書有百餘卷，亦即是蔡邕〈巴郡太守謝版〉所稱「白虎議奏」；百餘卷之「白虎議奏」，自晉宋以後漸至散佚，而專論一經之書，則亡失殆盡，目前僅存「雜議《五經》」之「通義」，即元大德本《白虎通》是也。「白虎通」即是「白虎議奏」，「議奏」是會議全文，包括專論一經與雜議《五經》之書；「白虎通義」是雜議《五經》之書，與專論一經之書有別。「通義」固不可該「議奏」，亦不以專論一經之「議奏」對質雜論《五經》之「通義」。元大德本《白虎通》雖存「白虎」之名，但是以「白虎通」之名，稱「雜議《五經》」之書，不僅混淆「議奏」與「通義」之別，而且忽略《白虎通》文本雜議《五經》之實。至此，孫詒讓正名《白虎通》為「白虎通義」之旨意大明，「白虎通義」之名，可與「白虎議奏」區分，同時彰顯雜議《五經》之實質容內。孫詒讓總結曰：

> 夫《議奏》之作，本效石渠之所有，《通義》一編，亦非增石渠之所無。古籍雖亡，固有可推繹而得者，世之究心錄略者，當不以余說為臆斷也。（頁44）

孫詒讓斷定：《議奏》與《通義》皆石渠閣會議所本有之卷帙，白虎觀會議既依仿石渠閣議，則白虎觀會議卷帙之體例，亦應如是。石渠閣會議雜議《五經》已亡佚，專論一經者僅存《石渠禮論》；而白虎觀會議則恰巧反相，是專論一經者全部亡佚，僅存雜議《五經》之「《五經》雜議」，故元大德本《白虎通》，即是白虎觀會議之「《五經》雜議」者。今「白虎通」者，既存「議奏」之名，又行「通義」之實，不僅名不符實，甚至名實顛倒。

依孫詒讓推論，白虎觀會議全文，統整於「白虎議奏」，蔡邕所見百餘篇即是此書。晉宋以後，專論一經之「議奏」亡佚，唯雜議《五經》之「通義」僅存，即元大德本《白虎通》。因此，孫詒讓認為，當以「白虎通義」之名名元大德本《白虎通》，以別於「白虎議奏」，以正「白虎通義」（《白虎通》）雜議《五經》、「通義」之實。

四、正名《白虎通》為「白虎通義」

孫詒讓〈白虎通義考〉下篇，即是根據上篇考據所得，逐一檢視《後漢書》以降史料記載白虎觀會議之卷帙名稱，以及環繞於元大德本《白虎通》之名稱問題。孫詒讓曰：

> 晉宋以後，群書援引，及《隋》、《唐・經籍志》，並曰《白虎通》。《新唐書・藝文志》曰《白虎通義》，《宋史・藝文志》及宋人書目，並曰《白虎通德論》。其流傳之本，則宋小字本、（據盧校本）元大德十卷本，及明諸刻本，並題《白虎通德論》。乾隆《四庫全書》本，依《後漢書・儒林傳》及《唐・藝文志》改題「

白虎通義」。後盧氏文弨校刻於杭州，又依《隋・志》改題「白虎通」。（頁44-45）

孫詒讓考據，白虎觀會議之卷帙，見於《後漢書》有「議奏」、「通德論」與「通義」三名。晉宋以降，群書援引，至《隋書》、《舊唐書》曰「白虎通」，《新唐書》則曰「白虎通義」，《宋史》及宋人書目則曰「白虎通德論」。[19]縱使《白虎通》文本流傳之初，宋小字本、元大德本及明代諸刻本，仍題「白虎通德論」，而盧文弨校刻時，卻堅持改題為「白虎通」。

孫詒讓〈白虎通義考〉不僅題目、寫作策略與莊述祖一致，甚至引用考據之史書目錄，亦與莊述祖近似。依孫詒讓列舉歷來史書書目所用書名，製作簡表如下。

書　　籍	類　別	名　稱	卷篇數	作　者
《隋書》[20]	〈經籍志〉	《白虎通》	六卷	
《舊唐書》	卷四十六〈經籍志・七經雜解〉	《白虎通》	六卷	漢章帝撰
《新唐書》	卷五十七〈藝文志・經解〉	《白虎通義》	六卷	班固等
《崇文總目》	卷一〈論語類〉	《白虎通德論》	十卷，四十篇[21]	班固撰

19 按《宋史・藝文志》曰：「班固，《白虎通》，十卷。」卷一百五十五，頁2366；且宋人書目則「白虎通」、「白虎通義」、「白虎通德論」三名互見，未全然稱「白虎通德論」。

20 《隋書》，卷三十二，頁937。

21 按：《崇文總目》原「凡十四篇。」姚振宗曰：「按：當是四十四篇之誤。此始稱《白虎通德論》，似是而非，周氏廣業嘗辨之。見抱經堂校刊本卷首。」（清）姚振宗撰：《隋書經籍志考證》，頁144。

《三榮郡齋讀書志》	卷四〈經解〉	《白虎通德論》	十卷	班固奉詔纂
《直齋書錄解題》	卷三〈經解〉	《白虎通》	十卷，四十四門	漢尚書郎班固撰
《山堂群書考索》		《白虎通》		
《宋史》	卷二百二〈藝文志·經解〉	《白虎通》	十卷	班固
《困學紀聞》[22]		《白虎通義》	十卷	
《四庫全書》[23]		《白虎通義》		
《白虎通》		《白虎通》		盧文弨據五種元大德版本校刻

第三節　孫詒讓駁周廣業〈白虎通序〉

孫詒讓首先反對有「白虎通德論」之名，以為「通德論」乃「六朝人之改題」，「自屬後人增改」；[24]並且反駁周廣業之考據。周廣業考據曰：

22 《困學紀聞》，卷七，頁 920。

23 《四庫全書總目》，頁 2355-2356。

24 孫詒讓曰：「至『通德論』之名，自屬後人增改，疑初改『通義』為『通論』，若《石渠禮議》之改為《白渠禮論》，後又增一『德』字，范蔚宗所見，即已如此，故以入〈班固傳〉也。劉勰《文心雕龍·論說篇》云：『石渠論藝，白虎通講，述聖通經，論家之正軌也。』可證六朝時本，已有『通德論』之題，非蔚宗之誤改，亦不自宋《崇文總目》始矣。」〈白虎通義考〉，頁 46。

〈班固傳〉所稱『白虎通德論』，與『白虎通』異名，而章懷無注。宋《崇文總目》始用為標題。遍考晉、宋迄唐諸史志傳及釋經集類之書，援引不下數百條，皆曰『白虎通』。竊疑通、德二字，本不連讀，乃是《白虎通》之外，別有《德論》，非一書也。李善《文選·注》，引班固〈功德論〉曰：「朱軒之使，鳳舉於龍堆之表。」是論不見全文，豈范氏所指即此，而脫『功』字歟？且古人講解經義，並謂之通，是書列《隋·經籍志》，亦曰《白虎通》。唯〈儒林傳〉嘗言箸為《通義》，故孔穎達《左傳·隱·五年·正義》有云：『漢群儒作《白虎觀通義》。雖名「通義」，義不通也。』宋儒《孝經》《爾雅》等疏，亦有引作『白虎通義』者，而『白虎通德論』之名，自《崇文》後，元明刊本，率以標題，殆失不考。（頁45）[25]

依周廣業考據，李善《文選·注》引班固〈功德論〉之文，證明班固有〈功德論〉之著作，而《後漢書》云班固「作《白虎通德論》」，乃是脫一「功」字，「通德」二字不連讀，故〈班固傳〉云「白虎通德論」者，乃是指「白虎通」與「功德論」二種著作。孫詒讓反對周廣業之考據，以為「今考〈功德論〉與虎觀無涉，范氏雖有疏舛，必不至牽合如是」。（頁45）孫詒讓曰：

竊嘗以「白虎通義」、「白虎通德論」、「白虎通」三名詳考之，而知「通義」為建初之原名，「通德論」為

25　《白虎通》，〈白虎通序〉引周廣業之言，頁2-3。

> 六朝人之改題，「白虎通」為援引之省字也。蓋《通義》本放石渠《五經雜議》而作，以其不主一經，則曰雜，以其可貫群經，則曰通。字雖異，而旨則同也。義之與議，本可通用。《石渠雜議》，《唐・志》為「雜義」，亦其證矣。由通義而省其文，則曰通。……至「通德論」之名，自屬後人增改。（頁46）

《後漢書・儒林傳》曰：「顧命史臣，著為通義。」可見「通義」之名，乃東漢建初之原名。孫詒讓進一步解釋，「白虎通義」是仿傚石渠《五經雜議》，因為所論不主一經，「以其可貫群經」，「雜」與「通」，字雖異，其旨則同也；且「義」與「議」本可通用，故以「白虎通義」之名，不僅能保存「雜議」之精神，亦可彰顯「雜議」之內容。

孫詒讓於文章之末，批評盧文弨校刊改題為「白虎通」之疏失，曰：

> 後有校刊是書者，從《四庫》本題「白虎通義」可也，或沿宋元明舊本題「白虎通德論」亦可也。至盧刊校讐精審，未嘗不為善本，而改「白虎通義」為「白虎通」，則盡失六朝以來舊本面目，以云復古，不適以亡古邪！（頁47）

孫詒讓總結以為，「白虎通義」即東漢建初原名，亦符合雜議《五經》文本內容精神；「白虎通德論」則是六朝以降之改題，用之亦無妨；唯「白虎通」之名，雖是流俗省稱，然而既不見於史傳，又易與「白虎議奏」混淆，最不恰當。孫詒讓批評盧文弨復刻善本，卻改「白虎通義」為「白虎通」，再蹈前人覆轍，雖云復古，實足以亡古！

第四節　孫詒讓考據成果與主張之商榷

孫詒讓〈白虎通義考〉從《後漢書》記載白虎觀會議纂集之書「文三見而各異」談起，繼之評述莊述祖考據蔡邕〈巴郡太守謝版〉所得，再考據西漢石渠閣會議纂集之書，認為元大德本《白虎通》即白虎觀會議之「雜議《五經》」者，終於主張《白虎通》應正名為「白虎通義」。以下即就孫詒讓〈白虎通義考〉為中心，分析商榷其考據與主張之得失。

一、《白虎通》之正名問題

孫詒讓同意莊述祖之考據，以為蔡邕之時有百餘篇之「白虎議奏」，再以「石渠議奏」為範本，推測百餘篇之「白虎議奏」有專論一經與雜論《五經》之卷帙；元大德本《白虎通》文本內容既有「通義」之實，即是屬「雜論《五經》」之卷帙，則《白虎通》應正名為「白虎通義」。孫詒讓之考據，似乎合理解釋《後漢書》所以分別稱呼「白虎議奏」與「著為《通義》」，但是，卻無法解釋〈儒林傳〉云：「顧命史臣，著為通義。」何以捨棄專論一經，獨舉「通義」，以偏概全？並且，講論經義，與史臣何關？

至於「白虎通德論」一名，〈班固傳〉云：「（固）遷玄武司馬，天子會諸儒講論《五經》，作《白虎通德論》，令固撰集其事。」據周廣業之考據，班固既有〈功德論〉之文，則《後漢書》之「白虎通德論」，乃是脫一「功」字，其實是指「白虎通」、「功德論」二種卷帙。若以周廣業之考據為準，豈不間接證實班固作「白虎通」？孫詒讓反對周廣業之考據，宣稱「〈功德論〉與虎觀無涉」，並且堅持主張「白虎通德論」乃六朝人之改題。其實，孫詒讓反對周廣業考據理由並不充分。〈班固傳〉既云「令固撰集其事」，則班固所著「白虎通德論」，當然與白虎觀會議有關；因此，周廣業之考據，仍有參考價值。

考《說文》曰：「通，達也。从辵甬聲。」段注：「他紅切，九部。」《說文》曰：「功，以勞定國也。从力工聲。」段注：「古紅切，九部。」而《宋本廣韻》「通」字，「他紅切」，「功」與「公」音同，「公，通也，……古紅切」，[26]「通」、「功」同屬平聲東韻，兩字疊韻；又《韻鏡校注》「通」屬舌音次清一等音，「公」屬牙音清一等音，[27]兩字聲母相近；換言之，「通」與「功」兩字語音相近。依此推論：〈班固傳〉中所稱「作〈白虎通德論〉」，應改訂為「作〈白虎功德論〉」，「通」、「功」兩字音近而訛。如此，則〈班固傳〉所述「作〈白虎功德論〉，令固撰集其事」，回歸指涉班固受章帝之令而撰集其事之作，「白虎」記其地，而「功德論」即是誌其事之文。此一考訂，既符合周廣業引李善注之證據，證實班固作〈白虎功德論〉，疏通〈班固傳〉之語意脈絡，同時

26 （宋）陳彭年等重修：《宋本廣韻》（臺北：黎明文化事業公司，1989 年），頁 27-31。

27 龍宇純著：《韻鏡校注》（臺北：藝文印書館，1989 年），頁 36。

可以避免徒增「白虎通」之名所滋生之無謂困擾。依此推論，則可以證實《後漢書》既未記載「白虎通」之名，顏師古之注亦非正解；並且，《崇文總目》以降所謂「白虎通德論」之名稱，亦是以訛傳訛登錄之書名。

二、評論莊述祖考據得失

孫詒讓否定莊述祖之主張，反對「『議奏』之外，別有『通義』」之論，所言甚是；[28]然而，孫詒讓肯定莊述祖之考據，以為蔡邕之時有百餘篇之「白虎議奏」，[29]則又失之不察。

莊述祖考據蔡邕〈巴郡太守謝版〉，以為「白虎議奏」在蔡邕之時，至少百篇以上；然而，〈巴郡太守謝版〉明載：「賜石鏡奩《禮經素字》、《尚書章句》、《白虎議奏》合成二百一十二卷。」若莊述祖考據無誤，則蔡邕受賜之「白虎議奏」當有百卷以上。然而，莊述祖既知《白虎通》四十三篇乃是著作意義之單位，[30]卻又將〈巴郡太守謝版〉所言之「白虎議奏」百「卷」以上，改「卷」為「篇」，由此得出：百篇以上之「白虎議奏」與四十三篇之《白虎通》，兩者必不相同。尤有甚

28 〈白虎通義考〉曰：「至謂《議奏》之外，別有《通義》，則范《史》於〈本紀〉不云《通義》，〈儒林傳敘〉不云《議奏》，不宜疏漏若是。袁宏、李賢，皆得見《東觀漢記》及袁山松《後漢書・藝文志》，倘《通義》《議奏》灼為兩帙，亦不應不考，以致誤合也。」頁42。

29 〈白虎通義考〉曰：「『議奏』、『通義』卷數，多寡懸殊，莊氏謂非一書，其說是矣。」頁42。

30 〈白虎通義考〉曰：「《崇文》目四十篇，而今本則有四十三篇，文雖減於舊，而篇目反增於前，是〈爵〉、〈號〉以至〈嫁娶〉，皆後人編類，非其本真矣。」頁2。

者，莊述祖由此臆測白虎觀會議有百篇以上之「白虎議奏」，與略本之「白虎通義」四十三篇兩種，由此推論：「通義固議奏之略也」。換言之，莊述祖之考據，只能證成蔡邕受賜之「白虎議奏」當在百卷以上，而不能因此證明：百卷以上之「白虎議奏」與「白虎通義」四十三篇，兩者必不相同。

孫詒讓根據莊述祖之考據線索，推論百篇以上之「白虎議奏」，係指白虎觀會議卷帙總合，而四十三篇之《白虎通》，只是白虎觀卷帙其中一部分。因此，莊述祖之考據線索既不可靠，則孫詒讓根據莊述祖考據之成果，亦值得商榷。

三、孫詒讓考據成果商榷

孫詒讓根據莊述祖之考據線索，「謂《議奏》與《通義》本屬兩書，特同出於白虎觀」，再根據《後漢書・章帝紀》所載：「如孝宣甘露石渠故事，作《白虎議奏》。」進一步比對《漢書・藝文志》記載西漢石渠閣議之卷帙，得到《白虎通》是「白虎議奏」中之「雜議《五經》」之結論。其實，孫詒讓之考據主張，有三項疑點需要釐清。

（一）石渠故事與《白虎通》

孫詒讓比較《白虎通》文本與石渠議奏之關係曰：

> 竊謂建初之制，祖述甘露，議奏之作，亦襲石渠，白虎議奏，雖佚其卷帙，體例要可以石渠議奏推也。（頁42）

孫詒讓認為，《後漢書・章帝紀》云：「如孝宣甘露石渠故事，作白虎議奏。」白虎觀會議既有意承襲西漢宣帝甘露之石渠閣會議，而石渠閣會議有專論一經與雜論《五經》之書之舊例，則白虎觀會議之卷帙，亦應有如是之體例編制。換言之，孫詒讓逕將白虎觀會議仿傚之「石渠故事」，理解為石渠議奏之卷帙體例，因此得到：建初之制白虎議奏，體例可以石渠議奏推之。

建初元年（76）楊終上疏建議章帝，宜仿傚西漢宣帝，博徵群儒，論定《五經》於石渠閣。建初四年《後漢書・章帝紀》曰：「如孝宣甘露石渠故事，作《白虎議奏》。」章帝下詔太常以下及諸生、諸儒會於白虎觀，講議《五經》同異，楊終之疏與章帝詔開白虎觀會議，兩者固有因果關係。觀楊終之疏與章帝詔開白虎觀會議之宗旨中，所謂「如石渠故事，永為後世則」，其實是指會議形式而言，此一「諸儒共正經義」、「上親稱制臨決」之方式，便是後世講議學術之典範。夏長樸分析白觀虎會議言：

> ……而開會的形式方面，由一人「承制問」，另一人奏，最後由皇帝「親稱制臨決」，兩次會議幾乎完全相同。這和當初建議召開會議的發起人校書郎楊終所說的「宜如石渠故事，永為後世則」，也若合符契；足見石渠閣會議的進行方式，已經成為漢代朝廷的「故事」。[31]

夏長樸論白虎觀會議所效法之石渠故事，乃在於石渠故事之會

31　〈論漢代學術會議與漢代學術發展的關係——以石渠閣會議的召開為例〉，夏長樸著，《第三屆漢代文學與思想學術研討會論文集》，（臺北：政治大學中文系，2000 年），頁 105。

議形式與程序，而楊終上疏之意，亦當如是；並且《後漢書》載「帝親稱制臨決，如孝宣甘露石渠故事」，「肅宗親臨稱制，如石渠故事」，強調以天子親臨裁決學術爭端之方式，方是白虎觀會議倣效石渠故事之主要目的。至於白虎觀會議所得之卷帙，是否在體例上亦必仿傚「石渠議奏」，則未必然；因此，孫詒讓以為白虎觀會議「宜如石渠故事」，故「建初之制，體例可以石渠議奏推之」，顯然是擴大解釋「石渠故事」之倣效對象。

（二）「石渠議奏」之《五經雜議》與《白虎通》

石渠閣會議與白虎觀會議，兩會同屬於天子下詔諸儒參與討論之會議，藉由會議討論之形式以解決學術之紛爭，且白虎觀會議乃是有意倣效石渠閣會議之方式，故白虎觀會議之卷帙在形式上理應與石渠佚文相當。

《漢書・藝文志》著錄石渠閣會議之資料有：

《書・議奏》四十二篇（原注曰：「宣帝時石渠論」）；

《禮・議奏》三十八篇（原注曰：「石渠」）；

《春秋・議奏》三十九篇（原注曰：「石渠論」）；

《論語・議奏》十八篇（原注曰：「石渠論」）；

《五經雜議》十八篇（原注曰：「石渠論」）；

共五部一百五十五篇。[32]「議奏」之中缺《易》、《詩》兩經，且《漢志》將《五經雜議》歸於六藝中之《孝經》類。

孫詒讓既然在主觀上認定白虎觀會議之卷帙體例必然仿

---

32 《漢書・藝文志》卷三十，頁 1701-1723。

效「石渠議奏」，則《白虎通》文本，料想必有與「石渠議奏」中之近似者。孫詒讓曰：

> （《五經雜議》）其書未見援引，體例無可考，以意推之，似繫檃括經義，標舉閎旨，不與《禮論》載問答者同。故分著之目，不曰「議奏」，而曰「雜議」。（頁43）

孫詒讓推測，石渠議奏中之「《五經》雜議」，即是《唐書·經籍志》中誤題為劉向之《五經雜義》七卷。[33]孫詒讓既已知《五經雜義》文獻不足徵，卻又「以意推之」《五經雜義》之體例：「似繫檃括經義，標舉閎旨，不與《禮論》載問答者同」；孫詒讓如此推測，顯然是以《白虎通》文本為參考樣本，試圖「以虛證實」。

孫詒讓再進一步解釋曰：

> 白虎講論，既依石渠故事，則其議奏必有專論一經與雜論《五經》之別。今所傳通議，蓋《白虎義奏》內之《五經雜議》也。諸經議奏既各有專書，雜議之編意在綜括群經，提挈綱領，故不以經為類而別立篇目。且文義精簡，無問答及稱制臨決之語，與專論一經之議奏體例迥別。（頁43-44）

孫詒讓推測，石渠閣會議有《五經雜議》，白虎觀會議「必亦

---

33 〈白虎通義考〉曰：「《五經雜議》，雜議《五經》者也，《唐書·經籍志》有劉向《五經雜義》七卷，王應麟《玉海》、朱彝尊《經義考》、並以為即石渠《五經雜議》。蓋《漢志》載劉向所敘六十七篇，內無說經之書，而石渠論經，劉向校定，或錄其奏於篇首，故誤題其名也。」頁43。

有」「《五經》雜議」，而《白虎通》即是白虎觀會議之「《五經》雜議」者。至於《白虎通》文本之中，無問答論辯者之名及其講議過程，亦無章帝稱制臨決之語，孫詒讓解釋是：「雜議之編意在綜括群經，提挈綱領」，「且文義精簡」，故其體例不與專論一經者同；孫詒讓此番解釋，顯然是以《白虎通》文本內容為模本，虛擬、想像《五經雜議》可能內容，試圖「以實證虛」。

其實，《五經雜議》文獻既不足徵，孫詒讓卻堅持主張《白虎通》乃「白虎議奏」中「《五經》雜議」者，並以《白虎通》之體例推斷石渠議奏之《五經雜議》，雜議之編意在綜括群經，提挈綱領，故無問答論辯者之名及其過程，及章帝稱制臨決之語；反之，又以石渠議奏之《五經雜議》證明《白虎通》之無問答論辯者之名及其過程，及章帝稱制臨決之語，乃是白虎觀會議倣效石渠閣會議之結果，孫詒讓以《白虎通》之「實」證石渠議奏《五經雜議》之「虛」，又以其「虛」證《白虎通》之「實」，淪為論證循環。

（三）「石渠議奏」之《石渠禮論》與《白虎通》

石渠閣會議討論內容全貌，文獻不足徵，然依唐代杜佑《通典》所輯與清代洪頤煊撰集《石渠禮論》殘存部分佚文，可窺探石渠閣會議之梗概。《通典》與《石渠禮論》可考石渠閣議佚文者，有十三則（或合併（二）、（三）兩則，為十二則），舉第一則為例：

（一）、漢石渠禮議曰：「『經云：「宗子孤為殤」，

> 言孤何也？』聞人通漢曰：『孤者，師傅曰「因殤而見孤也」，男二十冠而不為殤，亦不為孤，故因殤而見之。』戴聖曰：『凡為宗子者，無父乃得為宗子。然為人後者，父雖在，得為宗子。故稱孤。』聖又問通漢曰：『因殤而見孤，冠則不為孤者，《曲禮》曰「孤子當室，冠衣不純采」。此孤而言冠，何也？』對曰：『孝子未曾忘親，有父母無父母衣服輒異。《記》曰「父母存，冠衣不純素；父母歿，冠衣不純采」，故言孤。言孤者，別衣服也。』聖又曰：『然則子無父母，年且百歲，猶稱孤不斷，何也？』通漢對曰：『二十冠而不為孤；父母之喪，年雖老，猶稱孤。』」[34]

依孫詒讓之考據脈絡，《石渠禮論》屬「專論一經」者，固與「《五經》雜議」者不類；然而，從現存之《石渠禮論》與《白虎通》文本比較，仍可見諸多不相應之處：

（1）、講議《五經》同異。「講議《五經》同異」乃是西漢宣帝、東漢章帝兩位天子詔開兩會之共同議題與目的。觀《石渠禮論》內容，乃以討論《禮》一經為主，辯論大抵專注於經文同異之說。《白虎通》之內容則明顯以立建禮制為主，解釋當時名物制度方是本書用心所在，且更有部分條文僅有問題與回答，並非每一條文必然引據典籍以證成其說，故引述《五經》淪為注腳。況且《白虎通》在《五經》之外，尚引《論語》、《孝經》、《爾雅》，與「讖記之文」，實已逾越會議「講議《五經》同異」之宗旨與目的。孫詒讓解釋：「諸經議

34　《通典》，卷七十三，禮三十三，〈繼宗子〉，頁1998。

奏既各有專書，雜議之編意在綜括群經，提挈綱領，故不以經為類而別立篇目。」其實無法化解白虎觀會議宗旨與《白虎通》文本間之不相應問題。

（2）、與會討論者。《石渠禮論》每則條文明載與會諸儒發問者、發言人之名及其發言內容，並詳細記載與會諸儒間相互論難之過程，若偶有天子之意見參與其間，亦記載之。《白虎通》文本只有問答內容及其引述經典文句，全書通篇不載發問人、發言人之身分姓名，更無從稽核與會諸儒相互答辯之過程。孫詒讓既知《五經雜議》「其書未見援引，體例無可考」，卻又「以意推之」：「似繫檃括經義，標舉閎旨，不與《禮論》載問答者同。」牽強附會《白虎通》文本。

（3）、帝親稱制臨決。兩會最大之特色，在於會議由天子下詔召開，會議研討所得結果，最後由天子親自裁決，以為大會定論。《石渠禮論》每則條文之結論，輒有天子稱制臨決之詔制，若無天子之詔制，亦有與會諸儒之意見做成共識，此大會共識雖出於與會者之同意，亦應當是經過天子所認可。《白虎通》文本每則條文之結論，未見天子詔制之記載，其結論是出於天子稱制臨決或學者共識則不得而知。

（4）、問題與討論。兩會之宗旨目的，乃使諸儒「講議」《五經》同異。《石渠禮論》固以問題為中心，問題或由大會提供，亦可由與會者提出，與會諸儒針對問題提出自己見解，而討論過程之中若有歧出另一問題，亦可由與會者提出一併討論；會議最終之結論，或是宣帝詔制，或是與會諸儒達成共識，皆是由討論過程中產生，且必擇其中一說以為定論，因此，《石渠禮論》記載可見當時大會之「講議」過程。然而，《白虎通》之通例，只是一問一答，即便有一問二答之例，亦只是二說並陳，未見議論取捨；且《白虎通》所預設之問題，實已隱含結論，無論是論證之內容為何，或是援引其他經典文句，其結論皆為闡發此一問題而來，因此，《白虎通》並無類似石渠閣會議之「講議」過程。孫詒讓辯稱：「且文義精簡，無問答及稱制臨決之語，與專論一經之議奏體例迥別。」顯然是一種託辭與藉口。

誠如楊終之疏與章帝之詔書中所揭示，冀望白虎觀會議倣效石渠故事，而兩會皆以天子下詔諸儒研討學術爭議，其目的在「講議《五經》同異」，會後資料上呈天子「稱制臨決」，成為大會結論。觀《白虎通》在形式上既不同於石渠佚文，在內容上又與石渠佚文有明顯差異，若謂《白虎通》乃是有意倣效石渠佚文之作，於理不通；且《白虎通》之內容深具組織架構，斷非零碎資料彙編而成，《白虎通》既無會議講議之跡，更不見天子之詔制，若視《白虎通》為一種如石渠佚文之會議資料彙編，又不可信。《白虎通》之內容，儼然是部設計縝密之禮制法典之書，既無倣效石渠佚文之意，又無會議之形式與性質，因此，《白虎通》與《石渠禮論》兩者，毫無因襲痕跡。

四、正名《白虎通》為「白虎通義」

依〈儒林傳〉文義脈絡而言，所謂「大會諸儒於白虎觀，考詳同異，連月乃罷。肅宗親臨稱制，如石渠故事，顧命史臣，著為通義」，其中，「石渠故事」所指仍然是「大會諸儒於白虎觀，考詳同異，連月乃罷，肅宗親臨稱制」之會議程序；而

「顧命史臣，著為通義」之「通義」者，應是指「講議《五經》同異」之會議宗旨，依然是指「議奏」，而不應是偏指會議文獻之「雜議《五經》」部分。孫詒讓以為「顧命史臣，著為通義」，即是「白虎議奏」中之「《五經》雜議」；此種「以偏概全」之特稱方式，頗不尋常；且若孫詒讓以為《白虎通》即是白虎觀「《五經》雜議」，則孫詒讓應正名為「《五經》雜議」，或「白虎雜議」，又何必苦持「通義」之名？

孫詒讓所以主張正名《白虎通》文本為「白虎通義」，乃是孫詒讓視《白虎通》為東漢章帝白虎觀會議之卷帙，以至於將《白虎通》附會成「白虎議奏」中之「雜議《五經》」類之「白虎通義」。究其實，史書記載白虎觀會議之卷帙語焉不詳，而「石渠故事」重在會議形式之再現，亦未提及會議卷帙；至若莊述祖之考據，將「卷」改成「篇」，由是計量竹簡載體之單位，變成計量內容意義之單位，徒增百餘篇之「白虎議奏」，誤導孫詒讓之判斷。孫詒讓主張正名《白虎通》為「白虎通義」，乃是根據上述不正確之證據，得到不正確之結果；而《白虎通》與《石渠禮論》之諸多不相應處，便在孫詒讓「先入為主」之觀念下，穿鑿附會使之合理化而已！

第五節　小　結

清代學者研究環繞於白虎觀會議事跡與《白虎通》文本卷帙之關係時，動輒以「正名」方式，解決存在於事跡與卷帙間之若干問題；然而，「正名」之後，非但不能解決既有存在之問題，反而延伸更多問題。莊述祖開「正名」風氣之先，主張白虎觀會議之卷帙，有「白虎議奏」之全本與「白虎通義」之略本；而孫詒讓再接再厲，主張白虎觀會議有「專論一經」與「雜議《五經》」之卷帙體例，皆是如此。實則，若未能重新省察存在於白虎觀會議事跡與《白虎通》卷帙間之不相應問題，而試圖以「正名」方式，重新定位《白虎通》文本在東漢白虎觀會議中之性質與關係者，多屬徒勞。

第五章　劉師培考據成果與商榷

清代學者研究環繞於白虎觀會議事跡與《白虎通》卷帙之關係時，動輒以「正名」方式，解決存在於事跡與卷帙兩者間之若干問題；莊述祖開風氣之先，孫詒讓繼之於後，時至清末民初，仍有劉師培〈白虎通義源流考〉一篇，再接再厲，持續「正名」《白虎通》。本章乃以劉師培〈白虎通義源流考〉一篇為論述中心，闡釋與辯論劉師培之考據過程及其成果，以彰顯〈白虎通義源流考〉在研究《白虎通》之歷史價值與意義，並反映民國初期研究東漢白虎觀會議與詮釋《白虎通》文本之視域觀點。本章論述之要點與程序有三：首先，概述劉師培研究《白虎通》之成果與〈白虎通義源流考〉之出處；其次，闡釋〈白虎通義源流考〉之考據成果與主張；最後，商榷劉師培考據之得失。

第一節　劉師培〈白虎通義源流考〉

劉師培，字申叔，號左盦，筆名韋裔，揚州儀徵人。生於清德宗光緒十年，卒於民國八年（1884-1919），得年三十六歲。

依《劉申叔遺書》收錄所得，劉師培在世三十六年間，著作共七十四種，[1]涉獵領域以國故學術為重心，兼及學校教育教材，並有詩文創作，其治學成果可謂豐碩。蔡元培（1867-1940）感歎：「向使君委身學術，不為外緣所擾，以康強其身而盡瘁於著述，其成就寧可限量？惜哉！」（頁18）[2]劉師培研究《白虎通》之相關著作，依各篇發表時序，計有：

〈白虎通德論補釋〉（《國粹學報》第七十二至七十四期，1910年11月至1911年1月）

〈白虎通義源流考〉（《國粹學報》第七十四期，1911年1月；《四川國學雜誌》第七期；《雅言》第四期）

〈白虎通義斠補二卷・附：白虎通義闕文補訂〉（《國粹學報》第七十五、七十六期，1911年2月、3月）

〈白虎通義定本〉（存三卷）（《四川國粹雜誌》第八、十期，1913年4月20日、6月20日）

前三篇發表於民國前一、二年五個月間（1910.11-1911.3），後一篇則跨越至民國二年發表。[3]劉師培研究《白虎通》範圍，基本上仍以校補文句為主，故《遺書》將其歸為「羣書校釋」類。〈白虎通義源流考〉一文，乃以「正名」為宗旨，考據東漢白虎觀經學會議及會議文獻等相關問題，具體主張以「白虎通義」

1 劉師培：《劉申叔遺書》（南京：江蘇古籍出版社，1997年）。「劉申叔先生遺書總目」分為：甲類，羣經及小學者二十二種；乙類，學術及文辭者十三種；丙類，羣書校釋二十四種；丁類，詩文集四種；戊類，讀書記五種；己類，學校教本六種；凡遺書共七十四種。本章以下凡引劉師培〈白虎通義源流考〉，皆從此本，隨文附加頁碼，不另加註。

2 蔡元培著：〈劉君申叔事略〉，收錄在《劉申叔遺書》，頁18。

3 此外，尚有〈白虎通義佚文考〉，此篇仍以《北堂書抄》為底本，勘訂莊述祖斠補未備之文，其寫作日期尚不可考。

之名稱呼《白虎通》文本，始能「名符其實」，還原歷史文獻之真實面貌。劉師培〈白虎通義源流考〉考據，適可代表反映當時研究《白虎通》之觀點與階段性成果之總整理。

劉師培雖然主張正名「白虎通義」，然而第一次公開發表研究《白虎通》之文章〈白虎通德論補釋〉，尚以「白虎通德論」稱之，可惜劉師培本篇只是補釋文句，並未說明當時稱呼「白虎通德論」之理據；相隔不過兩月，劉師培便改稱「白虎通義」，並且反對有「白虎通德論」之名。〈白虎通義源流考〉曰：「若〈固傳〉所云《白虎通德論》，海寧周氏疑為二書，謂『德論』之上，挩書『功』字。」（頁1123）因此，推究劉師培改稱之原因，可能來自於周廣業之考據結果。

第二節　劉師培考據成果與主張

一、駁周廣業考據成果

周廣業考據〈班固傳〉所記「白虎通德論」一名不實。周廣業曰：

> 〈班固傳〉所稱「白虎通德論」，與「白虎通」異名，而章懷無注，宋《崇文總目》始用為標題。……竊疑通德二字本不連讀，乃是「白虎通」之外別有「德論」，非一書也。李善《文選注》引班固〈功德論〉曰「朱軒之使，鳳舉於龍堆之表」，是論不見全文，豈范氏所指

> 即此，而脫「功」字歟？其言不類說經，或亦四子講德之流，而史誤為連及歟？且古人講解經義，並謂之通，是書列隋〈經籍志〉，亦曰《白虎通》。……宋儒《孝經》、《爾雅》等疏，亦有引作「白虎通義」者；而「白虎通德論」之名，自《崇文》後，元、明刊本率以標題，殆失之不考。[4]

周廣業考據〈班固傳〉之「作《白虎通德論》」，及至《崇文總目》以「白虎通德論」為書名，其實是一個誤會。周廣業依《文選注》引班固〈功德論〉之文章，雖然不見〈功德論〉全文，然而，卻足以證明班固有作〈功德論〉之文。既然「白虎通德論」只見〈班固傳〉，而《崇文總目》之前亦無以此稱之，因此，〈班固傳〉中所謂「作《白虎通德論》」，乃是「德」字上脫「功」字，應改成「作《白虎通》、〈功德論〉」。如前所述，周廣業之考據固然珍貴，然而周廣業卻據以增一「功」字，而保留「通」字，如此，雖然否定有「白虎通德論」之名，卻產生另一問題，即：班固所撰集之白虎觀會議文獻，豈不有「白虎通」與〈功德論〉兩種不同性質之作？

周廣業之考據，及其後續所遺留之問題，劉師培解釋曰：

> 其與《白虎通》聯詞者，建初講議，漢為殊典，既備稱制臨決之盛，宜有令德記功之書，故《通義》著其說，〈功德論〉誌其事。（頁1123）

劉師培以為，白虎觀會議既是一大盛事，會議討論成果固應有

4 抱經堂本《白虎通》，頁 2-3。

編著，而其事跡宜有令德記功之文，因此，〈班固傳〉中之〈功德論〉，是專門記載並贊頌此一歷史事跡之文章。劉師培更進一步推論：

> 觀夫《通義》之纂，范言「顧命史臣」，而撰集〈功德論〉，僅見〈固傳〉，是則《通義》非一人所成，著論乃孟堅之筆。且固於經術，非丁、桓、李、賈之倫，惟以文學冠寮寀，《通義》出于眾，論成於獨，固其宜矣。（頁1123）

依「白虎通義」、〈功德論〉兩文之不同性質而言，「白虎通義」乃眾人講議《五經》同異之文獻，講議經學，故「白虎通義」非成於一人之手；而〈功德論〉「審繹其文，靡涉說經，亦匪韵詞，蓋雍容揄揚，等於王充〈宣漢〉之篇，而奉詔撰書，又符陸賈《新語》之作」，（頁1123）讚頌記事之文學，方是班固專長，故〈功德論〉乃出於班固之筆。因此，劉師培斷定，自宋代《崇文總目》以降，凡以「白虎通德論」標示者，皆屬錯誤。[5]在此需稍加留意，劉師培雖然採取周廣業之考據證據，藉以推翻「白虎通德論」之名；但是，周廣業加一「功」字，等於間接證實有「白虎通」之名，劉師培卻依然堅持「白虎通義」之名，與周廣業之考據成果迥異；換言之，劉師培只藉用周廣業之考據推翻「白虎通德論」之名，卻不接受周廣業證成白虎觀會議有「白虎通」與〈功德論〉兩種不同性質卷帙之結論。

5　〈白虎通義源流考〉曰：「迄于宋代，修輯《崇文書目》，據〈固傳〉之訛本，合二書為一題，由是『通義』之文，易為『通德論』，而撰集之人，又僅屬固，自小字本、大德本以下，所標悉同，循名責實，毋乃舛乖。」頁1123。

二、正名「白虎通義」並駁莊、孫兩氏

劉師培論文宗旨，乃在正名白虎觀經學會議之文獻資料為「白虎通義」，而劉師培由「白虎通德論」變更為「白虎通義」之過程，原因或許來自於莊述祖與孫詒讓之啟發。

如前所述，莊述祖從「白虎通義」之卷帙與事跡兩項考據，以為章帝命史臣所作之「通義」，其實是今之《白虎通》。就卷帙而言，莊述祖以為「白虎通」乃是指稱會議之議奏彙編之全文，而「白虎通義」是議奏全文之略本。莊述祖考據蔡邕〈巴郡太守謝版〉中有「詔書前後，賜石鏡奩《禮經素字》、《尚書章句》、《白虎議奏》合成二百一十二卷」之語，以為「白虎通義」與「白虎議奏」有別。莊述祖比對會議文獻總成之「白虎議奏」，在蔡邕之時，至少百篇以上，而今之「白虎通義」只有四十三篇，故「白虎通義」與「白虎通」實指兩事。此外，莊述祖且從「事迹」部分，考據《白虎通》文本內容與史料記載兩者間之相應問題。莊述祖考據曰：「今所存本凡四十四篇，首於〈爵〉，終於〈嫁娶〉，大抵皆引經斷論，卻不載稱制臨決之語。」莊述祖從《白虎通》文本之中，發見其「引經斷論」、「不載稱制臨決之語」，及《白虎通》文本夾述《論語》、《孝經》與六藝並錄，同時雜以「讖記之文」，致使《白虎通》「以緄道真，違失六藝之本」。凡《白虎通》文本所呈現之內容性質，與章帝詔書旨意不符，且迴異於石渠佚文等不相應之現象，莊述祖完全歸於「通義固議奏之略也」。

孫詒讓完全同意莊述祖考據「議奏」與「通義」固屬兩書

之卷帙問題，且在此一立論之上，從西漢石渠閣會議之事證，強化證成莊述祖之考據。孫詒讓認為，白虎觀會議在形式上既是有意仿傚西漢石渠閣會議之模式，其會議議奏之作，亦當仿效石渠閣會議編列之議奏形式。依〈漢志〉所記，石渠閣會議有專論一經與雜議《五經》之書，而白虎觀會議「既依石渠故事」，故「必亦有」專論一經與雜議《五經》之書。然而，石渠議奏雜議《五經》已亡佚，專論一經者僅存《石渠禮論》；而白虎觀會議則是專論一經者全部亡佚，碩果僅存雜議《五經》之「通義」。孫詒讓認為，今之《白虎通》文本即是白虎觀會議之「《五經》雜議」，因此，以「白虎通」或「白虎議奏」之名名今之《白虎通》易生歧義，皆不可取；而當正名「白虎通義」，以別於「白虎議奏」，以符合其「雜議《五經》」、「通義」之實。此外，孫詒讓認為，白虎觀會議既是仿傚石渠閣會議之模式，依此類推，則石渠閣會議有《五經雜議》，白虎觀會議「必亦有」「《五經》雜議」，而《白虎通》即是由白虎觀會議總成之「《五經》雜議」部分。

劉師培雖然同意《白虎通》應正名為「白虎通義」，但其所持理據，完全迥異於莊、孫兩氏，同時反對莊、孫兩氏之考據主張。[6]劉師培曰：

> 夷考諸儒講議之際，……是則所奏之文，必條列眾說，兼及辨詞，臨決之後，則有詔制，從違之詞，按條分

6 劉師培曰：「昔在漢章之世，集諸儒於白虎觀，講論《五經》同異，所纂之書，其名歧出。〈章紀〉謂之《議奏》，〈儒林傳〉稱為《通義》。近儒究心錄略者，陽湖莊氏別《通義》於《奏議》之外，謂與《議奏》為二書；瑞安孫氏列《通義》於《奏議》之中，謂即《奏議》之一類。以今審之，二說均違。」頁 1122。

> 綴，《通典》所引《石渠禮論》，其成瀀也。然上稽班志，石渠論經，均稱《奏議》，則〈章紀〉所云《議奏》，殆即淳于所奏，漢章所決之詞歟？若夫《通義》之書，蓋就帝制所韙之說，纂為一編。何則？所奏匪一，以帝制為折衷，大抵評騭諸說，昭韙而從，或所宗雖一，而別說亦復並存，裁准既定，宜就要刪。故〈儒林傳·序〉又言「顧命史臣，著為通義」也。（頁1122）

劉師培以為，白虎觀會議之議論程序與帝制臨決，應如《石渠禮論》所記載之形式過程。因此，白虎觀會議結束之後，所有呈奏章帝之卷帙，稱為「議奏」，而後章帝依「議奏」內容，加以評騭裁准，最後交由史臣，依章帝「稱制臨決」之結果，要刪「議奏」而成「白虎通義」。故「通義」之特色，即在於「以帝制為折衷」，裁准要刪「議奏」之最後定論，亦即所謂：「蓋就帝制所韙之說，纂為一編。」劉師培此說，既符合史書記載，又折衷莊述祖之說。

劉師培進一步澄清孫詒讓之考據，曰：

> 然《通義》所有之文，均《議奏》所已著，《通義》之於《議奏》，采擇全帙，亦非割裂數卷，裁篇別出，如石渠《五經》雜議也。故〈班固傳〉中，稱為「撰集」，體異於舊謂之撰，會合眾家謂之集，按詞審實，厥體乃章。（頁1122）

劉師培認為，既然「通義」屬「就帝制所韙之說，纂為一編」之作，則「議奏」與「通義」，在內容上與篇卷上，應有全詳與約略之別。因此，〈班固傳〉中稱「撰集」者，乃是標示「

通義」之體例，迥異於會議結束後，最初未經章帝「稱制臨決」之「議奏」原始全文。「通義」乃是采擇「議奏」之文，裁准要刪之最後定論，故「通義」並非割裂「議奏」之數卷而裁篇別出。劉師培此說，不僅修正莊述祖部分論點，而且反對孫詒讓將「通義」視為有別於專論一經之「雜議《五經》」之說。

劉師培分析「白虎通義」與「議奏」之異曰：

> 或以深沒姓名為誚，不知此書雖撰，《議奏》仍復並存，故桓、靈之際，伯喈守巴，仍拜帝賜。蓋詳者可以覈群說之紛，約者所以暴朝廷好尚，離以並美，誼仍互昭。嗣則《議奏》泯湮，惟存《通義》，而歧名孳生。（頁1122-1123）

劉師培推測，史臣班固集合眾家之說，依章帝「稱制臨決」所得，綜合整理撰成「通義」，因此「通義」不記會議程序及發言者之姓名。然而，當時為保存會議講議之原始面貌，故於「通義」完成之後，依然保留「議奏」之完整文獻，以供後人檢索比對。時至東漢中平六年，蔡邕獲賜百卷以上之「白虎議奏」，即是當時會議之「議奏」全帙。其後，由於「淳于所奏」全文之「議奏」亡佚，僅存「以帝制為折衷」之「通義」，後世不查，逕將「通義」誤認以為「議奏」，眾說由此紛紜。劉師培曰：

> 夫《石渠禮論》，均載立說者姓名，……今所傳《通義》四十餘篇，體乃迥異，所宗均僅一說，間有「一曰」、「或云」之文，十弗踰一，蓋就帝制所可者筆於書，並存之說，援類附著，以禮名為綱，不以經義為區，此則

《通義》異於《議奏》者矣。（頁1122）

劉師培認為，《白虎通》雖以定於一說為體例，然而文本之中，亦偶有「一曰」、「或云」、「或曰」並存異說之文，此部分乃是章帝稱制臨決時，所批准之不同意見。此部分雖佔全書不足十分之一，但足以顯示，「通義」「不以經義為區」，而是「以禮名為綱」。從另一現象而言，《石渠禮論》皆詳載立說者姓名，皆有定論，而「通義」則不記發言者之姓名，兼容並蓄其他異說，「通義」既「以禮名為綱」，則當然「不以經義為區」為目的；故《白虎通》文本之性質，實與白虎觀會議「講議《五經》同異」之目的迥異。劉師培之考據，不僅符合史料文獻記載，同時亦兼顧《白虎通》文本之內容性質。

第三節　劉師培考據成果與主張之商榷

劉師培考據結果，以為白虎觀會議之後應有兩種文獻：其一「議奏」，即指會議講議經義之全文，其後遂賜蔡邕而亡佚；其二「通義」，係指經章帝稱制臨決之後，采擇「議奏」而成之結果，即是元大德本《白虎通》，故《白虎通》應還原正名為「白虎通義」。劉師培考據之重點證據，似乎能有效化解《白虎通》卷帙文本與白虎觀會議事跡部分不相應之問題；但同時亦透露出存在於《白虎通》卷帙與史書記錄間些許異樣端倪。以下分三點辨證劉師培之考據成果。

一、證「白虎通德論」之訛傳

依周廣業之考據，認為〈班固傳〉所稱「白虎通德論」，乃是脫一「功」字，應為「白虎通、功德論」。周廣業考據《文選》卷五十五「連珠」類，陸士衡〈演連珠五十首〉，第四首云：「金碧之巖，必辱鳳舉之使。」李善注：「班固〈功德論〉曰：『朱軒之使，鳳舉於龍堆之表。』」所謂「連珠」者，蓋指人臣奉詔之作，其文體辭麗而約，文義說事達旨，歷歷如貫珠，使閱覽者易看而可悅，故謂之「連珠」。此類文體，正如劉師培讚美班固〈功德論〉之文，「蓋雍容揄揚，等於王充〈宣漢〉之篇，而奉詔撰書，又符陸賈《新語》之作」，故〈班固傳〉稱「令固撰集其事」，應是章帝詔班固撰記白虎觀會議之事件，以為歷史見證與實錄。班固奉詔撰〈功德論〉，此事固然與白虎觀會議有對應關係，但是〈功德論〉實與講論《五經》之「白虎通」，明是兩事；並且，「白虎通德論」只見於〈班固傳〉，而周廣業考據「作《白虎通德論》」，增「功」字為「作《白虎通》、〈功德論〉」，並不符合文義脈絡，徒增「白虎通」一名，橫生枝節。

劉師培僅接受周廣業之證據，同意無所謂「白虎通德論」之名，但同時否認有「白虎通」之結論。劉師培曰：

> 迨于宋代，修輯《崇文書目》，據〈固傳〉之訛本，合二書為一題，由是「通義」之文，易為「通德論」，而撰集之人，又僅屬固，自小字本、大德本以下，所標悉

同，循名責實，毋乃舛乖。（頁1123）

近則餘姚盧氏，始削「德論」，然僅稱為「通」，文亦弗備。（頁1123）

劉師培認為，自《崇文書目》以降，凡稱「白虎通德論」者，皆是將會議之編著「白虎通」與班固記其事之文「功德論」，兩者混為一題，此事固屬謬誤；而且，盧文弨校刻《白虎通》時，乃將「白虎通德論」削減為「白虎通」，此舉亦非妥切。[7]由此不難看出，劉師培採取周廣業之證據，否定「白虎通德論」之名，並可以間接證實班固有編著白虎觀會議之文獻，即「白虎通義」。

關於「白虎通」之名，張心澂曰：

《四庫提要》曰：「《隋書・經籍志》載《白虎通》六卷，不著撰人。……」……《後漢書》固本傳稱：「……」又〈儒林傳〉序言：「……」唐章懷太子賢註云：「即《白虎通義》。」是足證固撰，後乃名其書曰《通義》。《唐志》所載，蓋其本名，《隋志》刪去義字，蓋流俗省略。[8]

張心澂以為，「白虎通義」乃是本名，《隋志》之「白虎通」

---

7 劉師培所稱之「餘姚盧氏」，應是指盧文弨。然而，盧文弨〈元大德本跋後〉中曰：「……由是觀之，《白虎通》亦猶是也。間有不安，盡從其舊。」且案語於後云：「古書不宜輕改，此論極是。今刻於其甚訛者，據他書之文改正，亦必明注本文及何書所引，不敢憑臆奮筆，猶斯志也。」「抱經堂本」《白虎通》，頁1。盧文弨校刻《白虎通》之態度如此，定名「白虎通」亦是沿用元大德本舊名，斷無逕自削改書名之理！劉師培批評盧文弨逕自將「白虎通德論」削減為「白虎通」，不知其所據為何？

8 張心澂：《偽書通考》，頁840。

減去「義」字，乃是流俗省稱之名，兩者異名而同實。按張心澂之考據，若「白虎通」是「白虎通義」之流俗省稱，則「白虎通義」應在《隋志》之前便已使用稱呼，〈儒林傳〉謂「顧命史臣，著為通義」，便是記載當時會議文獻最原始之見證，而劉師培主張還原「白虎通義」之名，便是持之有故，言之成理。

劉師培且從「白虎通義」與「功德論」兩文之不同內容性質申論，以為「通義著其說，功德論誌其事」，故兩文之性質雖非相同，但皆是出於班固之手。劉師培此番解釋，雖然使周廣業之考據更為合理，然而，《後漢書・班固傳》載曰：

> 及肅宗雅好文章，固愈得幸，數入讀書禁中，或連日繼夜。每行巡狩，輒獻上賦頌，朝廷有大議，使難問公卿，辯論於前，賞賜恩寵甚渥。固自以二世才術，位不過郎，感東方朔、楊雄自論，以不遭蘇、張、范、蔡之時，作〈賓戲〉以自通焉。後遷玄武司馬。天子會諸儒講論《五經》，作《白虎通德論》，令固撰集其事。（卷四十下，頁1373）

依〈班固傳〉文義脈絡而言，此段乃是讚揚班固之文章長才，班固依此長才而得章帝之寵幸。因此，上文「作《白虎通德論》」，應是指班固奉詔記白虎觀會議之事，其中「白虎」，乃是標記事件之時空背景，猶如〈章帝紀〉所稱「作白虎議奏」；而「通德論」則是指此篇文章之性質名稱。雖然，「白虎通義」與會議有其內在關聯性，然而，若如劉師培所言「《通義》出于眾」，則此段文義脈絡之中，出現與班固文章才能無關、而是出於諸儒講論之「通義」，則顯得突兀。再者，劉師培既採取周廣業之證據，藉以推翻「白虎通德論」一名，卻又預設「白虎通義」之名，進而反對有「白虎通」之結論，造成解讀此段史料之窒礙，而劉師培對此一問題，卻未有下文。

二、離析「議奏」與「通義」為兩本

莊述祖考據蔡邕〈巴郡太守謝版〉，以為「白虎議奏」在蔡邕之時，至少百篇以上，而今之「白虎通義」只有四十三篇，「則《奏議》無慮百餘篇，非今之通義明矣」。劉師培在莊述祖之論證基礎上，進一步說明，白虎觀會議所有呈奏章帝之講議文獻，稱為「議奏」，而章帝依「議奏」內容「稱制臨決」，其後交由班固纂集而成「通義」。故「議奏」與「通義」，兩者有詳約之別：「議奏」之「詳者可以覈群說之紛」，而「通義」之「約者所以暴朝廷好尚」；兩者「離以並美，誼仍互昭」，皆有其特色與價值。因此，劉師培判斷，「通義」與「《議奏》仍復並存」，而「議奏」於「桓、靈之際，伯喈守巴，仍拜帝賜」，「嗣則《議奏》泯湮，惟存《通義》，而岐名孳生」；劉師培極力正名「白虎通義」，以還原歷史真象，顯然是受莊述祖考據之影響。

其次，「篇」、「卷」，皆是漢代計量著作載體之單位名稱，東漢前期，「篇」、「卷」兩名通用互稱。竹簡修長，易於寫字；而縑帛寬廣，利於繪圖，故在使用上，撰述者因著作之性質而有不同選擇。然而，「縑貴而簡重」，縑或簡，使用者既限於少數，且使用上仍嫌不便。至元興元年（105），蔡倫「用樹膚、痲頭及敝布、魚網以為紙」，「蔡侯紙」天下「自是莫不從用焉」。因此，《隋書・經籍志》載「《白虎通》六卷」，六「卷」是計量載體之單位，此乃是書寫載體改良後必然之趨勢。[9]蔡邕〈巴郡太守謝版〉明載「賜石鏡奩《禮經素字》、《尚書章句》、《白虎議奏》合成二百一十二卷」，莊述祖既已知《白虎通》四十三篇乃是卷帙意義之單位，卻又將蔡邕〈巴郡太守謝版〉所言之「白虎議奏」之「卷」改稱「篇」，進而混淆計量單位之「篇」與意義單位之「篇」，由此得出：百篇以上之「白虎議奏」與四十三篇之《白虎通》，兩者必不相同之結論。莊述祖此一考據雖非精當，卻深刻影響劉師培之判斷。

劉師培採取莊述祖之考據，主張白虎觀會議之文獻，有全詳之「議奏」與約略之「通義」兩種，「詳者可以覈群說之紛，約者所以暴朝廷好尚」，因此，「議奏」與「通義」在體例上必有所別。劉師培稱：「是則所奏之文，必條列眾說，兼及辨詞，臨決之後，則有詔制，從違之詞，按條分綴，《通典》所引《石渠禮論》，其成瀊也。」「通義」既不同於「議奏」，而《白虎通》即是「白虎通義」，則《白虎通》與《石渠禮論》體例不同，「故〈班固傳〉中，稱為『撰集』，體異於舊謂之撰」，乃是自然而合理之事。劉師培並依此而反對孫詒讓將「通義」視為「割裂數卷，裁篇別出」之「議奏」部分，如石渠閣議「《五經》雜議」之類。

劉師培反對孫詒讓將「通義」視為「割裂數卷，裁篇別出」

---

9 參考本書第三章第三節「三　據蔡邕〈巴郡太守謝版〉考據《奏議》無慮百餘篇」。

之「議奏」部分，並非無理。由於孫詒讓亦同意且接受莊述祖之考據，認定《白虎通》與「白虎議奏」分屬兩書，併以《漢志》所記石渠閣議奏類推：「白虎講論，既依石渠故事，則其議奏必有專論一經與雜論《五經》之別。今所傳通議，蓋《白虎議奏》內之《五經雜議》也。諸經議奏既各有專書，雜議之編意在綜括群經，提挈綱領，故不以經為類而別立篇目。且文義精簡，無問答及稱制臨決之語，與專論一經之議奏體例迥別。」然而，《漢志》中之《五經雜議》之內容已無可考，孫詒讓何如證明石渠《五經雜議》必然是「提挈綱領」、「文義精簡」？而且「《五經》雜議」為何不必問答論辯及稱制臨決之語？孫詒讓又如何知道石渠《五經雜議》無問答論辯及稱制臨決之語？孫詒讓明知石渠《五經雜議》之體例已不可考，卻臆測推論，以為雜議者隱括經義，標舉閎旨，故不載問答者。[10]蓋孫詒讓以《白虎通》之體例類比推論石渠議奏之《五經雜議》；換言之，孫詒讓乃以《白虎通》之「實」，證石渠《五經雜議》之「虛」，又以其石渠《五經雜議》之「虛」，證《白虎通》之「實」，構成一種論證循環。劉師培雖然反對孫詒讓將「通義」視為「割裂數卷，裁篇別出」之「議奏」部分，但是劉師培以為「議奏」與「通義」必不相同，故《白虎通》之體例自是有別於《石渠禮論》，此說實又與孫詒讓之考據結果，涉有論證循環之相同嫌疑。

劉師培堅持正名「白虎通義」之另一事證，乃是借引莊述祖〈白虎通義考〉「事迹」類〈蔡邕傳〉「上封事」之考據，

10　參考本書第四章第四節「三　孫詒讓考據成果商榷」。

證明「通義」之名實出於漢儒。劉師培曰：

> 今考伯喈封奏云：「孝宣會諸儒於石渠，章帝集學士於白虎，通經釋義，其事優大。」是則石渠、白虎均有《通義》，「通」以通經為旨，「義」取釋義為名，名稱既出於漢儒，遵守宜訖於百世。（頁1123）

劉師培引蔡邕文章，[11]以為東漢之時，儒生即以「通義」之名，指稱石渠閣、白虎觀會議之文獻，「『通』以通經為旨，『義』取釋義為名」，此名稱既漢儒所本有，且相傳沿襲千百年，後人宜遵守舊例。然而，依蔡邕文章之脈絡意義，「其事」應指石渠閣、白虎觀兩會議，所謂「通經釋義」，亦應指兩會「講議《五經》同異」之會議性質，故蔡邕曰「通經釋義，其事優大」。且考之《漢書・藝文志》所錄石渠閣會議文獻，不過「議奏」、「雜議」兩種，尚無「通義」之名。[12]因此，縱使石渠、白虎兩會議均有文獻留存，亦具有「通經釋義」之作用，劉師培引蔡邕文獻，並未能增強正名「白虎通義」之有效性；然而，劉師培舉此考據，卻已經觸及到《白虎通》卷帙之內容性質實與白虎觀會議之宗旨目標之相應關係。

除此之外，依劉師培之考據結果，可能產生另一層問題：

---

11 《後漢書・蔡邕傳》載東漢靈帝：「時頻有雷霆疾風，傷樹拔木，地震、隕雹、蝗蟲之害。又鮮卑犯境，役賦及民。」靈帝於熹平六年七月（177），「制書引咎，誥羣臣各陳政要所當施行」，於是蔡邕上封事，文章中列「謹條宜所施行七事」，頁 1992。劉師培所引蔡邕之文，即出於所舉其中第五事者。

12 《漢書・藝文志》著錄石渠閣會議之資料有：《書・議奏》四十二篇（原注曰：「宣帝時石渠論。」）；《禮・議奏》三十八篇（原注曰：「石渠。」）；《春秋・議奏》三十九篇（原注曰：「石渠論。」）；《論語・議奏》十八篇（原注曰：「石渠論。」）；《五經雜議》十八篇（原注曰：「石渠論。」）；共五部一百五十五篇。卷十三，頁 1701-1723。

如劉師培主張，白虎觀會議之後，有會議完整記錄之「議奏」，與班固依章帝稱制臨決而成之「通義」，既然「詳者可以覈群說之紛，約者所以暴朝廷好尚」，則「議奏」至章帝稱制後即應終止流傳，而「欲使諸儒共正經義，頗令學者得以自助」、「永為後世則」之「通義」，方是宜及時刊行之卷帙；若此，則蔡邕當時受賜之書應為約略四十三篇之「通義」，豈會是詳全百餘篇之「議奏」？

三、揭示文本性質與會議宗旨不相應

東漢建初四年（79），章帝下詔太常以下及諸生、諸儒會白虎觀，「講議《五經》同異」，「如孝宣甘露石渠故事」。蔡邕謂石渠閣、白虎觀兩會之事，在謀「講議《五經》同異」之「通經釋義」，故「其事優大」；莊述祖引蔡邕之文，僅是用以說明白虎觀會議之事迹；至劉師培則直接以「通經釋義」正名「白虎通義」，證明「通義」之名其來有自。

劉師培既然肯定石渠閣與白虎觀兩會具有同質性，並且相信兩會均有會議文獻，因此，劉師培必須說明《白虎通》卷帙之內容性質與白虎觀會議之宗旨兩者之關係，猶如《石渠禮論》文本相應於石渠閣會議，方能使「白虎通義」之正名主張得到合理性。劉師培曰：

> 夫《石渠禮論》，均載立說者姓名，……今所傳《通義》四十餘篇，體乃迥異，所宗均僅一說，間有「一曰」、「或云」之文，十弗踰一，蓋就帝制所可者筆於書，並

> 存之說，援類附著，以禮名為綱，不以經義為區，此則《通義》異於《議奏》者矣。（頁1122）

劉師培發見，《白虎通》與《石渠禮論》兩種文本明顯不同，在文本形式方面有二項明顯差異：第一，《石渠禮論》之中，每則條文均記錄會議之發問者、發言人之名，及每位發言者之內容，並詳細記載與會諸儒間相互論難之過程。而《白虎通》只有問答內容，全書從未記載發言者之姓名，亦無與會者相互論辯之過程記錄。第二，《石渠禮論》以問題為中心，與會者針對問題提出見解，而討論過程之中若歧出另一問題，亦可由與會者提出，一併討論；會議最終之結論，或是宣帝詔制，或是與會諸儒達成共識，皆是由討論過程中產生，且必擇其中一說以為定論。《白虎通》通例只是一問一答，但是仍然有「一曰」、「或云」之類，並存二說之實。相較於《石渠禮論》，《白虎通》無記錄會議細節及並存之說二種差異，劉師培解釋，「通義」乃是「蓋就帝制所可者筆於書」，「援類附著」而已，故《白虎通》雖不同於《石渠禮論》體例，仍不違悖章帝之旨，甚至是帝制所許可者。

劉師培此項主張乃屬牽強。在文本內容方面，「講議《五經》同異」乃是石渠、白虎兩會之共同議題與目的，《石渠禮論》內容以討論《禮》一經為主，辯論大抵專注於經文同異之說，亦只限於講論經義為範圍，完全符合會議宗旨；而《白虎通》之內容，則是明顯以立建禮制為主，解釋當時名物制度方是本書用心所在，而引述《五經》之文句，乃淪為建立禮制之注腳，故劉師培判斷《白虎通》之內容是「以禮名為綱，不以經義為區」；可見《白虎通》與《石渠禮論》兩者之類別、屬性迥異。

再就《白虎通》引述典籍之文句與次數觀察，《白虎通》文本引述典籍，大略估計約十類，五百九十五則。各類引述典籍之總數，依比例多寡排列如下：

《禮》類：二百三十一則（38.82%）；

《春秋》類：一百一十四則（19.15%）；

《書》類：七十九則（13.27%）；

《詩》類：五十八則（9.74%）；

《論語》類：五十一則（8.57%）；

「讖緯」類：三十一則（5.21%）；

《易》類：二十則（3.36%）；

《孝經》類：九則（1.51%）；

《爾雅》：一則（0.16%）；

《管子》：一則（0.16%）。[13]

《白虎通》引述典籍次數比例，製作立體直條圖如下。

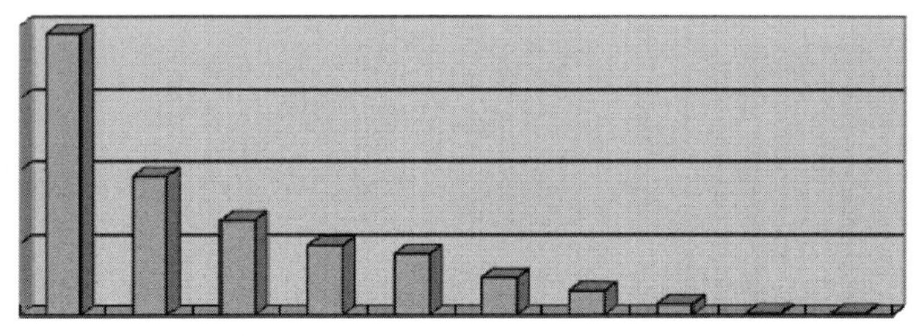

13　以上所引《白虎通》引述典籍之種類與次數，詳細數據請參閱周德良著：《白虎通暨漢禮研究》（臺北：臺灣學生書局，2007 年），頁 43-50。

此一統計數據，對應劉師培之考據主張，呈現二點意義：第一，《白虎通》引述典籍之中，屬《禮》類為最大宗，幾佔總數四成（38.82%），形成一套結構完整之「禮樂制度」之「國憲」，顯示《白虎通》文本性質乃是「以禮名為綱」；第二，除《五經》之外，《白虎通》亦引述《論語》、《孝經》、《爾雅》、《管子》等非《五經》之典籍文句，甚至「讖緯」一類，亦有百分之五之份量由此可知，《白虎通》文本引述典籍之對象，不以《五經》為限，亦即劉師培所謂「不以經義為區」。

劉師培明白指出，《白虎通》與《石渠禮論》兩種文本，不論就形式或內容，皆有明顯相異之處。特別是劉師培拈出《白虎通》文本「以禮名為綱，不以經義為區」之性質，是研究《白虎通》最具開創性之剖析與見解，並且，元大德本《白虎通》卷帙，無論就其篇章名義及其成書體例而言，現代學者多已普遍同意：《白虎通》文本不僅具有規模組織，甚至具有「國憲」、「法典」之性質。只可惜劉師培深信《白虎通》是白虎觀會議之資料文獻，並且受限於莊述祖之考據主張，因此假設虛構白虎觀會議有全詳之「議奏」與約略之「通義」兩種卷帙，並且臆測《通義》與《議奏》兩者撰寫體例不同，試圖以此主張化解《白虎通》卷帙文本與《石渠禮論》體例不同、章帝召開白虎觀會議宗旨與《白虎通》文本性質不相應等問題，依然無法達到有效論證之目的。

第四節 小 結

莊述祖從「卷帙」與「事迹」兩項考據，將《白虎通》視為「白虎議奏」之略本；孫詒讓正視《白虎通》文本之中雜議《五經》之事實，進而將《白虎通》視為「白虎議奏」中之一部分；至劉師培〈白虎通義源流考〉一文，則是彰顯探究《白虎通》文本性質，對於研究《白虎通》文本與白虎觀會議兩者關係之迫切需要。劉師培極力綰合《白虎通》文本與白虎觀會議之諸多不相應關係，結論主張白虎觀會議之後，有文獻兩種，所謂「議奏」全文之「白虎通」，隨蕩蔡邕之後而亡佚，而元大德本之《白虎通》，乃是采擇「議奏」而成之「通義」本，故應正名為「白虎通義」。雖然劉師培囿於莊述祖之考據，但是劉師培顯然更重視會議之宗旨程序與《白虎通》文本之對應關係，其見解尤有超越前人之處。特別是劉師培舉出：《白虎通》不似《石渠禮論》均有記錄發言者之姓名，故《白虎通》文本無法呈現「講議《五經》同異」之會議宗旨與形式；此外，《白虎通》之中有「一曰」、「或云」、「或曰」之文，並存異說，充分顯示，《白虎通》「不以經義為區」，而是「以禮名為綱」。雖然劉師培固執於正名「白虎通義」，然而，其特殊洞見，卻已提供後世研究《白虎通》內容性質些許線索，同時預示後世研究《白虎通》及東漢白虎觀會議可能形成之轉折。

第六章　洪業考據成果與商榷

民國以前，關於考證《白虎通》之研究範圍，多屬於「正名」性質，其目的，亦多在綰合白虎觀會議事跡與《白虎通》卷帙文本兩者不相應問題；至民國二十年（1931），洪業為哈佛燕京學社作〈白虎通引得序〉，[1]序文揭露《白虎通》：其行文氣韻與班固文章大不相類，且與當時漢制往往不合，並且《白虎通》鈔襲魏博士宋衷之緯注甚多，已瞭若指掌；此外，蔡邕之時尚有「白虎議奏」，及至魏繆襲始引《白虎通》文句等線索，因此，洪業質疑元大德本《白虎通》：「疑其書非班固所撰」、「疑其非章帝所稱制臨決者」、「疑其為三國時作品」，如此始能合理解釋：「所以不僅許慎馬融不能得其書而讀之，且蔡邕鄭玄並不曾舉引」之特殊現象。洪業〈白虎通引得序〉主張，推翻前人對《白虎通》之基本共識，並且為後繼者提供別開生面之研究領域與思考進路；而序文中揭示環繞於《白虎通》文本諸多不合理事項，乃是極為可貴之研究成果，足供後世引述與佐證。

1　燕京大學圖書館引得編纂處編：《白虎通引得》（北平：燕京大學圖書館引得編纂處，1931 年）。本章以下凡引洪業〈白虎通引得序〉，皆從此本，隨文附加頁碼，不另加註。

第一節　洪業〈白虎通引得序〉

洪業，字鹿芩，號煨蓮，福建侯官人。生於清德宗光緒十九年，卒於民國六十九年（1893-1980），享年八十八歲。

哈佛燕京學社（Harvard-Yenching Institute）是1928年美國哈佛大學與中國燕京大學兩校合作成立，致力於東亞和東南亞推進人文學科和社會科學之高等教育。[2]1930年學社著手編纂中國古代典籍引得（Sinological Index Series），洪業擔任引得編纂處主任，[3]先後撰寫〈白虎通引得序〉（1931）、〈儀禮引得序〉（1932）、〈禮記引得序〉（1936）、〈春秋經傳引得序〉（1937）與〈杜詩引得序〉（1940），〈白虎通引得序〉即是洪業為燕京大學圖書館編纂《白虎通》引得而作，於民國二十年五月八日完成。本篇雖是洪業第一篇引得序文，篇幅最短，亦非代表之作，[4]卻有重大發見與主張。

---

2 燕京大學（Yenching University）建立於1919年，由美國與英國等四所基督教教會聯合於中國北京開辦之大學，1952年先後併入北京、北京清華與中國人民等大學。

3 洪業言：「或謂一國文化之升降，往往可以其出版品之數量為比例。余謂出版品之有資實學與否，往往可以其有無引得為測。」〈引得說〉，劉夢溪主編：《中國現代學術經典》（河北：河北教育出版社，1996年），《洪業．楊聯陞卷》，頁24。

4 陳毓賢於《洪業傳》載：「洪業寫的〈禮記引得序〉贏得法國銘文學院的讚賞，榮獲一九三七年度的茹理安獎金。但很多學者卻認為洪業〈春秋經傳引得序〉一文更優異。」（臺北：聯經出版事業公司，1992年），頁179。又，《中國現代學術經典．洪業．楊聯陞卷》收錄〈儀禮引得序〉、〈禮記引得序〉、〈春秋經傳引得序〉、〈杜詩引得序〉，獨缺本篇。

洪業〈白虎通引得序〉一反傳統基本論述，質疑《白虎通》文本之真實性，在研究《白虎通》及其相關領域之歷程中，具有指標意義。本書本章即以洪業〈白虎通引得序〉為對象，探討序文之論述宗旨，並商榷其論證結果。本章論述次序，悉依洪業序文之論述：首先，洪業駁斥周廣業、莊述祖、孫詒讓之說，重申《白虎通》卷帙與白虎觀會議事跡之關係；其次，梳理闡釋洪業考據成果與主張；最後，重新商榷洪業考據成果與主張。本章以洪業〈白虎通引得序〉為中心，將洪業考據《白虎通》之成果與主張，視為民國初期考據《白虎通》之里程碑。

第二節　洪業駁周、莊、孫之說

洪業序文前二段，論述史書記載《白虎通》之差異性，及白虎觀會議與會議討論所得之名稱問題，並引述前賢對於名稱問題之各自見解。

傳統舊說以為「白虎通」，抑或「白虎通義」、「白虎通德論」等名稱，是東漢章帝召開白虎觀會議之文獻資料；然而，洪業序文開宗明義即指證，歷來史書記載《白虎通》文本之相關資料，互有相左之處。依洪業所舉史書來源，製作簡表如下。

書籍	類別	名稱	篇卷	作者
《隋書》	卷三十二〈經籍志・《五經》總義類〉	《白虎通》	六卷	
《舊唐書》	卷四十六〈經籍志・七經雜解類〉	《白虎通》	六卷	漢章帝撰
《新唐書》	卷五十七〈藝文志・經解類〉	《白虎通義》	六卷	班固等
《崇文總目》	卷一〈論語類〉	《白虎通德論》	十卷，四十四篇	班固撰
《四部叢刊》	影印元大德九年（1305）重刊宋監本	《白虎通德論》		漢玄武司馬臣班固奉詔纂集

史書記錄，離異如此，洪業言：「然則書之名為白虎通耶？白虎通義耶？白虎通德論耶？著者為章帝耶？班固耶？班固等耶？其卷數為六抑為十耶？」（頁1）

《後漢書・章帝紀》建初四年（79），章帝召開經學會議，會議由魏應制問，太常以下及諸生、諸儒等，參與「講議《五經》同異」，再命淳于恭記錄上奏講議結果，最後由章帝親稱制臨決。因會議在白虎觀召開，故議奏名之曰「白虎議奏」，李賢注曰：「今《白虎通》。」《隋書》以降，以「白虎通」

稱之。又，《後漢書·儒林列傳》載「顧命史臣，著為通義」，《新唐書》以降，以「白虎通義」稱之。再者，《後漢書·班固傳》載曰：「天子會諸儒講論《五經》，作《白虎通德論》，令固撰集其事。」《崇文總目》以「白虎通德論」稱之。《後漢書》記載會議之事頗為明確，但是對於會議所產生之卷帙文獻，稱呼卻前後不一，並且語焉不詳，以至後世史書目錄登錄卷帙名稱互為齟齬，徒增困擾。

洪業指出：「范氏之文，已自相矛盾；此後世目錄彼此離異所由起也。」因《後漢書》記載會議與資料，各有出入，導致後世史書目錄記載適從不一，形成一書多名之現象。有鑑於此，清代學者多所解釋，洪業序文引述其中三說。

其一，周廣業。洪業言：

> 解者或據李善《文選注》（卷五十五，陸機〈演連珠〉，第四首）曾引班固《功德論》，而疑固所撰有《白虎通》及《功德論》二書，《後漢書》乃漏功字。此周廣業之說也。（頁1）

案：盧文弨〈白虎通序〉中引周廣業之言：

> 周廣業曰：……竊疑通德二字本不連讀，乃是《白虎通》之外別有《德論》，非一書也。李善《文選·注》引班固《功德論》曰：「朱軒之使，鳳舉於龍」，堆之表是論，不見全文，豈范氏所指即此，而脫「功」字歟？其言不類說經，或亦四子講德之流，而史誤為連及歟？且古人講解經義，並謂之通，是書列《隋·經籍志》，

亦曰《白虎通》。[5]

周廣業考據《文選・注》引班固《功德論》之文，故班固必有「功德論」之作。《後漢書》既記「令固撰集其事」，「作『白虎通德論』」，而班固已作「功德論」，故《後漢書》謂「作『白虎通德論』」，其中乃脫一「功」字，「通德」二字不相連及，而是指「白虎通」與《功德論》二部著作。因此，周廣業推翻有「白虎通德論」之名，而且間接承認，並且證實有「白虎通」之名。[6]

其二，莊述祖。洪業言：

> 或據蔡邕〈巴郡太守謝表〉「詔書前後賜石鏡奩《禮經素字》，《尚書章句》，《白虎議奏》合成二百一十二卷」一語，更從而減去《禮》《書》卷數，遂疑《白虎議奏》卷數當在一百以上，不與《白虎通義》為一書；而《白虎通議》者，乃章帝命史臣所撰《白虎議奏》之略耳。此莊述祖之說也。（頁1-2）

案：莊述祖〈白虎通義考〉曰：

> 案：〈儒林傳〉云：「命史臣著為通義」，即今《白虎通義》也。議奏隋唐時已亡佚，注以為今《白虎通》，非是。[7]

依莊述祖考據，章帝命史臣所作之「通義」，其實是元大德本《白虎通》；莊述祖並批評李賢注「白虎議奏」即是「白

5　抱經堂本《白虎通》，頁2-3。
6　參考本書第四章第三節「孫詒讓駁周廣業〈白虎通序〉」。
7　抱經堂本《白虎通》，頁4。

虎通」，其實並不正確。莊述祖考據東漢蔡邕〈巴郡太守謝版〉，依此推論曰：

> 案《禮古經》五十六卷，《今禮》十七卷，《尚書章句》、歐陽大、小夏侯三家，多者不過三十一卷，二書卷不盈百，則《奏議》無慮百餘篇，非今之通義明矣。[8]

莊述祖認為，蔡邕之時有百篇以上之「白虎議奏」，而「白虎通義」只有四十四篇，因此，「白虎通義」只是議奏全文之略本，「白虎通義」與「白虎議奏」實為二本。章帝命班固撰集其事即是「白虎議奏」，即是「白虎通」全文，此議奏當有百篇以上，且在隋唐之時已亡佚；而元大德本《白虎通》則是章帝顧命史臣所作之「白虎通義」，二者不可混淆。[9]

其三，孫詒讓。洪業言：

> 或謂《唐志》之劉向《五經雜義》即《漢志》《石渠議奏》中之一部分；更援之為例，而斷《白虎議奏》之外別無《白虎通義》一書；《白虎通義》者，乃《白虎議奏》中之《五經雜議》而已。此孫詒讓之說也。（頁2）

案：孫詒讓亦認為《白虎通》應正名為「白虎通義」，但是理據與莊述祖迥異。孫詒讓〈白虎通義考〉曰：

> 竊謂建初之制，祖述甘露，議奏之作，亦襲石渠，白虎

8 抱經堂本《白虎通》，頁2。
9 參考本書第三章第二節「莊述祖考據成果與主張」。

> 議奏，雖佚其卷帙，體例要可以石渠議奏推也。《漢書・藝文志》《書》九家內議奏四十二篇、《禮》十三家內議奏三十八篇、《春秋》二十三家內議奏三十九篇、《論語》十二家內議奏十八篇、《孝經》十三家內《五經雜議》十八篇，共五部百五十五篇。石渠舊例有專論一經之書，有雜論《五經》之書，合則為一帙，分則為數家，……白虎講論，既依石渠故事，則其議奏必亦有專論一經與雜論《五經》之別，今所傳通議，蓋白虎義奏內之《五經雜議》也。……晉宋以後，議奏全帙漸至散佚，而《通義》一編，析出別行，僅存於世，展轉傳迻，忘其本始。於是存其白虎之名，昧其雜議之實，或以通義該議奏，或以議奏疑通義，皆考之不審，故外誤互見矣。[10]

孫詒讓認為，白虎觀會議既有意仿傚西漢石渠閣會議之模式，其會議成果，亦當仿效石渠閣編列之議奏形式。石渠閣會議既有專論一經與雜議《五經》之書，依此類推，白虎觀會議「必亦有」專論一經與雜議《五經》之書。元大德本《白虎通》內容既雜議《五經》，即是白虎觀會議之「《五經》雜議」者，至於「專論一經」者，孫詒讓推測已全部亡佚。因此，孫詒讓主張，《白虎通》應正名為「白虎通義」，以別於會議全本之「白虎議奏」，突顯《白虎通》文本「雜議《五經》」與「通義」之實質內容。[11]

---

10 孫詒讓，〈白虎通義考〉，頁 2114-2116。
11 參考本書第四章第二節「孫詒讓考據成果與主張」。

周廣業等三人之考據方法，多以史書文獻交叉比對，理據不同，結論亦各有異。洪業認為：「以上三說，雖各不同，然皆有意為范氏解紛，皆認今之所謂《白虎通》者，乃白虎觀會議之產品，而班固所撰集者也。」（頁2）周廣業等三人之基本論述，有一致之基本共識，即元大德本《白虎通》乃東漢白虎觀會議之資料彙編，由固班撰集而成。三人研究目的，著重在正名《白虎通》，及其與白虎觀會議之名實關係，旨在為《白虎通》文本與史料文獻互有齟齬之處，尋求合理之解釋。洪業對於三人之研究方法及其主張，未置可否，但是對三人所持之共識，提出革命性之見解。洪業言：

> 今讀《白虎通》，疑其書非班固所撰，疑其非章帝所稱制臨決者，疑其為三國時作品也。（頁2）

洪業質疑元大德本《白虎通》卷帙文本，並非如史書所載：班固所撰、章帝稱制臨決，而是三國時期之作品。洪業此項指證，並非如傳統探討《白虎通》文本與白虎觀會議間之名實問題而已，而是將問題提升到《白虎通》文本真偽之考據領域，推翻傳統對於《白虎通》之基本共識與論述。

第三節　洪業考據成果與主張

清代學人對於《白虎通》之研究，著重在書名問題，及《白虎通》與白虎觀會議兩者間之關係，即使涉及卷帙文本考據，亦多旨在「正名」書名。陳立（1809-1869）全面疏證《白虎通》時，感歎其中困難之一，曰：

> 況其舊入祕書，久同佚典，毛公古義，莫遇司農，楊子元文，誰為沛國，是以魯魚互錯，亥豕交差，同《酒誥》之俄空，若《冬官》之闕略。雖餘姚校正，略可成書，武進補遺，差堪縷述，然亦終非全璧，祇錄羽琌，而欲披精論于殘編，捃微旨于墜簡，其難四也。[12]

陳立認為，白虎觀會議之後，《白虎通》文本並未及時公諸於世，反而庋藏祕書，會議資料文獻形同亡佚。至今雖有盧文弨之校補，但終非是原本面目，至於白虎觀會議後之完整文獻，恐已灰飛煙滅，不可復原。陳立之感歎，僅止於文本之不全，或是字句秩序有誤，然尚未觸及《白虎通》「真偽」問題。

相較於前賢研究成果，洪業序文探究《白虎通》真偽問題與屬性關係，明確指出《白虎通》：「疑其書非班固所撰」、「疑其非章帝所稱制臨決者」、「疑其為三國時作品」，無疑是篇翻案文章。

一、疑其書非班固所撰

洪業質疑《白虎通》非班固所撰，主要理據有二，其一：

> 固所為文，見兩漢書中；此外，《文選》，《北堂書鈔》，《藝文類聚》等書，亦頗多徵引。觀其行文氣韻，大不與《白虎通》相類。（頁2）

12 《白虎通疏證》，頁 1-2。

洪業比較班固已有之著作，其行文氣韻與《白虎通》不相類似。其二，洪業引《白虎通》卷一下〈禮樂篇〉「帝王禮樂」一節，「《禮記》曰：『黃帝樂曰咸池，……』合曰大武者，天下始樂周之征伐行武」之文為例，[13]推論：「《白虎通》據《漢書》及《稽耀嘉》之注；而注《稽耀嘉》者，又曾據《漢書》也。」（頁4）考據各書先後次序，得「由是觀之，《禮記》最先，《樂緯》次之，《漢書．禮樂志》又次之，《樂緯》注更在其後，而《白虎通》最後也。」（頁4）因為上述四項文獻中，「要以《白虎通》之解釋，為最圓整周密」。（頁4）因此，洪業質疑：

> 使二書皆為固一手所撰，何其文之不同耶？若《漢書》之成在《白虎通》之後，固何為自捨圓整之解釋？若《白虎通》之出寔在《漢書》之後，則其所解釋制樂一段，不僅較《漢書》為周密，而且皇帝稱制親決勅撰之說也，著《風俗通》之應劭何故又全襲《漢書》之文而不用《白虎通》之說？（頁5）

洪業推論，若《漢書》與《白虎通》皆為班固所撰，則兩者同述一事，為何不同文？其次，若《白虎通》成書在前，《漢書》在後，則《漢書》何以不用較為圓整之解釋？反之，若《漢書》在前，《白虎通》在後，則東漢末應劭著《風俗通》時，卻捨棄圓整論述之《白虎通》，而全襲《漢書》之文？因此，洪業由此得一結論：「可見《白虎通》之出，不僅在《漢書》之後，而且在《風俗通》之後矣。」（頁5）

---

13 抱經堂本《白虎通》，頁 3。

《白虎通》既鈔引讖緯者甚多，則撰注讖緯者之生卒生，當有助於考據《白虎通》可能成書年代。《隋書・經籍志》載：「《樂緯》三卷，宋均注。」又曰：「宋均、鄭玄並為讖律之注。」因宋均置於鄭玄之前，理應是鄭玄前輩，則此應是河內太守之宋均。洪業質疑此太守「彼以循吏著名，何暇為讖緯作注？」（頁5）故《隋志》載注《樂緯》之宋均，另有其人。孔穎達疏《詩經・鄘風・定之方中》言注《樂緯・稽耀嘉》者為宋均，[14]李善注《文選》引《樂緯・動聲儀》二則，復引其注，前後各稱注者為宋衷、宋均，[15]故宋均與宋衷乃同一人也。而陸德明《經典釋文・叙錄》，陳壽《三國志》，裴松注《三國志》，之《後漢書・劉表列傳》，[16]及王粲〈荊州文學記〉等，是宋忠、宋衷亦同一人也。洪業認為：「按晉惠帝諱衷，故史籍或稱仲子，或改為忠，或改為均云爾。」（頁5-6）因此，注《樂緯》者，即是注《隋書・經籍志・詩緯》十八卷，魏博士宋均也；而宋均本名即是宋衷。洪業曰：

---

14 孔穎達疏《詩經・鄘風・定之方中》曰：「故《樂緯・稽耀嘉》云：『狄人與衞戰，桓公不救於其敗也，然後救之。』宋均註云：『救謂使公子無虧戍之。』」（漢）毛公傳・鄭元箋，（唐）孔穎達等正義：《毛詩正義》（臺北：藝文印書館《十三經注疏本》）頁115。

15 《文選》第六卷，左思（太沖）〈魏都賦〉：「延廣樂，奏九成，冠韶夏，冒六莖。」一段，李善注曰：「《樂動聲儀》曰：『帝嚳樂曰六英，帝顓頊曰五莖，舜曰大韶，禹曰大夏。』宋衷曰：『六英，能為天地四時六合也，五莖，能為五行之道立根本也。』」（梁）蕭統編，（唐）李善注（臺北：華正書局，1987年），頁105。又，第十七卷傅毅（武仲）〈舞賦〉：「夫咸池六英，所以陳清廟，恊神人也。」，李善注曰：「《樂動聲儀》曰：『黃帝樂曰咸池，顓頊樂曰五莖，帝嚳樂曰六英。』宋均曰：『能為天地四時六合之英華也。』」頁247。

16 《後漢書・劉表列傳》卷七十四下，曰：「建安元年，遂起立學校，博求儒術，綦母闓、宋忠等撰立《五經》章句，謂之後定。」頁2421。

> 《白虎通》鈔襲宋衷之緯注甚多，前僅舉其一耳。宋衷在班固之後，百有餘年，班固何能鈔襲宋衷乎？

洪業確認《白虎通》鈔襲宋衷之注文，而班固又先於宋衷百餘年，則班固如何鈔襲宋衷之文而成《白虎通》？因此，洪業推論《白虎通》「疑其書非班固所撰」。

二、疑其非章帝所稱制臨決者

依《後漢書》所載，白虎觀會議乃是東漢章帝下詔太常以下及諸儒生，講議《五經》同異，會議所得文獻，最後由章帝親「稱制臨決」，因此，會議資料理應與當時典章制度相應或相近似。洪業言：

> 且一代之經說，往往與其時之典章制度有關，倘《白虎通》足以代表章帝稱制臨決之論，何其又與漢制往往不合耶？（頁6）

如果白虎觀會議如《後漢書》載：「帝親稱制臨決」，則會議資料《白虎通》之文本內容，應與當時典章制度一致或近似；否則，必然造成學術意見與現行政策相左，且章帝主政與稱制臨決互異之矛盾現象。洪業考據《白虎通》文本之典章制度有與當時漢制不符之證據，因此懷疑《白虎通》並未經過章帝稱制臨決之程序。

洪業舉《白虎通》「三年一禘」為例，說明《白虎通》主張與現行漢制不一致。洪業在文中附文解釋：

> 此語不見今本《白虎通》，陳立《白虎通疏證》卷十

> 二，《續經解》本，頁六下據《舊唐書》卷二十六《禮儀志》開元二十七年太常議所引補。劉師培，〈白虎通義闕文補訂〉，《國粹學報》，第七卷，第一冊，第七十五期，謂陳所補者誤，引慧琳《一切經音義》卷九十七【大正《大藏》本第五十四卷，頁九一二，格下】所引"三年一祫五年一禘"駁之。余謂陳是而劉非。（頁6）

「三年一禘」之文，為今本《白虎通》所無，陳立疏證時，「據《唐書．禮儀志》開元二十七年太常議所引補」。[17]陳立所補，雖遭劉師培反駁，卻得到洪業支持。洪業引《禮緯稽命曜》中已有「三年一祫，五年一禘」之說，且《後漢書．張純傳》、[18]《後漢書．祭祀志》亦有明證，[19]可證「三年一祫，五年一禘」乃是當時流行之說；然而，《白虎通》卻有「三年一禘」之文？洪業推論：

> 縱白虎觀討論時，諸生中有為三年一禘之說者，章帝又何必從之？倘從其說，又何故不改漢祭之制，而許慎之《說文》又謂周禮三年一祫五年一禘耶？（頁6）

17 《白虎通疏證》卷十二「宗廟」，頁 673。

18 《後漢書．張純傳》卷三十五載：「（建武）二十六年，詔純曰：『禘、祫之祭，不行已外矣。「三年不為禮，禮必壞；三年不為樂，樂必崩。」宜據經典，詳為其制。』純奏曰：『禮，三年一祫，五年一禘。……漢舊制三年一祫，……故三年一祫，五年一禘。……斯典之廢，於茲八年，謂可如禮施行，以時定議。』帝從之，自是禘、祫遂定。」頁 1195。

19 《後漢書．祭祀志》第九復述建武二十六年詔問張純之事。並載：「上難復立廟，遂以合祭高廟為常。後以三年冬祫五年夏禘之時，但就陳祭毀廟主而已，謂之殷。」頁 3194。

換言之，若白虎觀會議有人倡「三年一禘」之說，此說既與章帝政制不同，必遭章帝否決；若章帝同意「三年一禘」之說，則章帝理應修改漢代祭祀之禮。然而，《後漢書》未言「三年一禘」，繼起之許慎作《說文》依然沿用「「三年一祫，五年一禘」」之說；[20]可見，終章帝之世，未有「三年之禘」之說。因此，洪業判斷《白虎通》「疑其非章帝所稱制臨決者」。

三、疑其為三國時作品

洪業推論元大德本《白虎通》是三國時期之作品，確切年代則是在東漢末獻帝建安十八年（213）至魏齊王正始六年（245）之間。洪業之主張所持理據有二：其一，洪業舉《白虎通》〈考黜篇〉為例，解讀《白虎通》文本內容，其實反應漢末魏初之時代背景。〈攷黜篇〉：

> 禮說九錫：車馬、衣服、樂則、朱戶、納陛、虎賁、鈇鉞、弓矢、秬鬯，皆隨其德可行而賜。（頁6-7）[21]

元大德本以前，「禮說」作「禮記」，盧文弨校刊《白虎通》下注曰：「禮說舊作禮記。案此皆《禮緯含文嘉》之文，當作禮說。」[22]意即：《禮記》無「九錫」之說，而《含文嘉》則

---

20 《說文》曰：「禘，諦祭也，从示帝聲。《周禮》曰：五歲一禘。」《說文解字注》，（漢）許慎撰．（清）段玉裁注（臺北：黎明文化事業，1974 年），頁 5-6。又：「祫，大合祭先，親疏遠近也，从示合。《周禮》曰：三歲一祫。」頁 6。

21 抱經堂本《白虎通》，卷三上，頁 8。

22 同上註。

有之，故盧文弨依《含文嘉》改「記」作「說」。陳立《白虎通疏證》亦曰：「說舊作記，盧改。……此《禮含文嘉》文也。」[23]洪業承此說，並且指出：「彼既鈔《含文嘉》之文矣，自當更鈔其宋衷之注。」（頁7）洪業舉《詩・大雅・旱麓》孔疏引宋衷之注：

> 進退有節，行步有度；賜之車馬，以代其步。言成文章，行成法則；賜以衣服，以表其德。動作有禮，賜之納陛，以安其體。長於教訓，內懷至仁；賜以樂則，以化其民。居處脩理，房內不渫；賜以朱戶，以明其別。勇猛勁疾，執義堅彊；賜以虎賁，以備非常。亢揚威武，志在宿　衛；賜以斧鉞，使得專殺。內懷仁德，執義不傾；賜以弓矢，使得專征。慈孝父母，賜以秬鬯，以祀先祖。（頁7）[24]

洪業並注釋說明，《曲禮》孔疏及《公羊傳》莊公元年徐彥疏兩者所引大致相同，惟次序稍異；並且以為，宋衷之注「未與曹魏之歷史背景全合」。洪業又續引《三國志・魏書》卷一，建安十八年（213）獻帝策封曹操為魏公，加九錫之文曰：

> 以君經緯禮律，為民軌儀，使安職業，無或遷志；是用錫君大輅戎輅各一，玄牡二駟。君勸分務本，穡人昏作，粟帛滯積，大業惟興；是用錫君袞冕之服，赤舄副焉。君敦尚謙讓，俾民興行，少長有禮，上下咸和；是用錫君軒縣之樂，六佾之舞。君翼宣風化，爰發四方，遠人

23　《白虎通疏證》，卷七，頁357。
24　《詩・大雅・旱麓》，頁560。

革面，華夏充實；是用錫君朱戶以居。君研其明哲，思帝所難，官才任賢，羣善必舉；是用錫君納陛以登。君秉國之鈞，正色處中，纖毫之惡，靡不抑退；是用錫君虎賁之士三百人。君糾虔天刑，章厥有罪，犯關干紀，莫不誅殛；是用錫君鈇鉞各一。君龍驤虎視，旁眺八維，掩討逆節，折衝四海，是用錫君彤弓一，彤矢百，旅弓十，旅矢千。君以溫恭為基，孝友為德，明允篤誠，感於朕思；是用錫君秬鬯一卣，珪瓚副焉。……（頁7-8）[25]

洪業形容此段文字是：「如此好事！如此妙文！」「撰《白虎通》者，那得不理？」故《白虎通》勦襲其文，解九錫之義如下：

能安民者，賜車馬。能富民者，賜衣服。能和民者，賜樂則。民眾多者，賜朱戶。能進善者，賜納陛。能退惡者，賜虎賁。能誅有罪者，賜鈇鉞。能征不順者，賜弓矢。孝道備者，賜秬鬯。（頁8）[26]

「撰《白虎通》者」不僅鈔《魏書》之文，亦好用宋衷之注，故復鈔襲如下：

以其進止有節，德綏民；路車乘馬，以安其身。言成章，行成規；卷龍之衣服，表顯其德。長於教誨，內懷至仁；則賜時王樂，以化其民。尊賢達德，動作有禮；

25 （晉）陳壽：《三國志・魏書》（臺北：鼎文書局，1978年），卷一〈武帝紀第一〉，頁39。

26 抱經堂本《白虎通》卷三上，頁8。

> 賜以納陛，以安其體。居處修治，房內有節，男女時配，貴賤有別；則賜朱戶，以明其德列。威武有矜，嚴仁堅強；賜以虎賁，以備非常。喜怒有節，誅伐刑刺；賜以鈇鉞，使得專殺。好惡無私，執義不傾；賜以弓矢，使得專征。孝道之美，百行之本也；故賜以玉瓚，使得專為賜也。（頁8）[27]

洪業據此研判，《白虎通》既鈔襲宋衷之緯注，又仿傚《魏書》九錫之策文，事證已「瞭若指掌」。雖然緯注與策文不知孰為先後，然而，既已知策文在建安十八年，則《白虎通》之作，必在此時之後矣。正因為《白虎通》成書距白虎觀會議之後一百三十餘年（79-213），因此造成「所以不僅許慎馬融不能得其書而讀之，且蔡邕鄭玄並不曾舉引也」（頁9）之特殊現象。

其二，洪業認為《白虎通》之出，可能在魏齊王正始六年（245）之前。洪業引《南齊書・禮志》卷九上，建元元年，王儉議郊殷之禮中載曰：

> 繆襲據祭法，云天地騂犢，周家所尚，魏以建丑為正，牲宜尚白。《白虎通》云：「三王祭天，一用夏正，所

27　抱經堂本《白虎通》曰：「以其進止有節，行步有度；路車乘馬，以代其步。言成文章，行成法則；賜以衣服，以表其德。長於教誨，內懷至仁；賜以樂制，以化其民。居處修治，房內不泄；賜以朱戶，以明其別。尊賢達德，動作有禮；賜以納陛，以安其體。勇猛勁疾，執義堅強；賜以虎賁，以備非常。抗揚威武，志在宿衞；賜以鈇鉞，使得專殺。內懷仁德，執義不傾；賜以弓矢，使得專征。孝慈父母；賜以秬鬯，使之祭祀。」卷三上，頁 9-10。字句或有出入，論述大致相同。

> 以然者，夏正得天之數也。」[28]

洪業依此證明魏繆襲引《白虎通》之文。依《魏志・劉劭傳》卷二十一，裴松之注引《文章志》曰：「襲字熙伯，辟御史大夫府，歷事魏四世。正始六年，年六十卒。」既然繆襲見引《白虎通》之文，而繆襲卒於正始六年，故《白虎通》之出，必不晚於此時。

由於洪業質疑元大德本《白虎通》非班固所撰，非經章帝稱制臨決，則元大德本《白虎通》與東漢白虎觀會議之關係屬性為何？洪業如是說明：

> 夫蔡邕之時（初平三年，192，卒）尚有《白虎議奏》，卷數逾百。倘其後有好事者，用其材料，更撮合經緯注釋，而成《白虎通義》，殆非難事。玩其文義，不似有意偽托班固，疑更有好事者，附會而歸之于固，晉宋而後，引者遂多耳。（頁9）

洪業依莊述祖考據所得，研判在蔡邕之時有逾百卷之「白虎議奏」；其後有好事者用此「白虎議奏」以為材料，附加其他經緯注釋，而成「白虎通義」，即是元大德本《白虎通》。至於《白虎通》「行文氣韻」與班固不同，顯示「好事者」不似有意模仿班固，其目的旨在將「其他經緯注釋」假藉於《白虎通義》之中；洪業懷疑「更有好事者」，將此書附會而歸之於班固之名。

洪業認為，因為《白虎通》「疑其為三國時作品」，故「

28　（梁）蕭子顯：《南齊書》（臺北：鼎文書局，1978 年），〈禮志〉卷九上，頁 120。

不足以代表東漢中葉之經說」，但卻肯定此書是「研究漢末魏初經說之絕好材料」。（頁9）既然此書已非當時原貌，則書名之「正名」問題已無關緊要。洪業言：

> 謂之《白虎通引得》者，非謂原書之名必為「白虎通」三字而已。《孫考》據俗稱《風俗通義》為《風俗通》之例，而定其原名必為《白虎通義》，論頗近是。然魏晉以來簡稱既久，無妨仍用焉。（頁9）

《白虎通》既是三國時作品，「白虎通」三字諒非白虎觀會議之原名。洪業引孫詒讓考《風俗通義》為《風俗通》之例，研判《白虎通》原名必是「白虎通義」，而「白虎通」不過是「白虎通義」之「流俗省略」而已，[29]由於「白虎通」之名自魏晉以來簡稱既久，故引得之名「無妨仍用」。

第四節　洪業考據成果與主張之商榷

洪業〈白虎通引得序〉文中質疑：《白虎通》非班固所撰、非章帝所稱制臨決者，並斷言《白虎通》係屬三國時作品；此一論斷，確實彰顯並且釐清《白虎通》卷帙與白虎觀會議事跡兩者間之不相應問題，但是仍有諸多疑點，值得商榷。

29　張心澂曰：「《四庫提要》曰：『《隋書．經籍志》載《白虎通》六卷，不著撰人。……』……唐章懷太子賢註云：『即白虎通義，』是足證固撰，後乃名其書曰《通義》。《唐志》所載蓋其本名，《隋志》刪去義字，蓋流俗省略。」《偽書通考》，頁840。

一、辨「《白虎通》非班固所撰」

洪業研判《白虎通》非班固所撰，主要理據有二：一，《白虎通》行文氣韻與班固已有之著作不相類似。二，《白虎通》與班固所著之《漢書》多不同文；而且，《白虎通》既鈔襲宋衷之緯注甚多，則班固如何能鈔襲百年之後之宋衷之文？因此，《白虎通》非班固所撰。對於理據之一，于首奎反駁言：

> 因為《白虎通》是班固根據白虎觀會議中的五經雜議材料編寫的，“行文韻氣”當然會與《漢書》中由他本人撰寫的文章、傳記不同，這是理所當然的。根本不能作為否定《白虎通》是班固編寫的根據。[30]

于首奎認為，《白虎通》乃是班固根據白虎觀會議決議而寫，是會議資料彙編，故其書之行文氣韻不似班固所撰之文章、傳記，此乃理所當然之事，洪業不得據此否定《白虎通》非班固所撰。因此，洪業揭示此一特殊事證，固然不能做為《白虎通》非班固所編寫之證據；然而，因為有此一特殊事證，于首奎更不能以此做為肯定《白虎通》是班固編寫之證明。換言之，由於《白虎通》被視為白虎觀會議之資料彙編，故就「行文氣韻」之判斷而言，即使《白虎通》與班固其他作品明顯不同，仍不足以做為判斷是否為班固編寫之證據。

其次，就《白虎通》與宋衷之關係而言，《白虎通》鈔襲宋衷之注者多，洪業主張：「《禮記》最先，《樂緯》次之，

30　于首奎：《兩漢哲學新探》（四川：四川人民出版社，1988 年），頁 227。

《漢書·禮樂志》又次之，《樂緯》注更在其後，而《白虎通》最後也。」對此，于首奎則認為：

> 《白虎通》中所引用的某些資料，是否一定就是宋衷的《樂緯》注？是否在后漢中期，就絕對沒有這類材料，恐怕還不能做出這樣的論斷，讖緯迷信早在前漢中、后期就興盛起來，并經封建統治者大力提倡，得到廣泛傳播。再說，宋衷對《樂緯》的注釋材料，也肯定不會完全是他本人創造的，而一定要引用前人的一些資料。[31]

于首奎推測，宋衷之注若非原創，則必有所本，《白虎通》與宋衷之注縱有雷同之處，亦只能視為二書所引出處相同或相似，無法以此論斷《白虎通》必然是引用宋衷之注。于首奎之說，乃是合理之懷疑，意即：洪業之主張，只是理上之可能，但未必然如其所言。縱使《白虎通》之解釋較他書為圓整周密，亦不必然是晚出於他書作品，尤其是以此斷言《白虎通》必然鈔襲宋衷之緯注，仍有商榷餘地。而且，洪業舉《白虎通·攷黜篇》「禮說九錫」為例，證明《白虎通》不僅鈔襲宋衷之緯注，又仿傚《魏書》九錫之策文；實則，洪業引述論證有失完整。

案：《白虎通·攷黜篇》曰：「禮說九錫：車馬、衣服、樂則、朱戶、納陛、虎賁、鈇鉞、弓矢、秬鬯，皆隨其德可行而賜。」《白虎通》稱車馬、衣服等九種賜物為「九錫」。[32]洪業引《魏書》獻帝策封曹操為魏公文，「以君經緯禮律，為民

---

31 《兩漢哲學新探》，頁 227。

32 抱經堂本《白虎通》卷三上「考黜」分：「揔論黜陟」、「九錫」、「三考黜陟義」、「諸侯有不免黜義」共四章。

軌儀，使安職業，無或遷志；……」前有「又加君九錫，其敬聽朕命」之文，[33]可見策文亦稱為「九錫」，而洪業未引。

至於《禮含文嘉》亦稱「九錫」。明孫瑴編《古微書》載《禮含文嘉》曰：

> 禮有九錫：一曰車馬，二曰衣服，三曰樂則，四曰朱戶，五曰納陛，六曰虎賁，七曰弓矢，八曰鈇鉞，九曰秬鬯，皆所以勸善扶不能。[34]

孫瑴注曰：「宋均註云：諸侯有德，當益其地不過百里，後有功，加以九賜。進退有節，行步有度，賜以車馬；……」，[35]清趙在翰《七緯》、馬國翰《玉函山房輯佚書》、黃奭《通緯》亦皆記「九錫」；[36]可見《禮含文嘉》稱制為「九錫」。考「九錫」之稱制，西漢已有。《漢書・武帝紀》載：

> 元朔元年冬十一月，詔曰：「公卿大夫，所使總方略，壹統類，廣教化，美風俗也。夫本仁祖義，褒德祿賢，勸善刑暴，五帝三王所繇昌也。朕夙興夜寐，嘉與宇內之士臻於斯路。……」有司奏議曰：「古者，諸侯貢士，壹適謂之好德，再適謂之賢賢，三適謂之有功，乃加九錫；不貢士，壹則黜爵，再則黜地，三而黜爵地畢

---

33 《三國志・魏書》卷一：「又加君九錫，其敬聽朕命・以君經緯禮律，為民軌儀，使安職業，無或遷志；是用錫君大輅戎輅各一，玄牡二駟。……」頁 39。

34 （明）孫瑴編，《古微書》，收錄於上海古籍出版社編：《緯書集成》（上海：上海古籍出版社，1994 年），頁 253。

35 同上註。

36 《緯書集成》，《七緯》，頁 868；《玉函山房輯佚書》，頁 1229；《通緯》，頁 1744。

> 矣。……今詔書昭先帝聖緒，令二千石舉孝廉，所以化元元，移風易俗也。不舉孝，不奉詔，當以不敬論。不察廉，不勝任也，當免。」奏可。[37]

顏師古注曰：「應劭曰：『一曰車馬，二曰衣服，三曰樂器，四曰朱戶，五曰納陛，六曰虎賁百人，七曰鈇鉞，八曰弓矢，九曰秬鬯，此皆天子制度，尊之，故事事錫與，但數少耳。』……師古曰：『總列九錫，應說是也·進賢一錫，瓚說是也。』」可見武帝之時，即有「九錫」之稱制。此外，卷九十九上〈王莽傳〉陳崇稱王莽功德，奏曰：

> 臣聞功亡原者賞不限，德亡首者　不檢。是故成王之於周公也，度百里之限，越九錫之檢，開七百里之宇，兼商、奄之民，賜以附庸殷民六族，大路大旂，封父之繁弱，夏后之璜，祝宗卜史，備物典策，官司彝器，白牡之牲，郊望之禮。[38]

陳崇奏書提及「九錫」之法，因會呂寬事起而作罷。其後，〈王莽傳〉元始四年載：

> 是歲，莽奏起明堂、辟雍、靈臺，為學者築舍萬區，作市、常滿倉，制度甚盛。……羣臣奏言：「昔周公奉繼體之嗣，據上公之尊，然猶七年制度乃定。夫明堂、辟雍，墮廢千載莫能興，今安漢公起于第家，輔翼陛下，四年于茲，功德爛然·公以八月載生魄庚子奉使，朝用

37　《漢書·武帝紀》卷六，頁 166-167。
38　《漢書·王莽傳》卷九十九上，頁 4062。

> 書臨賦營築，越若翊辛丑，諸生、庶民大和會，十萬並集，平作二旬，大功畢成。唐虞發舉，成周造業，誠亡以加。宰衡位宜在諸侯王上，賜以束帛加璧，大國乘車、安車各一，驪馬二駟。」詔曰：「可。其議九錫之法。」[39]

羣臣推崇王莽輔翼漢室之功，奏請平帝封賜，而平帝則是主動下詔研議「九錫」之法，賜安漢公王莽。可見，在西漢之時，已有「九錫」之法制。[40]至東漢獻帝始有：「夏五月丙申，曹操自立為魏公，加九錫。」[41]至於《詩・大雅・旱麓》孔疏引宋衷之注則曰：

> 案：《禮緯含文嘉》上列九賜之差，下云四方所瞻，侯子所望。宋均注云：進退有節，行步有度；賜之車馬，以代其步。言成文章，行成法則；賜以衣服，以表其

---

39 《漢書・王莽傳》卷九十九上，頁 4069-4070。

40 《漢書・王莽傳》曰：「五年正月，祫祭明堂，諸侯王二十八人，列侯百二十人，宗室子九百餘人，……於是莽上書曰：『臣以外屬，越次備位，未能奉稱，……』詔曰：『可。唯公功德光於天下，是以諸侯、王公、列侯、宗室、諸生、吏民翕然同辭，連守闕庭，故下其章。諸侯、宗室辭去之日，復見前重陳，雖曉喻罷遣，猶不肯去。告以孟夏將行厥賞，莫不驩悅，稱萬歲而退。今公每見，輒流涕叩頭言願不受賞，賞即加不敢當位。方制作未定，事須公而決，故且聽公。制作畢成，羣公以聞，究于前議，其九錫禮儀亟奏。』於是公卿大夫、博士、議郎、列侯張純等九百二人皆曰：『聖帝明王招賢勸能，德盛者位高，功大者賞厚。故宗臣有九命上公之尊，則有九錫登等之寵。今九族親睦，百姓既章，萬國和協，黎民時雍，聖瑞畢溱，太平已洽。帝者之盛莫隆於唐虞，而陛下任之；忠臣茂功莫著於伊周，而宰衡配之。所謂異時而興，如合符者也。謹以六藝通義，經文所見，《周官》、《禮記》宜於今者，為九命之錫。臣請命錫。』奏可。」卷九十九上，頁 4070-4072。

41 《後漢書・獻帝本紀》卷九，頁 387。

> 德。動作有禮，賜之納陛，以安其體。長於教訓，內懷至仁；賜以樂則，以化其民。居處脩理，房內不渫；賜以朱戶，以明其別。勇猛勁疾，執義堅彊；賜以虎賁，以備非常。亢揚威武，志在宿　衞；賜以斧鉞，使得專殺。內懷仁德，執義不傾；賜以弓矢，使得專征。慈孝父母，賜以秬鬯，以祀先祖。是其九賜之事也。[42]

上述《禮含文嘉》皆作「九錫」，至宋均之注則稱「九賜」，其稱與《白虎通》、《魏志》皆不同。

「九錫」之法，自西漢以來便有此稱制，《禮含文嘉》亦稱「九錫」，《白虎通》引述亦作「九錫」，而《魏志》獻帝策封曹操亦稱「九錫」。然而，孔疏引宋衷注《禮含文嘉》曰：「是其九賜之事也」，實與《禮含文嘉》稱謂不同。雖然，洪業極力舉證《白虎通》鈔襲宋衷注之痕跡，然而，卻缺漏兩者使用之稱制不同。若《白虎通》鈔襲宋衷注文，豈會在關鍵之稱制上與宋衷不同？因此，洪業指「《白虎通》鈔襲宋衷之緯注甚多」，進而推論《白虎通》更在宋衷之後，此說與事實不盡相符。

二、辨「《白虎通》非章帝所稱制臨決者」

洪業舉《白虎通》「三年一禘」為例，說明《白虎通》「與漢制往往不合」，證明《白虎通》並非章帝所稱制臨決之書。于首奎反駁認為，《白虎通》所以與當時漢制不合，「可能是

42　《詩・大雅・旱麓》卷十六之三，頁 560。

因為古書長期輾轉傳抄，增益失損，有些材料魚魯互錯，亥豬交差，這可以說是一種『難免』的『正常』現象。」[43]由於于首奎之立場與孫詒讓一致，肯定《白虎通》乃是白虎觀會議之產物，所以將《白虎通》文本與當時漢制不合之現象，歸咎於故書傳鈔所產生之謬誤。[44]于首奎如此解釋，固屬臆測，無從稽核真偽。

洪業認為，「一代之經說，往往與其時之典章制度有關」，並且斷言《白虎通》所論「何其又與漢制往往不合」。洪業引《後漢書・張純傳》卷三十五（洪業作「卷六十五」），光武帝建武二十六年（50）曰：

> 二十六年，詔純曰：「禘、祫之祭，不行已久矣。『三年不為禮，禮必壞；三年不為樂，樂必崩』。宜據經典，詳為其制。」純奏曰：「禮，三年一祫，五年一禘。《春秋傳》曰：『大祫者何？合祭也。』漢舊制三年一祫，毀廟主合食高廟，存廟主未嘗合祭。元始五年，諸王公列侯廟會，始為禘祭。又前十八年親幸長安，亦行此禮。禮說三年一閏，天氣小備；五年再閏，天氣大備。故三年一祫，五年一禘。……斯典之廢，於茲八年，謂可如禮施行，以時定議。」帝從之，自是

43　《兩漢哲學新探》，頁 227。

44　于首奎言：「（孫詒讓）他認為《白虎通議》是建初的原名，“通德論”是六朝人的改題，《白虎通》則是《白虎通義》的簡稱。而《白虎通義》原是班固根據《白虎議奏》中的《五經雜議》部分編寫的。……我們認為，孫詒讓之說，是比較合理的。……周、孫、莊氏之說雖然不同，但是，他們卻都一致認為，《白虎通》是白虎會議的產物。它是由班固撰寫的。」《兩漢哲學新探》，頁 225。

禘、祫遂定。[45]

張純稱「三年一祫」固屬漢代舊制，主張建議「三年一祫，五年一禘」，光武帝從其奏，自是禘、祫已有定論。洪業引《禮緯稽命曜》稱已有其文。

案：《禮緯稽命徵》曰：「三年一祫，五年一禘。經紀所論禘祫與禴祭，其言鮮矣。」[46]《古微書》、[47]《緯書》、[48]《七緯》、[49]《諸經緯遺》、[50]《玉函山房輯佚書》、[51]《緯攟》、[52]《通緯》、[53]等諸緯書集成皆曰：「三年一祫，五年一禘」。（《緯書集成》及《南齊書．禮志》皆引《禮緯稽命徵》，[54]洪業稱《禮緯稽命曜》，應是訛誤。）張純謂「元始五年，諸王公列侯廟會，始為禘祭」，然而，考《漢書．平帝紀》元始五年則稱「祫祭明堂」，[55]可知張純已經混同禘、祫二祭，因此李賢注曰：「今純及司馬彪並云『禘祭』，蓋禘、祫俱是大祭，名可通也。」[56]光武帝既感歎禘、祫之祭，不行已久，且不知二祭之制，故下詔張純「宜據經典，詳為其制」，而張純既主

45 《後漢書．張純傳》卷三十五，頁 1195。
46 （元）陶宗儀編：《說郛》，《緯書集成》，頁 115。
47 《古微書》引《禮稽命徵》，頁 255。
48 《緯書》引《禮緯．稽命徵》，頁 755。
49 《七緯》引《禮稽命徵》，頁 875。
50 《諸經緯遺》引《禮稽命徵》，頁 1057。
51 《玉函山房輯佚書》引《禮緯稽命徵》，頁 1233。
52 《緯攟》引《禮稽命徵》，頁 1489。
53 《通緯》引《禮稽命徵》，頁 1756。
54 《南齊書．禮志》卷九上，頁 118。
55 《漢書．平帝紀》卷十二，元始五年曰：「五年春正月，祫祭明堂。諸侯王二十八人、列侯百二十人、宗室子九百餘人徵助祭。禮畢，皆益戶，賜爵及金帛，增秩補吏，各有差。」頁 358。
56 《後漢書．張純傳》卷三十五，頁 1196。

張「三年一祫」，又混同禘、祫二祭之名。即使建武二十六年「禘、祫遂定」，然而至章帝詔開白虎觀會議止，事隔近三十年（50-79），無法確定《白虎通》稱「三年一禘」之說，必然與「其時之典章制度」不同。

況且，《春秋左傳・僖公》經八年曰：「秋七月，禘于大廟，用致夫人。」杜預注曰：「禘，三年大祭之名。」正義曰：「釋天云禘大祭也。言其大於四時之祭，故為三年大祭之名，言每積三年而一為此祭也。……三年一禘」；[57]《宋書・禮志》記晉安帝義熙二年六月孔安國引御史中丞范泰之議曰：「三年一禘」；[58]《隋書・禮儀志》曰：「三年一禘，五年一祫，謂之殷祭。」[59]而《舊唐書・禮儀志》太常議曰：

> 禘祫二禮，俱為殷祭，祫為合食祖廟，禘謂諦序尊卑。……又按《禮緯》及《魯禮禘祫注》云，三年一祫，五年一禘，所謂五年而再殷祭也。又按《白虎通》及《五經通義》、許慎《異義》、何休《春秋》、賀循《祭議》，並云三年一禘。何也？以為三年一閏，天道小備，五年再閏，天道大備故也。此則五年再殷，通計其數，一祫一禘，迭相乘矣。今太廟禘祫，各自數年，兩岐俱下，不相通計。……求之禮文，頗為乖失。[60]

禘、祫二禮，俱為殷祭，一祫一禘，或一禘一祫，二禮循環交

57 （晉）杜預注・（唐）孔穎達等正義：《左傳》（臺北：藝文印書館，1997年，《十三經注疏》），《左傳・僖公》卷十三，頁216。
58 （梁）沈約：《宋書》（臺北：鼎文書局，1975年），〈禮志〉卷十六，頁453。
59 《隋書・禮儀志》卷七，頁131。
60 《舊唐書・禮儀志》卷二十六，頁997-998。

替，或許禘、祫二名可互通也。誠如洪業所言：「禘祫之釋，歷代爭辯，治絲而紛」，（頁6）而《禮緯稽命徵》曰：「三年一祫，五年一禘。經紀所論禘祫與禴祭，其言鮮矣。」禘、祫二制既未有定論，而張純建議又自相矛盾，且張純建議距白虎觀會議三十年，洪業以「三年一禘」之例證明《白虎通》所論「何其又與漢制往往不合」，效力稍嫌不足。

其次，假設《白虎通》是白虎觀會議之彙編資料，而白虎觀會議之宗旨是「講議《五經》同異」，會議討論之議題，固然可能與其時之典章制度有關，但會議講論結果是否必然與其時之典章制度一致？白虎觀會議之討論，乃是以統一經說為目的，非以當時制度為基準；若《白虎通》須經章帝稱制臨決，章帝亦不必然執著於當時之典章制度，而反對會議討論經說之結果。換言之，縱使《白虎通》與現行制度不同，章帝未必然因現行制度與會議結論不合而反對會議結果；反之，《白虎通》是否藉此對現行制度進行改革而提出建言，亦無不可能。因此，洪業以「三年一禘」論證《白虎通》與當時制度不同，進而證明「《白虎通》非章帝所稱制臨決者」，理由亦不充分。

附帶一提，《白虎通・考黜篇》沿用西漢以來「九錫」之稱，至《魏志》獻帝策封曹操亦稱「九錫」，然而宋衷注《禮緯含文嘉》則不依《白虎通》，而改稱「九賜」，故洪業舉引此例，無法確定《白虎通》必然鈔襲宋衷注文而必在建安十八年之後。總之，縱使《白虎通》之「三年一禘」，與其「所論與漢制往往不合」，既無法證明「《白虎通》非章帝所稱制臨決者」。雖然洪業主張《白虎通》非章帝所稱制臨決者之理由不足，然而，揭示《白虎通》文本與漢制往往不合之現象，仍值得持續關注。

三、辨「《白虎通》為三國時作品」

洪業舉證《白虎通》鈔襲宋衷緯注之痕跡，「已瞭若指掌」，故《白虎通》之出，其必作於獻帝策封曹操為魏公加九錫之建安十八年（213）之後；又《白虎通》初次被繆襲見引，故《白虎通》必出於正始六年（245）之前。因此，洪業斷定《白虎通》為三國時作品。正因此《白虎通》為三國時作品，所以造成「不僅許慎馬融不能得其書而讀之，且蔡邕鄭玄並不曾舉引」之特殊現象。

若《白虎通》是三國時作品（213-245），則《白虎通》與白虎觀會議之關係屬性為何？洪業既已知蔡邕之時尚有卷數逾百之「白虎議奏」，而蔡邕卒於初平三年（192），則此一證據顯然與其所推測之時間衝突。因此，洪業假設：蔡邕之後有好事者，利用蔡邕之「白虎議奏」為底本，更撮合經緯注釋，而成「白虎通義」；然而此「好事者」又不似有意偽作，於是洪業再假設一「更有好事者」，附會於班固之名，而成《白虎通》。換言之，洪業依然肯定《白虎通》仍白虎觀會議之文獻資料，只是其中摻雜後人損益材料編纂而成。[61]雖然《白虎通》「不足以代表東漢中葉之經說」，但卻是「研究漢末魏初經

61　林麗雪亦有類似見解：「要而言之，白虎通本屬五經雜義之書，每一經說，文意自足，前後行文，不必相屬；又經隋唐兩朝禁絕讖緯，舊入秘書，久為佚典，舛誤遺漏，乃至增刪改纂，在所難免。」〈有關白虎通的著錄及校勘諸問題〉，《孔孟月刊》第25卷第4期（1986年12月），頁34。

說之絕好材料」。（頁9）至於白虎議奏之原始文件與好事者之雜揉成分，洪業則未予置評。

洪業序文看似解決許多環繞於《白虎通》文本之諸多問題，然而，洪業所假設之「好事者」，及《白虎通》與白虎觀會議之關係，仍存有疑點。

案：白虎觀會議之宗旨原則在「講議《五經》同異」，然而此「好事者」，既用「白虎議奏」「更撮合經緯注釋」，又「兼用今古，雜揉讖緯」，顯然違背章帝詔開白虎觀會議之宗旨。再者，白虎觀會議之詔開緣起，乃因「《五經》章句煩多，議欲減省」，然而此「好事者」，卻「兼用今古，雜揉讖緯，但求其博，不厭其亂」，（頁9）造就《白虎通》如「此般經說一種之《爾雅》《說文》也」，（頁9）足見此「好事者」之作法，適與白虎觀會議之宗旨背道而馳。若「好事者」用「白虎議奏」之材料時，不知「白虎議奏」為何物，則此「好事者」乃愚者也；若知「白虎議奏」為何物，仍用其材料，更撮合經緯注釋，兼用今古，雜揉讖緯，則此「好事者」是誣者也；洪業所假設之「好事者」，非愚則誣也！洪業既已發現《白虎通》非班固所撰，非章帝所稱制臨決，通書已非當時舊貌，然而洪業假設二種「好事者」，用以解釋《白虎通》文本與史書記載所以不符之原因，理由不免牽強，又無從考核。

其次，洪業既採信莊述祖之考據，堅信「蔡邕之時尚有《白虎議奏》，卷數逾百」，又假設「好事者」使用「白虎議奏」，再加以「撮合經緯注釋」而成「白虎通義」，「白虎通義」流俗省稱即是「白虎通」。但是，洪業既肯定「蔡邕之時尚有《白虎議奏》」，卻又主張《白虎通》「其必作於建安十八年之後」，如此則產生一個疑問，即：白虎觀會議之後如果有蔡邕所謂之「白虎議奏」文獻存世，則白虎觀會議之後至蔡邕過世百餘年間（79-192），為何「不僅許慎馬融不能得其書而讀之，且蔡邕鄭玄並不曾舉引」？此一洪業所發見之特殊現象，依然無法從洪業之考據中得到合理之解答。

最後，章帝詔開白虎觀會議乃因「《五經》章句煩多，議欲減省」，會議目的「欲使諸儒共正經義，頗令學者得以自助」，若有蔡邕所謂「白虎議奏」，則宜當及時公諸於世，頗令學者得以自助，豈會百餘年間無人聞問？考之《後漢書》，記其事者詳，而載其書則略，若會議之後有任何形式之文獻資料存留，則史書為何只記其事，未載其書？此外，白虎觀會議後四年，章帝於建初八年（83）詔曰：

> 《五經》剖判，去聖彌遠，章句遺辭，乖疑難正，恐先師微言將遂廢絕，非所以重稽古，求道真也。[62]

白虎觀會議後四年，章帝依然感歎《五經》「章句遺辭，乖疑難正」，此詔是否意味著：四年前「講議《五經》同異」之白虎觀會議，並未有會議資料公諸於世？否則，當時太常博士與碩學鴻儒從未提及此書？縱使有所謂「白虎通」、「白虎通義」或「白虎議奏」公諸於世，顯然並未達到「欲使諸儒共正經義，頗令學者得以自助」之預期成效；否則，以統一經說為目的之「白虎通」，通行四年之後，章帝為何依然質疑「《五經》剖判，去聖彌遠，章句遺辭，乖疑難正」？換言之，洪業若採認蔡邕之時即有卷數逾百之「白虎議奏」，或是肯定白虎觀會議

62　《後漢書‧章帝紀》卷三，頁145。

後存有任一形式之文獻資料，而為「好事者」利用其材料，兼用雜揉而成《白虎通》，則洪業應說明解釋：為何白虎觀會議後百年間無人聞問？並且，「欲使諸儒共正經義，頗令學者得以自助」之重大學術資源，為何百年之後，獨厚蔡邕一人？

《白虎通》與白虎觀會議兩者之時間關係與歷史記錄，製作簡表如下。

時　間	歷史記錄與出處
東漢建初四年（79）	《後漢書．章帝紀》：「於是下太常，將、大夫、博士、議郎、及諸生、諸儒會白虎觀，講議《五經》同異，使五官中郎將魏應承制問，侍中淳于恭奏，帝親稱制臨決，如孝宣甘露石渠故事，作白虎議奏。」 《後漢書．儒林列傳》：「建初中，大會諸儒於白虎觀，考詳同異，連月乃罷。肅宗親臨稱制，如石渠故事，顧命史臣，著為通義。」 《後漢書．班固列傳》：「天子會諸儒講論《五經》，作《白虎通德論》，令固撰集其事。」
中平六年光熹元年（189）	蔡邕〈巴郡太守謝版〉：「詔書前後，賜石鏡奩《禮經素字》、《尚書章句》、《白虎議奏》合成二百一十二卷。」
魏正始六年（245）	魏繆襲引《白虎通》云：「三王祭天，一用夏正。所以然者，夏正得天之數也。」（《南齊書．禮志》）
元大德九年（1305）	李顯翁持劉平父家所藏是書善本見張楷，東平郡守並允然以此書鏤板重印。（張楷《白虎通》序） 今錫學得劉守平父家藏《白虎通》善本，繡梓以廣其傳。（嚴度《白虎通》序）
清乾隆四十九年（1784）	盧文弨所校刻之《白虎通》，乃就何允中之《漢魏叢書》元大德本之重印本。（盧文弨「校刻《白虎通》序」）

	《白虎通義》乃「白虎議奏」之略本，故《白虎通義》與「白虎通」實指二事。（莊述祖〈白虎通義考〉）
光緒元年（1875）	《白虎通》十二卷，五十篇（陳立《白虎通疏證》）
民國二十年（1931）	《白虎通》為「偽作」：「疑其書非班固所撰」，「疑其非章帝所稱制臨決者」，「疑其為三國時作品」。（洪業〈《白虎通》引得序〉）

上列表格內容說明如下：

東漢建初四年（79）：《後漢書》最早記載白虎觀會議之緣起。

東漢中平六年光熹元年（189）：白虎觀會議之後，「白虎議奏」之名，初見於蔡邕〈巴郡太守謝版〉。

魏正始六年（245）：《白虎通》文本首次被繆襲引用。

元大德九年（1305）：李顯翁持劉平父家所藏《白虎通》善本見張楷，郡守允然以此善本《白虎通》鏤板重印，開始廣為流傳。

清乾隆四十九年（1784）：盧文弨就元大德本之重印本校刻《白虎通》。莊述祖著〈白虎通義考〉。

清光緒元年（1875）：陳立著《白虎通疏證》。

民國二十年（1931）：洪業著〈《白虎通》引得序〉。

第五節　小　結

由此不難看出洪業〈白虎通引得序〉論述重點與主張。洪業既已看出《白虎通》之行文氣韻「非班固所撰」，且其典章制度與漢制往往不合，應「非章帝所稱制臨決者」；但是，礙於蔡邕時有卷數逾百之「白虎議奏」，及魏繆襲引《白虎通》文本之事證，故洪業極力蒐羅《白虎通》文本與宋衷緯注相似處，證明《白虎通》鈔襲宋衷之注文，由此推論《白虎通》「為三國時作品」，進而以此解釋：「所以不僅許慎馬融不能得其書而讀之，且蔡邕鄭玄並不曾舉引」之特殊現象。又因為《白虎通》文本「更撮合經緯注釋」，「兼用今古，雜揉讖緯」，因此，洪業又假設二種「好事者」：前者用「白虎議奏」之材料，撮合經緯注釋而成「白虎通義」，而後者則將「白虎通義」附會而歸之于班固之名。然而，洪業之考據與推論，既無法解釋白虎觀會議後百餘年間無人聞問會議資料之疑竇，而且考據《白虎通》鈔襲宋衷之說，仍有諸多商榷餘地；至於假設「好事者」「用其材料，更撮合經緯注釋」而成《白虎通》之事，缺乏有效事證而流於主觀臆測。總之，洪業縱使發現環繞於《白虎通》之諸多疑點，並且試圖尋求解答，然而，洪業終究又落入「皆認今之所謂《白虎通》者，乃白虎觀會議之產品」之傳統窠臼中，因此無法合理解答自己所發現之問題。

民國以前，除陳立疏證《白虎通》外，學者研究《白虎通》之重點，大多圍繞版本校讎，闕文補遺，及書名、作者與篇卷數目等議題。在以《白虎通》為東漢白虎觀會議之任一形式之資料文獻之前提下，學者極力綰合《白虎通》文本與史書記載不相應之問題，唯洪業能獨具隻眼，揭示《白虎通》與史書記載不相應問題，大膽斷言《白虎通》：「疑其書非班固所撰」，「疑其非章帝所稱制臨決者」，「疑其為三國時作品」。雖然洪業三項主張之論證仍留有破綻，然而，其考據成果與揭示研究方向，在研究《白虎通》之歷程中，留有不可抹滅之印記。

第七章　林聰舜考據成果與商榷

自清代莊述祖、孫詒讓與劉師培相繼主張元大德本《白虎通》卷帙應「正名」為「白虎通義」，至洪業則「疑其書非班固所撰」、「疑其非章帝所稱制臨決者」、「疑其為三國時作品」；環繞於《白虎通》卷帙與白虎觀會議事跡兩者之間，諸多不相應問題，始終懸而未決。2013年林聰舜出版《漢代儒學別裁：帝國意識形態的形成與發展》一書，第八章〈帝國意識形態的重建—扮演「國憲」基礎的《白虎通》思想〉，堅持《白虎通》是「章帝親自主持、裁決的經學會議所得結論編撰而成之總結」之卷帙文獻，主張《白虎通》是扮演漢代帝國意識形態之「國憲」思想基礎，自成一套經學服務於政治之社會倫理學觀點。本章以林聰舜〈帝國意識形態的重建—扮演「國憲」基礎的《白虎通》思想〉一章為中心，分析、商榷林聰舜研究《白虎通》之考據成果與主張，並以林聰舜此章，標誌戰後臺灣現階段研究《白虎通》之時代意義。

第一節　林聰舜〈帝國意識形態的重建——扮演「國憲」基礎的《白虎通》思想〉

林聰舜，民國四十二年生（1953）。臺灣國立清華大學中國文學系官方網頁公布訊息，林聰舜，專任教授，國立臺灣師範大學文學博士；曾任職：《清華學報》主編（1993-1997）、美國普林斯頓大學東亞系／歷史系「傅爾布萊特基金會」訪問學者（1994-1995）、香港嶺南大學中文系訪問教授（2007-2008）、清華大學中國文學系系主任（2008-2011）。林聰舜學術研究專長：先秦兩漢思想、魏晉思想、《史記》《漢書》、明清思想。林聰舜著作計有：「專書」七筆、「期刊論文」三十八筆、「專書論文（含研討會論文已發表者）」十九筆、「研討會論文」一筆、「其他（翻譯）」五筆、「研究計畫」十一筆。綜觀林聰舜學術研究與著作，論述範圍上自西漢《史記》，下迄臺灣「新統治霸權」，涉獵廣博，學貫古今。林聰舜治學與專長，以中國思想學門為主，透過史料文獻分析，釐清學術思想與政治權力關係；並且致力詮釋中國思想理論與政治發展之依存、共生關係，建構一套以史料文獻為基礎，以思想理論為架構，以政治實效為依歸之社會倫理學。2013年由國立臺灣大學出版《漢代儒學別裁：帝國意識形態的形成與發展》，[1]全書共有九章（無「前言」，第九章「結論」），前八章均是林聰舜

1 林聰舜：《漢代儒學別裁：帝國意識形態的形成與發展》（臺北：國立臺灣大學出版社，2013）。本章以下凡引林聰舜〈帝國意識形態的重建——扮演「國憲」基礎的《白虎通》思想〉，皆從此本，隨文附加頁碼，不另加註。

個人已經發表在重要期刊或是會議論文集之單篇論文，是林聰舜近二十年來對漢代學術思想與政治社會關係之總集成，恰可標誌林聰舜研究中國漢代思想之里程碑。本章討論中心〈帝國意識形態的重建——扮演「國憲」基礎的《白虎通》思想〉，即收錄在《漢代儒學別裁》最終章（第八章）；此章最初發表於1996年「國科會85年度哲學學門專題計畫研究成果發表會」，其後收錄在中央研究院中山人文社會科學研究所《哲學論文集》（1998）。

林聰舜《漢代儒學別裁》「自序」言：

> 這部書是以儒學發展成為漢帝國意識形態之核心為主軸，探討此一發展過程前後所呈現的某些面相，特別是在此過程中，儒學有哪些特質讓它成功扮演帝國意識形態的角色？又是如何自我調整，使其得以在長期思想競逐中勝出？此外，本書也特別留意莊嚴的儒學論述背後蘊藏的權力關係，諸如經學理想、帝國統治、儒者利益之間互相依賴又互相牽制的關係。（vii）

林聰舜運用「意識形態」（ideology）觀念，詮釋演繹漢代學術思想與社會政治關係。儒學所以成為漢代學術思想主流，並且能長期佔據漢代主流思想地位，乃是因為漢代儒學論述之特質，成功地扮演漢代帝國意識形態之角色，並且可以自我調整、自我轉化、重新論述、與時俱進。然而，表相莊嚴之儒學，論述背後蘊藏著權力關係：諸如經學理想、帝國統治與儒者自身利益，皆是儒學論述與權力關係互相依賴且又互相牽制之複雜關係，也是漢代「儒學生存發展必然表現的樣態」。

《漢代儒學別裁》第八章與最早發表於1996年「國科會85年度哲學學門專題計畫研究成果發表會」〈帝國意識形態的重建——扮演「國憲」基礎的《白虎通》思想〉，兩者文本比較，《漢代儒學別裁》第八章除誤字訂正，更正句逗與修辭，以及為適應專書要求而統一注釋格式之外，只有在第二節「章帝制定『國憲』的努力與白虎觀會議的召開」增補二段較大篇幅文字；除此之外，前後文兩者論述主軸，始終維持一貫立場，顯示林聰舜堅持二十年前之主張不變。並且，標題：〈帝國意識形態的重建——扮演「國憲」基礎的《白虎通》思想〉，維持不變，說明林聰舜將《白虎通》視為東漢帝國「國憲」之思想基礎，是重建帝國意識形態之代表作品。[2]

第二節　林聰舜考據成果與主張

關於林聰舜治《白虎通》之學術成果，有目共睹，無需贅述；此外，林聰舜以「意識形態」之歷史觀點分析《白虎通》文本內容意義，亦非本書探討對象；本書本節僅就林聰舜研究《白虎通》卷帙與白虎觀會議事跡之關係、《白虎通》與「國憲」之關係、以及《白虎通》引述讖緯條文等三項問題提出討論。

2 本書以下凡引〈帝國意識形態的重建——扮演「國憲」基礎的《白虎通》思想〉，以《漢代儒學別裁：帝國意識形態的形成與發展》第八章為準；若與1996年論文有相異或增修之處，則加說明。1996年「國科會85年度哲學學門專題計畫研究成果發表會」論文稱「前文」，2013年《漢代儒學別裁》第八章稱「後文」。

一、《白虎通》乃東漢白虎觀會議之卷帙文獻

林聰舜言：

> 《白虎通》是東漢章帝時期，皇權有計畫地介入儒學解釋權下的產物，它的出現，代表章帝對儒學扮演帝國意識形態的重要性的高度認知。（頁213）

林聰舜主張，章帝利用政治權力介入儒學，透過儒學解釋權以建立帝國意識形態，而《白虎通》便是政治權力運作下之產物，亦是儒學對帝國意識形態之貢獻。此乃是林聰舜對《白虎通》之基本主張。

關於《白虎通》之由來，林聰舜根據《後漢書・肅宗孝章帝紀》記載內容，建初四年（79），章帝接受楊終建議，於洛陽北宮白虎觀，召開「正經義」之經學會議；《白虎通》即是東漢章帝白虎觀經學會議之文獻資料。[3]林聰舜言：

> 這就是《白虎通》的由來。而《後漢書・儒林列傳》所載的「顧命史臣，著為《通義》」，這位史臣正是《漢書》的作者班固，「天子會諸儒講論五經，作《白虎通德論》，令固撰集其事。」由此可知，《白虎通》記載的是章帝親自主持、裁決的經學會議的決議，班固則是這部著作的整理者。（頁215-216）

---

3 《後漢書・肅宗孝章帝紀》曰：「於是下太常，將、大夫、博士、議郎、郎官及諸生、諸儒會白虎觀，講議《五經》同異，使五官中郎將魏應承制問，侍中淳于恭奏，帝親稱制臨決，如孝宣甘露石渠故事，作白虎議奏。」《後漢書》卷三，頁137-138。

關於《白虎通》一書由來，林聰舜遵循傳統學術共識，以為《白虎通》「是章帝親自主持、裁決的經學會議的決議，班固則是這部著作的整理者」。正因為林聰舜將《白虎通》視為東漢白虎觀會議之文獻資料，因此，《白虎通》之出現，正足以「代表章帝對儒學扮演帝國意識形態的重要性的高度認知」。

至於《白虎通》，以及與《白虎通》有關之著作名稱，如：「白虎通義」、「白虎議奏」、「白虎通德論」等三種不同稱呼，林聰舜在1996年「前文」，主張以學界常用之「白虎通」名稱稱呼。林聰舜言：

> 于首奎承孫詒讓之說，認為《（白虎）通義》、《白虎通》、《白虎通德論》是同一本書，而且是《白虎議奏》的省略本，至於《白虎議奏》專論一經部份已散佚，說頗可取。今承《五代史・經籍志》、《舊唐書・經籍志》、《通志・藝文略》、《宋史・藝文志》等稱法，以學界最常用的《白虎通》之名名之。[4]

至2013年「後文」（《漢代儒學別裁》），林聰舜將上述正文部分置於「注釋」之內，並且罕見地在正文中增加十四行文字。林聰舜言：

> 其中，《白虎議奏》是「五官中郎將魏應承制問，侍中淳于恭奏，帝親稱制臨決」的原始材料整理而成，與《白虎通義》應是不同的兩部書。至於《白虎通德論》與《白虎通義》是否同一部書，則很難斷定，……而不論

4 「國科會 85 年度哲學學門專題計畫研究成果發表會」論文，頁 3。

> 《白虎通德論》與《白虎通義》是否為同一部書，由於只有《白虎通義》流傳下來，將其視為章帝親自主持、裁決的經學會議所得結論編撰而成之總結，大致不會有問題。而且既名為《通義》，則代表它是整合性的、通行天下的經義，《白虎通》則為《白虎通義》的簡稱，也是通行的稱呼。（頁216-217）

林聰舜1996年「前文」採取孫詒讓與于首奎之說法，將《白虎通》視為「通論」《五經》之「白虎通義」，但是捨棄孫詒讓正名「白虎通義」之主張，仍然保留學界最常用的名稱「白虎通」。至於2013年「後文」，則接受劉師培與鍾肇鵬之主張，[5]以為白虎觀會議有二種文本傳世：一種是會議原始材料之「白虎議奏」，另一種則是會議結論編撰而成之總結「白虎通義」，《白虎通》即屬後者。林聰舜前後文雖有所修正，但是卻不執著於名稱為何，一貫以「白虎通」之名名《白虎通》文本；林聰舜認為，此乃是「學界最常用」、「也是通行的稱呼」，只要把握《白虎通》「將其視為章帝親自主持、裁決的經學會議所得結論編撰而成之總結，大致不會有問題」。

5 林聰舜於《漢代儒學別裁》注釋 12 說：「鍾肇鵬總結前人研究，認為《白虎議奏》是根據白虎觀會議的原始紀錄整理而成，《白虎通義》是根據白虎觀會議的結論撰寫而成，《白虎通》是《白虎通義》的簡稱。至於《白虎通德論》可能是《白虎功德論》之誤；又承劉師培〈白虎通義源流考〉的說法，認為《白虎通德論》也可能本應作《白虎通》、《功德論》，是兩種不同的著作。鍾肇鵬總結前人研究的說法，在沒有新證據出現前，是比較平穩的說法，可參見鍾肇鵬：〈白虎通義的哲學和神學思想〉，《中國史研究》（1990 年第 4 期）。」頁 217。

二、白虎觀會議與章帝制定「國憲」之事息息相關

林聰舜認為，章帝所以大費周章召開白虎觀會議，其實與日後制定「國憲」之事息息相關。林聰舜言：

> 章帝急切想制定「國憲」，是他想藉著統一的禮制，作為帝國制度的規範，所以當時視之為「一世大典」。他召開白虎觀會議，則是因為當時經學發展過於煩瑣，支離破碎，缺乏作為帝國指導思想的作用，所以必須整合經義，欽定經學的要旨，使能有效地為朝廷服務。（頁219）

章帝時之經學問題，是「《五經》章句煩多，議欲減省」，而煩瑣、雜亂之經學無法發揮指導思想之作用，唯有「共正經義」、統一經說後之經學，才能發揮提供帝國思想指導原則之功能。換言之，章帝召開白虎觀經學會議，一方面可以「共正經義」，解決經學煩瑣、雜亂問題；另一方面，整合經義，欽定經學要旨，才能提供帝國思想指導原則，有效為朝廷服務，經學與政治問題一併解決，一舉而兩得。

白虎觀會議與制定「國憲」之事息息相關，而《白虎通》卷帙既是「提供帝國思想指導原則」，與日後制定「國憲」之規劃藍圖，則《白虎通》之重要性，不言可喻。林聰舜言：

> 白虎觀會議的召開，正是與章帝制定「國憲」的熱切企圖心息息相關。我們可以把《白虎通》的產生，視為章

> 帝制定「國憲」的努力的一部分，而且就今日的角度來看，《白虎通》的重要性甚至遠超過本想作為「國憲」的漢禮百五十篇。因為《白虎通》探討的是更為根源性的經義統一的問題，唯有作為漢帝國指導思想的經義整合成功了，才能有效論證整個體制的合理性，包括「國憲」的合理性，也才能企求「永為後世則」。而章帝大張旗鼓地大會諸儒於白虎觀，連月乃罷，且「親臨稱制」，可見他也意識到整合經義，作為漢帝國指導原則的重要性。（頁218）

林聰舜且從歷史發生事件分析，認為白虎觀會議與八年後制定「國憲」兩事，具有前後因果關係，意即：章帝召開白虎觀會議之目的，乃是為八年後制定《漢禮》之「國憲」工程預做準備。白虎觀會議統一經義之目的，乃是提供制定《漢禮》時之根源性之帝國指導原則，因為《白虎通》有效整合經義，「才能有效論證整個體制的合理性」；因此，《白虎通》之重要性，更甚於八年後百五十篇之《漢禮》，而《白虎通》，便是儒學提供章帝建立帝國意識形態之確鑿證據。

林聰舜於「後文」再次增加一段文字言：

> 因此，《白虎通》不但是章帝命令曹褒制定的「國憲」的思想基礎，它的作用更遠超過於此，可用以論證整個帝國體制的合理性。在此一認識下，亦可由較寬廣的角度解釋本文標題所使用的「國憲」的意義，它不只是章帝命曹褒改訂禮制，以為一世大典的《漢禮》；更可把它視為規範整個帝國制度或統治秩序的廣義的禮制。扮演

> 「國憲」基礎的《白虎通》思想，正具有作為廣狹兩種意義的禮制的思想基礎的作用。（頁218-219）

林聰舜認為，《白虎通》是白虎觀經學會議之決議，可用以論證整個帝國體制之合理性，亦是章帝命令曹褒制定《漢禮》時之思想基礎，更進一步言，從「廣狹兩種意義的禮制」看，《白虎通》亦可視為「規範整個帝國制度或統治秩序的廣義的禮制」。換言之，林聰舜認為，《白虎通》文本不僅提供帝國意識形態之思想理論基礎，究其實，《白虎通》本身即是一部足堪「規範整個帝國制度或統治秩序的廣義的禮制」。

三、《白虎通》引述讖緯乃是歷史要求

林聰舜治《白虎通》重大成果之一，即是從歷史學觀點，詮釋《白虎通》文本作為儒學樣本與東漢政治思想之關聯性，而《白虎通》雜引讖緯一事，亦與歷史發展有關，是東漢儒學「必然要走的一條路」。林聰舜言：

> 關於《白虎通》多雜讖緯一事，清今文學家莊述祖已云：「是書之論郊祀、社稷、靈臺、明堂、封禪，悉檃括緯候，兼綜圖書，附世主之好。」侯外廬更認為《白虎通》全書百分之九十的內容出於讖緯。侯說雖嫌誇張，但《白虎通》大量援引讖緯卻是不爭的事實。鍾肇鵬的說法較平實，根據他的統計，「明顯的稱引讖緯就達二十餘處，至於『稽合圖讖』，運用讖緯之說的更多了。」（頁230）

林聰舜引用侯外廬、鍾肇鵬等學者說法，肯定《白虎通》摻雜讖緯文句，至於《白虎通》雜引讖緯之理由，林聰舜則援引清人莊述祖之解釋，以為《白虎通》是「附世主之好」。

依林聰舜分析，東漢經學發展，「大致可分為三大系統：今文經學、古文經學與讖緯」，（頁224）因為儒學內部分歧，所以造成經學趨於煩瑣、雜亂，而煩瑣、雜亂之儒學，無法提供帝國意識形態之思想理論基礎。林聰舜言：

> 儒學內部分為三大系統，各自爭取對經學的解釋權，以鞏固自己的地位，結果是眾說分歧，既趨於煩瑣，甚至會出現不利統治階級的論點，因此就統治者的立場而言，需要將不同派別的經學理論加以整合，才能提出有力的論點，作為統治秩序的總綱領。（頁227）[6]

既然煩瑣、雜亂之經學，無法有效提供根源性之帝國指導原則，而儒學內部又分為今文、古文與讖緯三大系統，則章帝「需要將不同派別的經學理論加以整合，才能提出有力的論點，作為統治秩序的總綱領」。

林聰舜主張，讖緯之學在當時已是「儒學內部三大系統」之一，白虎觀會議雖然是「講議《五經》同異」，猶不得不引入讖緯之學，故《白虎通》文本具備讖緯條文，乃是因緣際會之歷史要求。林聰舜言：

---

6 林聰舜《漢代儒學別裁》言：「……在這個問題上，安居香山承日本《公羊》學權威日原利國的說法指出，白虎觀會議表面上採用今文學家（包含讖緯思想），實質上傾向於古文經、《左氏》的立場，採用了經書的國家主義的解釋。此一論點敏銳地看到了白虎觀會議的政治意圖。」頁228。

> 在東漢，讖緯神學的勢力是不可一世的，它得到對經學最大的解釋權，讖緯對經學的影響，有時甚至大於經學對讖緯的影響；而且國之大事，諸如任命大臣、論定皇帝功德、決定一代禮儀大事等，經常取決於讖緯神學。任何人都無法忽視讖緯思想這股大勢力。（頁226）

林聰舜認為，東漢是讖緯思想盛行之時代，讖緯不僅擁有經學最大解釋權，有時甚至凌駕經學之上，是一股不容忽視之大勢力。讖緯思想既然如此「不可一世」，則白虎觀會議便無排斥理由或藉口，討論經學之會議，自然融入讖緯這股大勢力。林聰舜言：

> 當然，就如陰陽五行之說在董仲舒時已被視為儒學的一部分；同樣地，讖緯之學在《白虎通》時代也與經學融合在一起，代表當時人認識世界的思維模式，《白虎通》想要有效扮演帝國意識形態的角色，是無法排斥讖緯之學，且必然要透過讖緯之學論證其經學思想，這是儒學要順利推展下去，必然要走的一條路。（頁256）

讖緯之學在《白虎通》之時與經學並駕齊驅，兩者交互影響，《白虎通》不僅無法擺脫讖緯之學，甚至「必然要透過讖緯之學論證其經學思想」，此乃儒學發展之必然結果。因此，讖緯與經學在《白虎通》文本之中交織，恰適反映當時儒學發展之歷史要求。

第三節　林聰舜考據成果與主張之商榷

白虎觀會議距今已逾一千九百四十年（79-2019），元大德本《白虎通》（1305）問世亦不過七百餘年，若白虎觀會議果真有卷帙傳世，且《白虎通》即是白虎觀會議之卷帙，則「扶進微學，尊廣道藝」，「欲使諸儒共正經義，頗令學者得以自助」之會議卷帙，何以會議之後百年間無人聞問？[7]甚至沈寂隱沒一千二百年（79-1305）？細索林聰舜研究《白虎通》所提上述三項主張，容有商榷之處。

一、《白虎通》卷帙與白虎觀會議事跡不相應

（一）白虎觀會議緣起與宗旨

東漢建初元年（76），《後漢書‧楊終傳》載楊終上疏，[8]重點有三：其一，疏文稱「石渠故事」，顯示西漢「宣帝博徵群儒，論定《五經》於石渠閣」之事，已成典範；其二，楊終建議章帝「宜如石渠故事」，解決當時章句之徒破壞大體之經學問題；其三，依疏文脈絡，楊終所謂「永為後世則」，應是指：章帝可藉此機會建立承先啟後之學術會議典範。建初四年

7 洪業〈白虎通引得序〉曰：「所以不僅許慎馬融不能得其書而讀之，且蔡邕鄭玄並不曾舉引也。」《白虎通引得》，頁9。

8 《後漢書‧楊終傳》曰：「終又言：『宣帝博徵群儒，論定《五經》於石渠閣。方今天下少事，學者得成其業，而章句之徒，破壞大體。宜如石渠故事，永為後世則。』於是詔諸儒於白虎觀論考同異焉。」卷四十八，頁1599。

（79），《後漢書・章帝紀》載曰：「如孝宣甘露石渠故事，作白虎議奏。」（卷三，頁137-138）楊終上疏指陳「章句之徒，破壞大體」，建議章帝「宜如石渠故事，永為後世則」；章帝詔書則是揭示開會宗旨，是「《五經》章句煩多，議欲減省」，「欲使諸儒共正經義，頗令學者得以自助」，章帝詔令太常以下會白虎觀，「講議《五經》同異」，「如孝宣甘露石渠故事」；章帝詔書與楊終上疏前後呼應。因會議在白虎觀舉行，故由淳于恭所作會議紀錄上奏章帝之奏議，名曰「白虎議奏」。[9]

就《白虎通》卷帙篇章結構而言，自〈爵〉、〈號〉，至〈喪服〉、〈崩薨〉四十三篇，上起天子之爵號，下至士、庶人之嫁娶、喪服等種種禮儀規範，[10]內容概括王者以下，至士、大夫之禮法制度，論述範圍極為廣泛，內容呈現縝密且具體之國家整體之組織架構。現代學者大多肯定，《白虎通》是部具體而微之國憲法典，如：夏長樸稱《白虎通》是「一部粗具規模的組織法」；[11]侯外廬則是將《白虎通》視為西漢宣帝、東漢光武之法典和國教予以系統化之作；[12]任繼愈亦以為，《白

9　參考本書第一章第三節「白虎觀會議事跡與卷帙」。

10　李申言：「但大體可以看出，《白虎通義》的順序，可說是從人事講到天道，人事中又是先天子、次公侯、最后是庶民，人事中那共同的問題則是從生講到死。這樣，《白虎通義》就涉及了當時所關心的天道、人事的全過程與方方面面。」《中國儒教史》（上海：上海人民出版社，1999 年）上卷，頁506。

11　夏長樸言：「……從這些大綱及分目（參疏證細目）看來，上自天文，下至地理；陰陽五行災異，及政治社會的制度，教育學術的定規，鉅細靡遺，無所不包，是一部粗具規模的組織法，也是自天子以至於庶人，立身行世的根本。就這一點而言，這部書的出現，象徵著漢帝國成立以來，定思想於一尊的目標實現。」《兩漢儒學研究》（臺北：臺灣大學文史叢刊之四十八，1978年），頁 36。

12　侯外廬言：「到了章帝建初四年（公元七十九年）把前漢宣帝、東漢光武的

虎通》書中內容不外國家、社會制度之制定，確立各種行為准則，「起著法典的作用」。[13]然而，章帝詔書明白揭示：「《五經》章句煩多，議欲減省」，「欲使諸儒共正經義，頗令學者得以自助」，白虎觀會議之宗旨目的，是以西漢宣帝甘露石渠故事為模範，以講議形式解決《五經》同異之經學會議；換言之，章帝召開白虎觀會議之緣起與宗旨，實與國憲法典之事務無關。白虎觀會議既與制定國憲法典無關，而《白虎通》卻是一部具體而微之國憲法典，則《白虎通》卷帙文本性質與白虎觀會議緣起宗旨不相應。

（二）《白虎通》體例不類石渠佚文

白虎觀會議既有意倣效石渠故事，則《白虎通》文本理應與「石渠閣議」一致或相似。由於西漢石渠閣會議卷帙散佚，目前僅依唐代杜佑《通典》所輯，與清代洪頤煊撰集《石渠禮論》殘存佚文十三則，窺見當時會議面貌一二。[14]基本上，「石渠佚文」之體例，每則皆以「問答」方式記錄，而構成「問答」體例之要素，可分為「問題」、「回答」與「結論」三項。

法典和國教更系統化，這就是所謂〞白虎觀奏議〞的歷史意義。……我們認為白虎觀所欽定的奏議，也就是賦予這樣的〞國憲〞以神學的理論根據的讖緯國教化的法典。」《中國思想通史》（北京：人民出版社，1992年），第二卷，頁224～225。

13 任繼愈言：「從形式上看，這套決議雖然只涉及到五經同異中的一些問題，屬于經學的範圍，不算作國家正式頒布的法典，但是它的內容規定了國家制度和社會制度的基本原則，確立了各種行為准則，直接為鞏固統治階級的專政服務，所以它是一種制度化了的思想，起著法典的作用。」任繼愈主編：《中國哲學發展史》（北京：人民出版社，1985年），頁474。

14 石渠佚文全文，參考本書第一章第一節「西漢經學發展」。

舉一例說明：

> （十一）、漢石渠議：「大宗無後，族無庶子，己有一嫡子，當絕父祀以後大宗不？戴聖云：『大宗不可絕。言嫡子不為後者，不得先庶耳。族無庶子，則當絕父以後大宗。』聞人通漢云：『大宗有絕，子不絕其父。』宣帝制曰：『聖議是也。』」[15]

上例條文內容，有提議，有戴聖與聞人通漢二人回答，最後宣帝臨決「聖議是也」。雖然史書記錄「石渠故事」文獻有限，但是，「石渠佚文」記載石渠閣會議討論過程，具體生動，宛若實錄。[16]並且，「石渠佚文」記載會議概況，與《後漢書．章帝紀》描述白虎觀會議事跡之程序，若合符節；[17]可知白虎觀會議宗旨與目的，是要貫徹「石渠故事」講議經學之精神。

反觀《白虎通》四十三篇內容體例，以首篇〈爵〉第一章「天子為爵稱」為例：

> 天子者，爵稱也。爵所以稱天子何？王者父天母地，為

---

15 《通典》卷九十六，禮五十六，〈總論為人後議〉，頁 2581。

16 夏長樸依「石渠佚文」推測石渠閣會議講議過程言：「其一是先由提問人提出經書中的疑難問題，分由不同學者就這個問題發表自己的意見，與會學者彼此交換心得，也順便提出質疑，最後做出大家都接受的結論……；其二是提問人提出問題後，與會學者各自陳述意見，最後由大家決定哪一個人的見解最合適……；其三是提問人提出問題後，學者各自說明一己之見，最後由皇帝提出個人的看法，決定何人的見解最可接受，何人的見解最妥當……；其四，也是最後的一種是，問題提出之後，學者分別提出個人的見解，最後由皇帝裁決……。」〈論漢代學術會議與漢代學術發展的關係——以石渠閣會議的召開為例〉，頁 99。

17 《後漢書．章帝紀》曰：「於是下太常，將、大夫、博士、議郎、郎官及諸生、諸儒會白虎觀，講議《五經》同異，使五官中郎將魏應承制問，侍中淳于恭奏，帝親稱制臨決，如孝宣甘露石渠故事，作白虎議奏。

> 天之子也。故〈援神契〉曰：「天覆地載，謂之天子，上法斗極。」〈鉤命決〉曰：「天子，爵稱也。」帝王之德有優劣，所以俱稱天子者何？以其俱命于天，而王治五千里內也。《尚書》曰：「天子作民父母，以為天下王。」何以知帝亦稱天子？以法天下也。《中侯》曰：「天子臣放勛。」《書亡逸篇》曰：「厥兆天子爵。」何以皇亦稱天子也？以其言天覆地載，俱王天下也。故《易》曰：「伏羲氏之王天下也。」[18]

本章首句「天子者，爵稱也」，是一肯定句，是下文討論之對象。然而，討論之目的，不在檢討此一肯定句之是非對錯，或者是通過交互論證修正或推翻，而是極力論證此一肯定句之合理性與必然性，下文之論證與引述，皆為申論、維護此一肯定句，故此一肯定句，可以視為下文回答之預設「前提」。因此，首句下文：「爵所以稱天子何」、「帝王之德有優劣，所以俱稱天子者何」、「何以知帝亦稱天子」以及「何以皇亦稱天子也」等四項討論「天子」其他稱謂問句，並非質疑「天子者，爵稱也」之命題，而是強化此一命題之合理性；而文內凡引〈援神契〉、〈鉤命決〉、《尚書》、《中侯》、《書亡逸篇》與《易》等，皆是為證成「天子者，爵稱也」此一命題之正當性與神聖傳統，至於文末引述之經典文獻，反成「前提」之注腳。

章帝詔書揭示白虎觀會議宜如石渠故事，故兩會之事跡理應一致；《後漢書》記載白虎觀會議之程序如「石渠故事」，而「石渠佚文」亦能反映石渠閣會議實況，白虎觀會議之程序

---

18 《白虎通》卷一〈爵〉，頁1。

與「石渠佚文」之記載一致。然而，《白虎通》文本在形式上既不同於「石渠佚文」，在內容上又與「石渠佚文」有明顯差異，若謂《白虎通》乃是有意倣效「石渠佚文」之作，於理不通；並且，《白虎通》既無會議講議之紀錄，更不見章帝之稱制臨決，若視《白虎通》如「石渠佚文」之會議資料彙編，又不可信。《白虎通》之內容，既無倣效「石渠佚文」之意，又無會議之講議形式與性質，因此，《白虎通》與「石渠佚文」實不同類。《白虎通》文本，既與「石渠佚文」不同類，又無法呈現白虎觀會議講議過程，則《白虎通》卷帙與白虎觀會議事跡不相應。[19]

（三）會議卷帙名稱分歧

《後漢書》記載白虎觀會議事跡者詳，記載會議卷帙者略。白虎觀會議卷帙名稱，見諸史書目錄者，主要有：「白虎通」、「白虎通義」與「白虎通德論」三種。首先，關於《後漢書．班固列傳》稱「白虎通德論」一名，依周廣業考據，李善《文選．注》嘗引班固《功德論》，以為《後漢書．班固列傳》「作《白虎通德論》」者，乃是脫一「功」字，「通德」二字不得連讀，故〈班固列傳〉所謂「白虎通德論」並非書名，而是指班固作「白虎通」與《功德論》二種文本。周廣業之考據，雖然否定有「白虎通德論」之名，卻產生另一問題，即：周廣業間接證明班固撰「白虎通」之實？如前所述，〈班固列傳〉所稱「白虎通德論」者，應改正為「白虎功德論」，「通」、「功

19　參考本書第四章第四節「孫詒讓考據成果與主張之商榷」。

」兩字音近而訛。[20]《後漢書・班固列傳》曰：「天子會諸儒講論《五經》，作〈白虎功德論〉，令固撰集其事。」「白虎」記其時與地，而「功德論」誌其事，〈白虎功德論〉即是回歸指涉章帝之令：「令固撰集其事」，班固撰集其事之作。[21]

至於「白虎議奏」與「白虎通義」所指為何，以及造成後世稱呼會議卷帙名稱分歧，此一問題並不單純；並且，環繞於《白虎通》卷帙與白虎觀會議事跡二者之間，仍有諸多不相應之處。首先，《後漢書・章帝紀》所謂「白虎議奏」者，或指由淳于恭記錄會議講議內容上奏章帝之文獻，或指章帝「稱制臨決」後之文獻，其實不可知；而〈儒林列傳〉所謂「著為通義」者，是否集結成冊，亦不可知。換言之，《後漢書》記載白虎觀會議之卷帙稱謂分歧，語焉不詳；若會議果有卷帙成冊，則范書不至模糊如此。其次，若白虎觀會議有「白虎議奏」或是「白虎通義」卷帙成冊，則會議卷帙理應廣為流傳，嘉惠學者，如此方能回應章帝召開會議，「欲使諸儒共正經義，頗令學者得以自助」之會議宗旨。實際上，無論是所謂「白虎議奏」或是「白虎通義」，在東漢當時並不存在，因此，洪業宣稱：「所以不僅許慎馬融不能得其書而讀之，且蔡邕鄭玄並不曾舉引也」，[22]或許可以成為《白虎通》不在場證明。最後，縱使會議有「白虎議奏」或是「白虎通義」，且在東漢之時，藏於秘府，伏而未發，以至許慎、馬融等大儒不得見聞其書；但是，章帝明白宣示詔開白虎觀會議之目的，在「講議《五經》

20 參考本書第四章第三節「孫詒讓駁周廣業〈白虎通序〉」。
21 參考本書第四章第四節「一 《白虎通》之正名問題」。
22 〈白虎通引得序〉，頁 9。

同異」、「如孝宣甘露石渠故事」，反觀《白虎通》卷帙內容，皆與白虎觀會議事跡不相應。若宣稱《白虎通》文本即是白虎觀會議任一形式之卷帙文獻，則必須合理解釋環繞於《白虎通》卷帙與白虎觀會議事跡諸多不相應問題；否則，視《白虎通》文本出自白虎觀會議事跡之卷帙，實屬張冠李戴。

二、經學會議與制定國憲殊途

章帝詔開白虎觀會議宗旨，是「講議《五經》同異」，而《白虎通》，卻是一部足堪「規範整個帝國制度或統治秩序的廣義的禮制」；如此結果，是楊終上疏始料未及，亦非章帝詔開白虎觀會議之初衷。林聰舜解讀，是「因為《白虎通》探討的是更為根源性的經義統一的問題，唯有作為漢帝國指導思想的經義整合成功了，才能有效論證整個體制的合理性，包括『國憲』的合理性，也才能企求『永為後世則』」；事實則不然。

（一）章帝制定禮憲原則與召開經學會議宗旨迥異

《漢書・禮樂志》載明帝即位時，雖謹守光武帝之制度，然「禮樂未具」。[23]至章帝元和二年（85），《後漢書・曹褒列傳》載曰：

> 會肅宗欲制定禮樂，元和二年下詔曰：「《河圖》稱『赤九會昌，十世以光，十一以興』。《尚書琁機鈐》

---

23 《漢書・禮樂志》曰：「顯宗即位，躬行其禮，宗祀光武皇帝于明堂，養三老五更於辟廱，威儀既盛美矣。然德化未流洽者，禮樂未具，群下無所誦說，而庠序尚未設之故也。」卷二十二，頁1035。

> 曰：『述堯理世，平制禮樂，放唐之文。』予末小子，託于數終，曷以纘興，崇弘祖宗，仁濟元元？《帝命驗》曰：『順堯考德，題期立象。』且三五步驟，優劣殊軌，況予頑陋，無以克堪，雖欲從之，末由也已。每見圖書，中心恧焉。」（卷三十五，頁1202）

章帝元和二年下詔，欲制定禮樂。曹褒知章帝欲有所興作，遂上疏曰：

> 昔者聖人受命而王，莫不制禮作樂，以著功德。功成作樂，化定制禮，所以救世俗，致禎祥，為萬姓獲福於皇天者也。今皇天降祉，嘉瑞並臻，制作之符，甚於言語。宜定文制，著成漢禮，丕顯祖宗盛德之美。（卷三十五，頁1202）

曹褒上疏陳述，受命之王者必要「制禮作樂」以顯其功德，「功成作樂，化定制禮」，乃是經世濟民之舉，亦是漢初以來諸帝致力之目標，故曹褒建議章帝，「宜定文制，著成漢禮」。章帝以曹褒之疏議於太常，然而，「太常巢堪以為一世大典，非褒所定，不可許」，太常群起反對曹褒建議，章帝制定禮樂之事，因而暫時作罷。

章帝體會「群僚拘攣，難與圖始」，制禮作樂之事，無法從太常集團中得到支持。然而，「朝廷禮憲，宜時刊立」，故復有元和三年（86）之詔。《後漢書．曹褒列傳》載曰：

> 明年復下詔曰：「朕以不德，膺祖宗弘烈。乃者鸞鳳仍集，麟龍並臻，甘露宵降，嘉穀滋生，赤草之類，紀于史官。朕夙夜祗畏，上無以彰于先功，下無以克稱靈物。

漢遭秦餘，禮壞樂崩，且因循故事，未可觀省，有知其說者，各盡所能。」（卷三十五，頁1202-1203）

章帝認為漢代之禮樂制度，因循故事，無可觀省，故於詔書中公開徵求能有改進者。曹褒再次面對元和三年之詔，乃歎息謂諸生曰：「昔奚斯頌魯，考甫詠殷。夫人臣依義顯君，竭忠彰主，行之美也。當仁不讓，吾何辭哉！」遂復上疏「具陳禮樂之本，制改之意」，[24]頗有毛遂自薦之志。

適時，曹褒拜侍中，從駕南巡，未及奏；而章帝詔班固，垂詢改定禮制之宜。班固答章帝之問，曰：

京師諸儒，多能說禮，宜廣招集，共議得失。（卷三十五，頁1203）

班固建議章帝，改定禮制之事，宜廣招集京師能說禮之儒，共議得失。章帝反駁班固意見，曰：

諺言：「作舍道邊，三年不成。」會禮之家，名為聚訟，互生疑異，筆不得下。昔堯作《大章》，一夔足矣。（卷三十五，頁1203）

章帝認為，以徵召諸儒共議禮制得失之方式，終必引發更多糾紛，成事不足。章帝舉堯作《大章》之樂，夔一人足矣為例，主張改定禮制之事，應由少數人，甚至只需一人負責完成足矣。

章帝與班固二人，對於改定禮制之態度，涇渭分明。班固認為，經學問題，可以廣招諸儒講議同異，則改定禮制之事，亦「宜廣招集，共議得失」；章帝則認為，解決經學糾紛，可

24 《後漢書．曹褒列傳》卷三十五，頁1203。

以宜如「石渠故事」，詔開白虎觀會議，然而改定禮制之事，應由一人制定，經學會議與改定禮制，不可相提並論，混為一談。章帝既已體認「群僚拘攣，難與圖始」，「會禮之家，名為聚訟，互生疑異，筆不得下」，則改定禮制之事，豈能採集眾人意見而成。章帝既反對班固建議以「宜廣招集，共議得失」之方式改定禮制，豈會為改定禮制而詔開經學會議，並且以經學會議所得結論做為制定國憲之思想基礎？林聰舜以為「章帝大張旗鼓地大會諸儒於白虎觀，連月乃罷，且『親臨稱制』，可見他也意識到整合經義，作為漢帝國指導原則的重要性」，如此解讀，可能誤解章帝詔開白虎觀會議之宗旨，並且未察覺章帝制定禮憲原則實與召開經學會議宗旨迥異。

（二）曹褒制作《漢禮》與白虎觀會議無關

章帝一貫主張，改定禮制之事，應由一人完成；而章帝心目中之理想人選，便是上疏「具陳禮樂之本，制改之意」之曹褒。《後漢書．曹褒列傳》載曰：

> 章和元年正月，乃召褒詣嘉德門，令小黃門持班固所上叔孫通《漢儀》十二篇，敕褒曰：「此制散略，多不合經，今宜依禮條正，使可施行。於南宮、東觀盡心集作。」（卷三十五，頁1203）

章和元年（87）正月，章帝正式敕命曹褒改定禮制。章帝旨示曹褒，以班固所上叔孫通之《漢儀》十二篇為底本，「依禮條正」，重新修改，使其能施行於當時。章帝所謂「依禮條正」之「禮」，或指當時博士學官所治之《禮經》，或指當時通用之禮儀，此二義皆有可說。換言之，曹褒改定禮制之基礎，是以叔孫通之《漢儀》為底本，參酌《禮經》博士所治之《儀禮》，與當時通用施行之禮儀，並以其父所傳之學，[25]及自己所治禮學而成。

《後漢書．曹褒列傳》載曰：

> 褒既受命，乃次序禮事，依準舊典，雜以《五經》讖記之文，撰次天子至於庶人冠婚吉凶終始制度，以為百五十篇，寫以二尺四寸簡。其年十二月奏上。（卷三十五，頁1203）

章帝正式授權曹褒改制叔孫通《漢儀》，曹褒盡心集作，歷時一年，遵循章帝敕命作業要點，先以禮制事類歸納排列次序，再依照舊典內容，其中摻雜《五經》、讖記之文，最後纂修成上自天子，下及庶人之冠、婚、吉、凶、終始制度，寫於二尺四寸之竹簡，共一百五十篇，以此上奏章帝，交付使命。

章帝敕命曹褒改定朝廷禮憲之原則，乃是以叔孫通《漢儀》為底本，再「依禮條正」；而曹褒纂修過程，亦遵循章帝敕命，「次序禮事，依準舊典」；章帝敕命與曹褒纂修過程，自始至終，從未提及白虎觀會議，或者會議所得之卷帙文獻，則《白虎通》「如何具體扮演帝國意識形態核心的角色」？換言之，章帝詔開白虎觀會議，其實與八年後章帝敕命曹褒制作朝廷禮憲之事無關。況且，曹褒個人，乃至於其父曹充，均未參與八年前白虎觀會議，林聰舜稱「白虎觀會議的召開，正是與章帝制

25　《後漢書．曹褒列傳》曰：「曹褒字叔通，魯國薛人也。父充，持《慶氏禮》，建武中為博士，從巡狩岱宗，定封禪禮，還，受詔議立七郊、三雍、大射、養老禮儀。」卷三十五，頁1201。

定『國憲』的熱切企圖心息息相關。我們可以把《白虎通》的產生，視為章帝制定「國憲」的努力的一部分」，可能言過其實。

（三）《漢禮》國憲猶未施行

依林聰舜所言：「《白虎通》是統治階級透過統一經義的方式來統一思想，是皇權透過控制經學解釋權的方式達到意識形態控制的目的，由此企求《白虎通》整合的價值觀成為全民的價值觀，《白虎通》的規範成為帝國的規範。皇權整理、認可的經學遂成為帝國意識形態的核心，扮演為體制服務的工作。」（頁229）若曹褒制作禮憲之時，果真與白虎觀會議之成果《白虎通》「息息相關」，則曹褒之「奏議」，理應水到渠成，皆大歡喜？然而，歷史事實並非如此。

曹褒完成《漢禮》後，章帝隨即以一百五十篇《漢禮》之「奏議」，議於朝廷，結果是「帝以眾論難一，故但納之，不復令有司平奏」，[26]章帝制定禮憲之事，暫告中輟。此後，《後漢書．曹褒列傳》載曰：

> 會帝崩，和帝即位，褒乃為作章句，帝遂以《新禮》二篇冠。擢褒監羽林左騎。永元四年，遷射聲校尉。後太尉張酺、尚書張敏等奏褒擅制《漢禮》，破亂聖術，宜加刑誅。帝雖寢其奏，而《漢禮》遂不行。（卷三十五，頁1203）

至章帝崩，和帝即位，拔擢曹褒為監羽林左騎，永元四年（92），

26　《後漢書．曹褒列傳》卷三十五，頁1203。

遷射聲校尉。是時，太尉張酺、尚書張敏等人上奏，指控曹褒擅制《漢禮》，乃是破亂聖術之事，宜加刑誅；和帝雖然擱置張酺等人所奏，然《漢禮》始終未能實行，卷帙依舊束之高閣。

至此，章帝以為「朝廷禮憲，宜時刊立」，改定禮制之企圖與用心，以及曹褒受命耗時一年制作之《漢禮》，終於功敗垂成，徒留章帝之遺憾與曹褒之《漢禮》。曹褒之《漢禮》，乃是受章帝詔命制作，具備準「國憲」之性質與位格，殆無疑義；然而，縱使章帝與曹褒之努力，依然無法將《漢禮》公諸於世，名正言順成為一代「國憲」。曹褒制作《漢禮》既與《白虎通》無關，《白虎通》之思想理論，亦未曾影響、造就東漢國憲，林聰舜宣稱：「《白虎通》不但是章帝命令曹褒制定的「國憲」的思想基礎，它的作用更遠超過於此，可用以論證整個帝國體制的合理性。」此說無法從史書記載中得到印證。

值得一提，具有國憲位格之《漢禮》卷帙，並未因張酺等人反對而消聲匿跡，十三年後，張奮於永元十三年（101），更召拜為太常，復上疏曰：

> （張奮曰：）「漢當改作禮樂，圖書著明。王者化定制禮，功成作樂。謹條禮樂異議三事，願下有司，以時考定。昔孝武皇帝、光武皇帝封禪告成，而禮樂不定，事不相副。先帝已詔曹褒，今陛下但奉而成之，猶周公斟酌文武之道，非自為制，誠無所疑。久執謙謙，令大漢之業不以時成，非所以章顯祖宗功德，建太平之基，為後世法。」帝雖善之，猶未施行。（《後漢書・張奮列傳》卷三十五，頁1199-1200）

張奮疏中建議和章，應將先帝下詔曹褒制作之《漢禮》，公諸於世，以此為國憲禮制，如此既可以避免遭致擅自制作之非難，排除反對勢力之疑慮，並且可以彰顯祖宗功德，建太平之基，成為後世法則。和帝雖然同意張奮建議，但仍未施行，漢代改作禮樂之事，依舊付之闕如，淪為口號目標。由此可知，曹褒《漢禮》雖然無法施行於當時，然而卷帙文獻一直藏於東觀，直至行蹤成謎，諱莫如深。

三、經學會議非關讖緯

白虎觀會議乃是東漢經學盛事，然而，被視為白虎觀會議卷帙之《白虎通》，卻隱藏讖緯文句，此一現象，頗令人費解。林聰舜認為，「《白虎通》想要有效扮演帝國意識形態的角色，是無法排斥讖緯之學，且必然要透過讖緯之學論證其經學思想」，林聰舜試圖以當時讖緯之學論證經學之角色地位，解釋白虎觀經學會議之《白虎通》卷帙隱藏讖緯之學之事實。然而，若《白虎通》是經學會議之卷帙，豈會援引讖緯文句？若如林聰舜所言「這是儒學要順利推展下去，必然要走的一條路」，則讖緯之學已然躍升正統學術之一，足以與經學分庭抗禮、並駕齊驅；此一說法，仍有商榷之處。

（一）白虎觀會議緣起背景

章帝建初四年詔書引光武帝中元元年（56）詔書，「《五經》章句煩多，議欲減省」，顯見白虎觀會議乃是緣起於章句煩多；而章句煩多，乃肇始於西漢武帝立《五經》博士。以下分章句之學與今、古文經之爭二點，說明白虎觀會議之緣起背景與讖緯之學不相應。

從章句之學而言。西漢武帝建元五年（B.C.136），始「置《五經》博士」，[27]《詩》有齊、魯、韓三家，《書》有歐陽，《禮》有后氏，《易》有楊氏，《春秋》有公羊，共有七博士。其後歷任帝王多有所增益博士員額，[28]至東漢光武帝，所立《五經》十四太常博士皆今文經學。[29]博士員額擴編，意味博士弟子員增加。[30]《漢書．儒林傳》贊曰：

> 自武帝立《五經》博士，開弟子員，設科射策，勸以官祿，訖於元始，百有餘年，傳業者寖盛，支葉蕃滋，一經說至百餘萬言，大師眾至千餘人，蓋祿利之路然也。（卷八十八，頁3620-3621）

博士員額擴編，大師動輒千餘人，催促解釋經書意義不斷擴大，以滿足傳業者需求；所謂「一經說至百餘萬言，大師眾至千餘

---

27 《漢書．武帝紀》卷六，頁159。

28 《漢書．儒林傳》曰：「至孝宣世，復立大、小夏候《尚書》，大、小戴《禮》，施、孟、梁丘《易》，穀梁《春秋》。至元帝世，復立京氏《易》。平帝時，又立左氏《春秋》、毛《詩》、逸《禮》、古文《尚書》，所以罔羅遺失，兼而存之，是在其中。」卷八十八，頁3621。

29 《後漢書．儒林傳》曰：「於是立《五經》博士，各以家法教授，《易》有施、孟、梁丘、京氏，《尚書》歐陽、大小夏侯，《詩》齊、魯、韓，《禮》大小戴，《春秋》嚴、顏，凡十四博士，太常差次總領焉。」卷七十九上，頁2545。

30 《漢書．儒林傳》曰：「昭帝時舉賢良文學，增博士弟子員滿百人，宣帝末增倍之。元帝好儒，能通一經者皆復。數年，以用度不足，更為設員千人，郡國置《五經》百石卒史。成帝末，或言孔子布衣養徒三千人，今天子太學弟子少，於是增弟子員三千人。歲餘，復如故。平帝時王莽秉政，增元士之子得受業如弟子，勿以為員，歲課甲科四十人為郎中，乙科二十人為太子舍人，丙科四十人補文學掌故云。」卷八十八，頁3596。

人」，即是反映章句之學方興未艾之盛況。章句之學，林慶彰（1948）解釋：

> 章句既是當時經師的一種解經方式，此種詮釋方式是由創立學派的經師所傳，凡是受學於此一學派的經生，代代皆應以此種解經方式為典範。此種典範，即稱為「師法」或「家法」。……是知遵守師法應是個大原則，如果有經師能觸類旁通，另外完成章句的，即可成為一家之學。這家的章句，就是他們的家法。[31]

章句之學，即是經學博士解經之方式，亦是經學博士解經所建立之原則，不論是「師法」，或是「家法」，皆是章句之學。章句之學，戒律森然，不得逾越。白虎觀會議緣起於章句煩多，議欲減省，則議會之中豈會不減反增，增加非關經學之章句以外之讖緯文句？

其次，從今、古文經學之爭而言。西漢經學博士皆今文經學，至西漢末哀帝建平元年（B.C.6），劉歆領校秘書，始發見古文經籍，遂請求朝廷復立《左氏春秋》及《毛詩》、《逸禮》、《古文尚書》於學官，劉歆亦因此與太常博士針鋒相對。劉歆撰〈移書太常博士〉指陳今文經學沈痾，並且責讓當時今文博士是「分文析字，煩言碎辭，學者罷老且不能究其一藝」，「信口說而背傳記，是末師而非往古」。劉歆與今文博士抗爭結果，「由是忤執政大臣，為眾儒所訕，懼誅，求出補吏，為河內太守」，[32]劉歆欲建立古文經於學官，宣告失敗。今、古文

31　林慶彰：〈兩漢章句之學重探〉，頁 288。

32　《漢書・楚元王傳》卷三十六，頁 1968-1972。

經之爭繼續延燒，至章帝建初元年（76），賈逵受詔入白虎觀、雲臺講學，賈逵以古文《左氏》之大義長於其他二傳為說，深獲章帝喜愛。李育作《難左氏義》四十一事，陳述《左氏》雖樂文采，然不得聖人深意，多引圖讖而不據理體。賈逵、李育二人於建初四年（79）對簿白虎觀會議，李育「以《公羊》義難賈逵，往返皆有理證，最為通儒。」[33]白虎觀會議，仍是以李育所代表之今文經學佔上風。《後漢書・儒林列傳》載曰：

> 建初中，大會諸儒於白虎觀，考詳同異，……又詔高才生受《古文尚書》、《毛詩》、《穀梁》、《左氏春秋》，雖不立學官，然皆擢高第為講郎，給事近署，所以網羅遺逸，博存眾家。（卷七十九上，頁2546）

截至白虎觀會議，代表學官之正統學術仍然是今文經學，章帝詔高才生受學古文，照顧古文之立場，不過是「網羅遺逸，博存眾家」而已，古文經學猶未立學官，遑論與代表學官之今文經學並駕齊驅。因此，章帝下詔太常以下，至博士、諸生、諸儒會白虎觀，顯見白虎觀會議仍然是太常博士主導之會議；章帝詔書既云「《五經》章句煩多，議欲減省」，則白虎觀會議亦僅止於減省太常博士今文經學之章句而已。因此，縱使如林聰舜所言，東漢經學「大致可分為三大系統：今文經學、古文經學與讖緯」，然而，白虎觀會議豈能容許古文經學？遑論增加讖緯文句！

33 《後漢書・儒林列傳》卷七十九下，頁2582。

（二）白虎觀會議宗旨目的

東漢光武帝建武元年（25）即位天子之初，確實與當時流行之圖讖關係密切。[34]桓譚（B.C.23?-50） 曾上疏光武帝，建議光武帝「宜垂明聽，發聖意，屏群小之曲說，述《五經》之正義，略雷同之俗語，詳通人之雅謀」；至於「讖記」，乃是「巧慧小才伎數之人，增益圖書」之作，宜抑遠之。桓譚上疏提醒光武帝，「讖記」與《五經》涇渭分明，不得混淆，[35]因此遭致光武帝不悅。《後漢書．方術列傳》載曰：

> 漢自武帝頗好方術，天下懷協道藝之士，莫不負策抵掌，順風而居焉。後王莽矯用符命，及光武尤信讖言，士之赴趣時宜者，皆騁馳穿鑿，爭談之也。故王梁、孫咸名應圖籙，越登槐鼎之任，鄭興、賈逵以附同稱顯，桓譚、尹敏以乖忤淪敗，自是習為內學，尚奇文，貴異數，不

---

34 《後漢書．光武帝紀》建武元年曰：「行至鄗，光武先在長安時同舍生彊華自關中奉〈赤伏符〉，曰：『劉秀發兵捕不道，四夷雲集龍鬥野，四七之際火為主』。群臣因復奏曰：『受命之符，人應為大，萬里合信，不議同情，周之白魚，曷足比焉？今上無天子，海內淆亂，符瑞之應，昭然著聞，宜荅天神，以塞群望。』光武於是命有司設壇場於鄗南千秋亭五成陌。」「六月己未，……讖記曰：『劉秀發兵捕不道，卯金修德為天子。』秀猶固辭，至于再，至于三。群下僉曰：『皇天大命，不可稽留。敢不敬承。』於是建元為建武，大赦天下，改鄗為高邑。」卷一上，頁 21-22。

35 《後漢書．桓譚傳》載曰：「『凡人情忽於見事而貴於異聞，觀先王之所記述，咸以仁義正道為本，非有奇怪虛誕之事。蓋天道性命，聖人所難言也。自子貢以下，不得而聞，況後世淺儒，能通之乎！今諸巧慧小才伎數之人，增益圖書，矯稱讖記，以欺惑貪邪，詿誤人主，焉可不抑遠之哉！臣譚伏聞陛下窮折方士黃白之術，甚為明矣；而乃欲聽納讖記，又何誤也！其事雖有時合，譬猶卜數隻偶之類。陛下宜垂明聽，發聖意，屏群小之曲說，述《五經》之正義，略雷同之俗語，詳通人之雅謀。……』帝省奏，愈不悅。」卷二十八上，頁 959-961。

乏於時矣。（卷八十二上，頁2705）

圖讖與方士黃白之術關係密切，王莽矯用符命篡位，光武亦應讖記即位，符命、讖記之言，在東漢之初蔚為風尚流行，儼然為「內學」。

光武帝應「讖記」而即位，亦知「圖讖」對政治之影響力，故光武帝於崩殂前一年，中元元年（56）十一月，「宣布圖讖於天下」。[36]光武帝「宣布圖讖於天下」之政策，具有二項實質意義與作用：其一，公告使既有之圖讖具有合法地位，並且規範圖讖定型化，不得任意變更；其二，公告圖讖，實質作用是限制圖讖擴張，防止尚奇文、貴異數、赴趣時宜之士騁馳穿鑿，任意增益圖讖。因此，光武帝「宣布圖讖於天下」，表面上是使圖讖公開、合法化，其實是以政治手段箝制圖讖發展，遏止圖讖任意擴張。

章帝建初四年詔書引：「中元元年詔書，《五經》章句煩多，議欲減省」；又引「永平元年，長水校尉儵奏言，先帝大業，當以時施行。欲使諸儒共正經義，頗令學者得以自助」，章帝詔開經學會議前後，既從未曾提及讖緯，則白虎觀會議之與會者，豈會越俎代庖，無端引述讖緯之學於經學會議之上？

（三）《白虎通》國憲性質與曹褒《漢禮》

學者多同意，元大德本《白虎通》文本具有國憲性質，而且《白虎通》雜引讖緯文句，亦是客觀事實；若將《白虎通》「視為章帝親自主持、裁決的經學會議所得結論編撰而成之總

36　《後漢書・光武帝紀》卷一下，頁84。

結」，則上述二項因素明顯與白虎觀經學會議產生隔閡。其一，關於經學會議與制定國憲之關係。如前所述，章帝詔開經學會議與制定國憲之態度，明顯不同，因此章帝反對班固「宜廣招集，共議得失」之建議，而是主張「昔堯作《大章》，一夔足矣」；因此，林聰舜主張：「白虎觀會議的召開，正是與章帝制定『國憲』的熱切企圖心息息相關」，並不合理。其次，關於《白虎通》雜引讖緯，林聰舜試圖證明「講議」讖緯並不違背「講議《五經》」之經學會議宗旨，甚至主張：「《白虎通》引述讖緯乃是歷史要求」，此說亦稍嫌牽強。

其實，《白虎通》卷帙文本之「國憲性質」與「雜引讖緯」兩事，或許可以從章帝制定國憲之態度與作為，得到印證。早於章帝之前，東漢明帝曾以曹褒之父曹充建言，改太樂官曰太予樂。《後漢書．曹褒列傳》載曰：

> 曹褒字叔通，魯國薛人也。父充，持《慶氏禮》，建武中為博士，從巡狩岱宗，定封禪禮，還，受詔議立七郊、三雍、大射、養老禮儀。顯宗即位，充上言：『漢再受命，仍有封禪之事，而禮樂崩闕，不可為後嗣法。五帝不相沿樂，三王不相襲禮，大漢（當）自制禮，以示百世。』帝問：『制禮樂云何？』充對曰：『《河圖括地象》曰：「有漢世禮樂文雅出。」《尚書琁機鈐》曰：「有帝漢出，德洽作樂，名予。」』帝善之，下詔曰：『今且改太樂官曰太予樂，歌詩曲操，以俟君子。』拜充侍中。作章句辯難，於是遂有慶氏學。（卷三十五，頁1201）

光武帝時，曹充為禮學博士，定封禪禮，並受詔議立七郊、三雍、大射、養老諸禮。明帝即位，曹充上疏，建議明帝自制漢禮，永為後世則。明帝問曹充制禮樂之理，曹充則引《河圖·括地象》與《尚書·琁機鈐》圖讖二句，說明漢世當有禮樂制度。明帝雖善其說，但未能全面改制漢禮，僅以改太樂官為太予樂，並擢升曹充為侍中。曹充不僅是禮經博士，同時熟稔圖讖，並且以圖讖說明帝王改制禮樂之道。曹充此舉，不僅受到明帝肯定，而且影響章帝日後制定禮憲之態度，及其子曹褒之禮學。

章帝元和二年（85）詔書，[37]召告天下，重新制定禮樂，章帝詔書所引《河圖》、《尚書琁機鈐》與《帝命驗》，皆圖讖之文，並且詔書引圖讖之啟示與教訓，不外帝王受命、世代交替與制禮作樂之傳承關係，[38]章帝詔書，已然揭櫫日後制定禮樂之原則。二年後，章和元年（87）正月，章帝召曹褒改定禮制之宜，乃是以西漢叔孫通《漢儀》十二篇為底本，並勑曹褒曰：「此制散略，多不合經，今宜依禮修正，使可施行。」

---

37 《後漢書·曹褒列傳》曰：「會肅宗欲制定禮樂，元和二年下詔曰：『《河圖》稱「赤九會昌，十世以光，十一以興」。《尚書琁機鈐》曰：「述堯理世，平制禮樂，放唐之文。」予末小子，託于數終，曷以纘興，崇弘祖宗，仁濟元元？《帝命驗》曰：「順堯考德，題期立象。」且三五步驟，優劣殊軌，況予頑陋，無以克堪，雖欲從之，末由也已。每見圖書，中心恧焉。』」卷三十五，頁 1202。

38 《河圖》稱「赤九會昌，十世以光，十一以興」，范曄注曰：「九謂光武，十謂明帝，十一謂章帝也。」頁 1203。《尚書琁機鈐》曰：「述堯理世，平制禮樂，放唐之文。」范曄注引緯本文云：「使帝王受命，用吾道述堯理代，平制禮放唐之文，化洽作樂名斯在。」頁 1204。《帝命驗》曰：「順堯考德，題期立象。」范曄注引宋均注曰：「堯巡省於河、洛，得龜龍之圖書。舜受禪後習堯禮，得之演以為《考河命》，題五德之期，立將起之象，凡三篇，在《中候》也。」頁 1204。

曹褒既受命，所制《漢禮》，「乃次序禮事，依準舊典，雜以《五經》讖記之文」。曹褒制作《漢禮》，不僅完全遵照章帝意旨，而且摻雜讖記，更是巧妙呼應章帝元和二年詔書引用圖讖條文之精神，完全落實其父曹充所奠定之家學。

附帶一提，《白虎通》文本不僅雜引讖緯，並且雜引《論語》、《孝經》、《爾雅》、《管子》等非《五經》典籍文獻；若謂「《白虎通》引述讖緯乃是歷史要求」，則「講議《五經》同異」之經學會議，兼論《論語》、《孝經》、《爾雅》、《管子》等非《五經》範圍之書，亦是出於歷史要求乎？

第四節　小　結

林聰舜稱元大德本《白虎通》是東漢「章帝親自主持、裁決的經學會議所得結論編撰而成之總結」，此說法已然是現代學術共識，甚至已經普及成為一種「知識」。林聰舜在此前提基礎下，竭盡所能申論《白虎通》與東漢經學發展之密切關係，至於卷帙名稱問題、雜引讖緯文句等諸多環繞於《白虎通》文本不相應問題，林聰舜亦盡其可能，使之合理化而已。然而，自清代莊述祖明確指出，白虎觀會議事跡與《白虎通》卷帙諸多不相應問題，並且試圖透過「正名」方式，解決會議事跡與文本卷帙間不相應問題；此後，劉師培與孫詒讓也相繼加入「正名」行列，「正名」《白虎通》為「白虎通義」，儼然成為解決白虎觀會議事跡與《白虎通》卷帙諸多不相應問題之普遍共同法門。問題是，莊述祖等三人雖然皆同意正名《白虎通》為「

白虎通義」，但是三人所持之理據，皆不相同，並且對於《白虎通》應屬白虎觀會議何種記錄，亦各執一辭，壁壘分明。莊述祖主張白虎觀會議有全本「白虎議奏」與略本「白虎通義」二種；劉師培以為未經章帝「稱制臨決」之「議奏」是「白虎通」，而「通義」則是采擇「議奏」之文，經過章帝裁准要刪後之最後定論；至於孫詒讓，則是考據會議卷帙，主張有專論一經與「通論《五經》」之別；由此可見此一問題之分歧與嚴重性。值得關注的是，三人「正名」之主張，不僅未能解決環繞於會議事跡與文本卷帙間諸多不相應問題，甚至節外生枝、治絲益棼；質言之，試圖以「正名」方式解決環繞於白虎觀會議事跡與《白虎通》卷帙間之不相應問題，結果多令人失望。因此，在尚未釐清《白虎通》與白虎觀會議間不相應問題之前，以《白虎通》為白虎觀會議卷帙者，並舉引《白虎通》文本論證東漢「經學理想」、「帝國統治」、「儒者利益」，及三者間「互相依賴又互相牽制」之關係者，多有商榷餘地。

第八章　《白虎通》在東漢經學史之地位與意義

《後漢書》記載，東漢建初四年（79），章帝詔太常以下至諸生、諸儒會白虎觀，講議《五經》同異。會議宗旨目的，乃「欲使諸儒共正經義，頗令學者得以自助」，可知白虎觀會議肇因於東漢經學發展之需求，標誌東漢經學發展之時代意義。相傳，白虎觀會議之後，章帝詔班固彙集會議討論資料，最終經章帝稱制臨決，作成「議奏」，後世稱呼會議文獻有：「白虎通」、「白虎通義」、「白虎通德論」、「白虎議奏」諸名，白虎觀會議事跡既是東漢經學發展之重要活動，則白虎觀會議之卷帙文獻，應是東漢經學發展之見證紀錄。

若以《後漢書》記載為準，則所謂「白虎通」卷帙，應是白虎觀經學會議之文獻彙編。因此，《隋書．經籍志》（以下簡稱《隋志》）發凡起例，記載稱呼「白虎通」，並且將「白虎通」歸屬於「經部」書目；後續史書與藏書目錄，遵循《隋志》，將「白虎通」歸入「經部」之「論語類」或「經解類」。時至明代張萱《內閣藏書目錄》，一改《隋志》之傳統慣例，將「白虎通」排除在「經部」書目之外，逕自歸入「雜部」；至清代《四庫全書》則將「白虎通義」歸入「子部」「雜家類」。自元、明以降，「白虎通」卷帙文本內容屬性，隨時代遞變重新被檢視，重新被歸類。

由於史書記載與私家藏書目錄不斷改變「白虎通」之屬性歸類，間接影響「白虎通」在東漢經學史上之意義與價值。本章嘗試從史書與私家藏書目錄之分類，陳述「白虎通」在不同目錄下之屬性，分析「白虎通」屬性變化過程；再例舉現代學者立論觀點，闡釋「白虎通」在東漢經學史上之意義，彰顯元大德本《白虎通》卷帙與東漢白虎觀會議事跡兩者間之關係，已然貌合而神離。

第一節　史書與藏書目錄歸類《白虎通》舉隅

《後漢書》分別記載白虎觀會議之事跡與卷帙有三處：其一，〈章帝紀〉稱會議作「白虎議奏」；其二，〈班固列傳〉稱「作白虎通德論」；其三，〈儒林列傳〉稱著為「通義」。《後漢書》記載白虎觀會議事跡頗為詳實，但是論及會議卷帙，或稱「白虎議奏」，或作「白虎通德論」，或著為「通義」，不僅未有明確之指稱，甚至卷帙之存佚紀錄，亦語焉不詳。《後漢書》從未明確指稱會議卷帙，以致後世傳抄登錄，無所適從，徒增困擾。

自東漢章帝召開白虎觀會議之後，歷來史書、藏書目錄與序跋編列登錄「白虎通」之類別，或兼記載卷帙文本屬性，見解頗為分歧。以下例舉《後漢書》、《隋志》以下，至現代《

國立中央圖書館善本序跋集錄》等史書與藏書目錄，[1]呈現「白虎通」被歸類之變化過程。為清眉目，製作簡表如下。

史書與藏書目錄歸類《白虎通》舉隅

史書、藏書目錄、序跋分類			《白虎通》書名、卷篇數、作者		
	史書、書目、序跋、作者	目錄類別、卷數、篇名	名稱	卷、篇數	作者
1	《後漢書》(445)范曄（398-445）	卷 3〈肅宗孝章帝紀〉	白虎議奏		淳于恭奏、章帝稱制臨決
2	《後漢書》范曄	卷 40 下〈班固列傳〉	白虎通德論		班固
3	《後漢書》范曄	卷 79 上〈儒林列傳〉	通義		史臣
4	《隋書》（636）魏徵（580-643）	卷 32〈經籍志・論語〉	白虎通	6卷	
5	《舊唐書》(945)劉昫（888-947）	卷 46〈經籍志・經部・經解類〉	白虎通	6卷	漢章帝撰
6	《崇文總目》（1041）王堯臣（1001-1056）	卷 6〈論語類〉	白虎通德論	10卷	班固

1 國立中央圖書館編：《國立中央圖書館善本序跋集錄》（臺北：國立中央圖書館，1993 年），頁 441-443。

7	《新唐書》（1060） 歐陽修（1007-1072）	卷 57〈藝文志・經部・經解類〉	白虎通義	6卷	班固等
8	《郡齋讀書志》（1151） 晁公武（1105-1180）	卷 4〈經解類〉	白虎通德論	10卷	班固奉詔纂
9	《通志》（1161） 鄭　樵（1104-1162）	卷 63〈藝文略・經類・經解〉	白虎通	6卷	班固等
10	《直齋書錄解題》（1238） 陳振孫（1179-1262）	卷 3〈經解類〉	白虎通	10卷44門	班固
11	《玉海》 王應麟（1223-1296）	卷 42〈藝文・經解〉	白虎議奏 白虎通義 白虎通德論		
12	《白虎通》（1305） 張　楷（？）	〈白虎通序〉	白虎通		
13	《白虎通》（1305） 嚴　度（？）	〈白虎通題〉	白虎通		
14	《白虎通》（1305） 劉世常（？）	〈題白虎通德論〉	白虎通德論		班固
15	《文獻通考》（1322） 馬端臨（1254-1323）	卷 185〈經籍考十二・經・經解〉	白虎通德論	10卷	
16	《宋史》（1343） 脫　脫（1314-1355）	卷 202〈藝文志・經類・經解類〉	白虎通	10卷	班固

17	〈刻白虎通序〉（1522）冷宗元（？）		白虎通		班固
18	〈讀白虎通〉王弇州（1526-1590）		白虎通		
19	《內閣藏書目錄》（1605）張萱（？）	卷 8〈雜部〉	白虎通	5冊	班固輯
20	〈白虎通題辭〉（1626）朗璧金（？）		白虎通		
21	《明書》（1667）傅維鱗（1608-1667）	卷 77〈經籍志・類書〉	白虎通		班固
22	〈白虎風俗二通合編總論〉（1668）汪士漢（？）		白虎通		
23	《經義考》（1699）朱彝尊（1629-1709）	卷 239〈羣經一〉	白虎通德論 一作議奏 一作通義		
24	《補續漢書藝文志》錢大昭（1744-1813）	〈經部・經解類〉	白虎通德論 一作議奏 一作通義	2卷4冊	班固
25	《白虎通》（1784）盧文弨（1717-1796）	〈校刻白虎通序〉	白虎通		

26	《白虎通》（1784）周廣業（1730-1798）	〈白虎通序〉	白虎通德論		班固
27	《白虎通》（1784）莊述祖（1751-1816）	〈白虎通義〉	白虎通義	44篇	章帝命史臣所作
28	《四庫全書總目》（1795）四庫館臣	卷 118〈子・雜家類二・雜考之屬〉	白虎通義	4卷44篇	班固
29	《崇文總目輯釋》（1799）錢東垣（1778-1815）	卷 1〈論語類〉	白虎通德論	10卷	班固
30	《白虎通疏證》（1832）陳　立（1809-1869）		白虎通		
31	《儀顧堂續跋》陸心源（1838-1894）	卷 10〈元槧大字白虎通跋〉	白虎通德論	10卷	班固
32	《皕宋樓藏書志》陸心源（1838-1894）	卷 55〈子部・雜家類・雜考之屬〉	白虎通德論	10卷	班固
33	《隋書經籍志考證》姚振宗（1842-1906）	卷 8〈經部八・論語類〉	白虎通	6卷	
34	〈白虎通義考〉（1909）孫詒讓（1848-1908）		白虎通義		

35	《群碧樓善本書目》（1910） 鄧邦述 （1868-1939）	卷 4〈羣目〉	白虎通德論		
36	〈白虎通義源流考〉（1911） 劉師培 （1884-1919）		白虎通義		史臣依章帝稱制臨決結果編纂
37	《郎園讀書志》 葉德輝 （1864-1927）	卷 1〈經部〉	白虎通	2卷	班固
38	《五十萬卷樓藏書目錄初編》（1931） 莫伯驥 （1878-1958）	卷 11〈子部三〉	白虎通德論	10卷	班固
39	《白虎通引得》（1931） 洪　業 （1893-1980）	〈白虎通引得序〉	白虎通義		
40	《國立中央圖書館善本序跋集錄》（1993） 國立中央圖書館	〈子部・雜家類・雜考〉	白虎通德論	2卷2冊	班固

依上表文獻資料顯示，《隋志》稱白虎觀會議卷帙曰「白虎通」，始歸入「經籍志・論語」類；《舊唐書》稱「白虎通」，改歸入「經籍志・經部・經解類」；《崇文總目》改稱「白虎通德論」，再依《隋志》歸入「論語類」；《新唐書》再改稱「白虎通義」，再依《舊唐書》歸入「藝文志・經部・

經解類」；至《宋史》仍將「白虎通」歸入「藝文志・經類・經解類」。史書與藏書目錄，縱使稱呼白虎觀會議之卷帙名稱參差不齊，但是歸入「經部」「經解類」之立場，頗為一致。直至元代大德九年（1305）《白虎通》卷帙文本陡然問世，直接影響史書目錄對白虎觀會議卷帙之分類標準，形成一道涇渭分明之時代裂痕。自明代開始，《內閣藏書目錄》稱「白虎通」，歸入「雜部」；《明書》則歸入「類書」；至《四庫全書總目》（以下簡稱《四庫總目》）再改稱「白虎通義」，歸入「子部・雜家類・雜考之屬」；現代《國立中央圖書館善本序跋集錄》編纂，再改稱「白虎通德論」，歸類則遵循《四庫總目》。時至今日，《白虎通》卷帙之內容屬性，確認歸屬「子部」「雜家」「雜考」之學，脫離經學陣容已成定論。

第二節　自《隋書・經籍志》至《內閣藏書目錄》

《後漢書・章帝紀》曰：「如孝宣甘露石渠故事，作白虎議奏。」李賢注曰：「今《白虎通》。」[2]又，〈儒林列傳〉曰：「顧命史臣，著為通義。」李賢注曰：「即《白虎通（議）義》是。」[3]至於〈班固列傳〉曰：「天子會諸儒講論《五經》，作《白虎通德論》，令固撰集其事。」李賢則注曰：「章帝建

2　《後漢書・章帝紀》，頁 139。
3　《後漢書・儒林列傳》，頁 2547。

初四年，詔諸王諸儒會白虎觀講議《五經》同異。」[4]李賢以為東漢白虎觀會議所作議奏，即是當時所見之「白虎通」，可知「白虎通」至唐代已成定名，並且認定「白虎通」即是白虎觀會議之卷帙。

《隋志》序曰：

> 大唐武德五年，克平偽鄭，盡收其圖書及古跡焉。命司農少卿宋遵貴載之以船，泝河西上，將致京師。行經底柱，多被漂沒，其所存者，十不一二。其目錄亦為所漸濡，時有殘缺。今考見存，分為四部，合條為一萬四千四百六十六部，有八萬九千六百六十六卷。其舊錄所取，文義淺俗、無益教理者，並刪去之。其舊錄所遺，辭義可采，有所弘益者，咸附入之。遠覽馬《史》、班《書》，近觀王、阮志、錄，挹其風流體制，削其浮雜鄙俚，離其疏遠，合其近密，約文緒義，凡五十五篇，各列本條之下，以備〈經籍志〉。[5]

《隋志》有四卷，依序分：經、史、子、集四部，共五十五篇（種）。《隋志》卷三十二志二十七「經籍一」經部分：「易」、「書」、「詩」、「禮」、「樂」、「春秋」、「孝經」、「論語」、「緯書」、「小學」等十種，凡六藝經緯六百二十七部，五千三百七十一卷。[6]西漢以《易》、《書》、《詩》、《禮》、《春秋》立「《五經》博士」，東漢時又加入《

4 《後漢書‧班固列傳》，頁 1374。

5 《隋書‧經籍志》，頁 908。

6 《隋書‧經籍志》曰：「班固列六藝為九種，或以緯書解經，合為十種。」，頁 948。

論語》、《孝經》，而有「七經」之說。[7]就《隋志》而言，除《易》、《書》、《詩》、《禮》、《春秋》原有《五經》之外，其餘《樂》、《孝經》、《論語》、「緯書」、「小學」等，亦屬經學範疇。

《隋志》載《白虎通》六卷（未著撰者），列於「經部」「論語類」。《隋志》曰：

> 《論語》者，孔子弟子所錄。……其《孔叢》、《家語》，並孔氏所傳仲尼之旨。《爾雅》諸書，解古今之意，并「《五經》總義」，附于此篇。[8]

《隋志》稱《爾雅》諸書乃「解古今之意」，得與論「《五經》總義」諸書併為「論語類」，顯示「白虎通」固屬「《五經》總義」之書；其次，《隋志》將「白虎通」置於《五經正名》之後、《五經異義》之前，與「《五經》總義」諸書合為同類。《隋志》判斷「白虎通」屬於「《五經》總義」之書，既符合白虎觀會議「講議《五經》同異」之事跡，同時確認「白虎通」即是白虎觀會議之卷帙無誤。「白虎通」既屬於「《五經》總義」之書，得以「附錄」方式歸入「論語類」。

自《隋志》以降，史書或藏書目錄如：《舊唐書》、《崇文總目》、《新唐書》、《通志》、《宋史》等，多將「白虎通」、「白虎通義」、「白虎通德論」或「白虎議奏」等，歸入「經部」。此一現象，歷經數百年未曾改變，已然形成傳

7 葉國良言：「東漢時，出現『七經』的說法。所謂『七經』，後人說法不一，但衡量漢時的狀況，我們相信應當是指五經加上《論語》與《孝經》。」葉國良等著：《經學通論》（臺北：大安出版社，2005 年），頁 12。

8 《隋書．經籍志》卷三十二，頁 939。

統慣例。以《崇文總目》為例。《崇文總目》「經部」分九類，共八卷：

卷一：「易類」；

卷二：「書類」、「詩類」；

卷三：「禮類」；

卷四：「樂類」；

卷五：「春秋類」；

卷六：「孝經類」、「論語類」；

卷七：「小學類上」；

卷八：「小學類下」。

《崇文總目》「經部」書目，取消「緯書」類，其餘九種分類與排序，完全遵照《隋志》，並且依循《隋志》將「白虎通德論」十卷歸入「論語類」。[9]由此可知，《崇文總目》遵循《隋志》「論語類」涵攝「經解類」之精神。然而，《崇文總目》此一作法，一度遭致鄭樵誤解。

鄭樵《通志．校讎略》「見名不見書論二篇」，其一曰：

> 編書之家，多是苟且，有「見名不見書」者，有「看前不看後」者。……顏師古作《刊謬正俗》，乃雜記經史，惟第一篇說《論語》，而《崇文（總）目》以為「論語類」，此之謂「看前不看後」。應知《崇文》所釋，不

9　張圍東言：「《崇文總目》摒除了以前分類一直獨立一類的經部〈讖緯類〉，因為此類書入宋已不存；所以併〈訓詁〉於『小學』，不另立〈經解〉。如《易緯》入〈易類〉；經解類書併入〈論語類〉，如《白虎通德論》、《五經鉤沉》等是；詁訓類書併入〈小學類〉，如《爾雅》、《廣雅》等是。」張圍東：《宋代《崇文總目》之研究》（臺北：花木蘭出版社，2005 年），頁 97。

> **看全書，多只看帙前數行，率意以釋之耳！按《刊謬正俗》當入「經解類」。**[10]

鄭樵認為，顏師古《匡謬正俗》原屬雜記經史之書，[11]因第一篇說《論語》，《崇文總目》便逕自將《刊謬正俗》列入「論語類」，鄭樵因此批評《崇文總目》是：「看前不看後」、「只看帙前數行，率意以釋之」，並且主張《匡謬正俗》當歸入「經解類」。換言之，鄭樵認為，「經解類」書目不宜列入「論語類」，可見，鄭樵未能理解《崇文總目》遵循《隋志》「論語類」涵攝「經解類」書目之用意。其後，錢侗《崇文總目輯釋》「論語類」，加按語反駁鄭樵曰：

> **東垣按：《白虎通德論》以下七書，當另是經總一門，非「論語類」也。然《隋志》「論語類」後敘云：「並『《五經》總義』，附于此篇。」故《白虎通》、《五經鈎沈》諸書，並入「論語類」。此書蓋沿其例，鄭漁仲所譏，刊謬正俗，只看帙前數行，率意釋之者，不知此例，憑臆駁詘，謬甚！**[12]

錢侗澄清，「白虎通德論」等七書雖是「經總」一類，[13]然而《隋志》既未獨立「經解類」，故暫時將《爾雅》諸書與「《五經》總義」諸書附錄於「論語類」中；《崇文總目》亦不過

---

10 《通志》卷七十一，校讎略第一，頁 832。

11 原名《匡謬正俗》，避宋太祖名諱改《刊謬正俗》。

12 （宋）王堯臣編，（清）錢東垣輯釋：《崇文總目輯釋》（臺北：藝文印書館，《百部叢書集成》粵雅堂叢書原刻景印，1965 年），卷一，頁 40。

13 七書指：《白虎通德論》、《五經鈎沈》、《刊謬正俗》、《六說》、《經史釋題》、《授經圖》、《九經餘義》等七部書。同前註，卷一，頁 40-43。

遵循《隋志》慣例，將「白虎通」、《五經鉤沈》諸書，併入「論語類」，並非《崇文總目》誤以為《五經鉤沈》只論《論語》而已。鄭樵雖未能理解《崇文總目》編列「論語類」之原意，不過，《通志・藝文略》將「白虎通」與《刊謬正俗》皆列在「經類」之「經解」，仍然肯定「白虎通」屬「經解類」之書目無誤。

其中需稍加說明者，《隋志》「論語類」有：《論語》、《孔叢》、《爾雅》小學類與議論《五經》、七經諸書；而《河圖》、經緯諸書另成「七緯」一類。劉昫《舊唐書》「經部」自「論語類」中，再離析獨立「經緯」、「七經雜解」二目，而將「白虎通」六卷歸入「七經雜解」中。[14]歐陽修《新唐書》，依《舊唐書》分類，離析改名為「論語類」、「讖緯類」與「經解類」，而將「白虎通義」歸入「經解類」。晁公武《郡齋讀書志》於《白虎通德論》十卷案曰：

> 《隋志》通解羣經者，（系）繫之《論語》類，又別載「七緯」；《唐志》「讖緯」、「經解」二目；《崇文》錄以緯書，各附經末。今讖書蓋鮮，而雜解《七經》繫之《論語》為未安，故從《崇文》錄併讖緯，而經解之目從《唐志》云。[15]

《隋志》分「論語」、「七緯」二類，劉昫《舊唐書》分「論語類」、「經緯類」、「七經雜解類」；《崇文總目》則將《論語》諸書與雜解經諸書歸納成「論語類」，同時取消「讖緯

---

14 《舊唐書》卷四十六，頁 24。

15 （宋）晁公武：《郡齋讀書志》（臺北：廣文書局，1978 年），冊 1，卷四，頁 418。

類」，將諸讖緯書目分散，附於各經之末；[16]歐陽修《新唐書》再離析成「論語類」、「讖緯類」、「經解類」三類。晁公武認為，讖書數量殊少，不宜獨立一類；其次，雜解《七經》諸書，不宜與「論語類」歸屬同類。因此，晁公武主張，採取《崇文總目》將讖緯諸書分散至各經書之末，而雜解《七經》諸書，可從歐陽修《新唐書・藝文志》立「經解類」，故晁公武將「白虎通德論」列入「經解類」。

自《隋書》以降，至元代大德九年（1305）《白虎通》卷帙問世之前，「白虎通」均歸屬於「經部」「論語類」或「經解類」，從未離開「經部」範圍；直至《宋史》（1343）依然歸入「藝文志・經類・經解類」。至明代張萱（？）《內閣藏書目錄》（1605），才將「白虎通」排除在經部之外。

張萱《內閣藏書目錄》共八卷十八部：

卷一：「聖製部」、「典制部」；

卷二：「經部」、「史部」、「子部」；

卷三：「集部」；

卷四：「總集部」、「類書部」、「金石部」、「圖經部」；

卷五：「樂律部」、「字學部」、「理學部」、「奏疏部」；

卷六：「傳記部」、「技藝部」；

卷七：「志乘部」；

卷八：「雜部」。

《內閣藏書目錄》一反傳統慣例，將「白虎通」列在卷八「雜部」之首。 張萱並未說明「白虎通」列入「雜部」理由？亦未

16　《崇文總目》經部書目，記載讖緯類者，只有「《易》類」:《易緯》九卷、《周易乾鑿度》二卷與《元包》十卷三種。《元包》十卷，錢東垣按曰:「《玉海》引《崇文》目同《郡齋讀書志》作《元命苞》。」（宋）王堯臣編，（清）錢東垣輯釋:《崇文總目輯釋》，卷一，頁3。

說明「雜部」文獻種類之屬性為何？

《內閣藏書目錄》「經部」首列《十三經注疏》、《九經注疏》、《鶴山九經要義》、《九經總例》、……《經典釋文》諸書，續列《易》、《書》、《詩》、《春秋左傳》、《春秋公羊》、《春秋穀梁》、《禮記》、《周禮》、《儀禮》、《孝經》、《四書》、《論語》、《中庸》、《孟子》、《大學》、《爾雅》等各經諸書，可知《內閣藏書目錄》歸納「經部」之分類原則，是以收錄十三經與四書典籍，以及傳記注疏之著作。[17]反觀《內閣藏書目錄》「雜部」目錄內容，既雜且繁，除「白虎通」外，並列《風俗通》、《諸王事要》、《彰德癉惡錄》，……又列《瑞應騶虞詩》、《瑞應麒麟詩》、……等諸多「瑞應詩」，與《真西山讀書記》、《東萊呂太史讀書記》、《古今記要》、《困學紀聞》、《容齋隨筆》等諸家讀書筆記。因此，推測《內閣藏書目錄》「雜部」之「雜」，可有二義：其一，就目錄內個別單一文獻資料而言，內容性質駁雜多樣；其二，就「雜部」歸納原則而言，凡是無法歸屬上述十七部之文獻書目者，皆將就溷雜為一類。就此而論，張萱歸「白虎通」入「雜部」，可能考量其一，乃「白虎通」卷帙內容性質駁雜；其二，張萱判斷「白虎通」無法歸屬上述十七部之內，尤其是不能見容於「經部」之中。

以下例舉史書與藏書目錄之「經部」分類，與「白虎通」歸入「經部」分類項目，製作簡表如下。（「白虎通」歸入「經部」分類項目，以黑色網底標示。）

---

17 （明）張萱：《內閣藏書目錄》（臺北：廣文書局，1968年），上冊，頁41-99。

史書與藏書目錄經部分類

史書目錄	經部分類													
《隋書》	易	書	詩	禮	樂	春秋	孝經	論語	讖緯	小學				
《舊唐書》	易	書	詩	禮	樂	春秋	孝經	論語	讖緯	經解	詁訓	小學		
《崇文總目》	易	書	詩	禮	樂	春秋	孝經	論語	小學					
《新唐書》	易	書	詩	禮	樂	春秋	孝經	論語	讖緯	經解	學			
《郡齋讀書志》	易	書	詩	禮	樂	春秋	孝經	論語	經解	小學				
《通志》	易	書	詩	春秋	國語	孝經	論語	爾雅	經解					
《直齋書錄解題》	易	書	詩	禮	春秋	孝經	語孟	讖緯	經解	小學				
《玉海》	易	書	詩	三禮	春秋	論語	孝經	經解	總六經	讎正五經	小學			
《文獻通考》	易	書	詩	禮	春秋	論語	孟子	孝經	經解	樂	儀注	謚法	讖緯	小學
《宋史》	易	書	詩	禮	樂	春秋	孝經	論語	經解	小學				
《內閣藏書目錄》[18]														
《明書》[19]	易	書	詩	春秋	三禮	禮書	樂書	諸經總錄	四書	性理				
《四庫全書》	易	書	詩	禮	春秋	孝經	五經總義	四書	樂	小學				

---

18 《內閣藏書目錄》未明確細分「經部」類別，目次依諸經注疏、《易》、《書》、《詩》、《春秋》、《禮》、《四書》、《爾雅》等，羅列諸書目。

19 《明書》未明確實指「經部」範圍。依〈經籍志〉首列「制書」一百六十七部，續接「易類」，……「性理類」後接「經濟類」，其後再接「史類」，……「子類」，……「文集」，「詩詞類」，「類書」，「韻書」，……。本表格未將首列之「制書」與後繼之「經濟類」列在「經部」之內。表列《明書》「經部」分類，悉依《隋書．經籍志》以降史書分類之傳統慣例。

第三節　《四庫全書總目》歸類《白虎通》蠡測

由上列分類表格中，不難看出史書與藏書目錄歸納「白虎通」之趨勢變化。《隋志》以附錄方式將「白虎通」歸入「論語類」，《崇文總目》遵循《隋志》方式；而《舊唐書》於「經部」內另立「經解類」，且將「白虎通」歸入「經解類」；此後《新唐書》、《郡齋讀書志》、《通志》、《直齋書錄解題》、《玉海》、《文獻通考》與《宋史》等，皆以《舊唐書》之歸類為依據。無論是《隋志》與《崇文總目》將「白虎通」歸入「《論語》類」，或是《舊唐書》以降諸書將「白虎通」列入「經解類」，充分顯示近千年（636-1605）之史書目錄皆肯定「白虎通」屬於「經部」書目。然而，自明代《內閣藏書目錄》將「白虎通」歸入「雜部」，爾後《明書》則將「白虎通」歸在「集部」之後、「類書」之內，尤其是清代《四庫總目》將「白虎通」歸入「子部」「雜家類」，完全脫離《隋志》傳統，意義極為特殊。

《四庫總目》「經部總敘」曰：

> 蓋經者非他，即天下之公理而已。今參稽眾說，務取持平，各明去取之，故分為十類：曰易，曰書，曰詩，曰禮，曰春秋，曰孝經，曰五經總義，曰四書，曰樂，曰

小學。[20]

《四庫總目》「經部」分：「易類」、「書類」、「詩類」、「禮類」、「春秋類」、「孝經類」、「五經總義類」、「四書類」、「樂類」、「小學類」等共十類。《四庫總目》「五經總義類」曰：

> 漢代經師如韓嬰治《詩》兼治《易》者，其訓故皆各自為書。宣帝時，始有《石渠五經雜義》十八篇，《漢志》無類可隸，遂雜置之《孝經》中；《隋志》錄許慎《五經異義》以下諸家，亦附《論語》之末；《舊唐書志》始別名「經解」，諸家著錄因之，然不見兼括諸經之義。朱彝尊作《經義考》別目曰「羣經」，蓋覺其未安，而採劉勰〈正緯〉之語以改之，然又不見為訓詁之文。徐乾學刻《九經解》，顧湄兼採總集經解之義，名曰「總經解」，何焯復斥其不通。蓋正名若是之難也。考《隋志》於統說諸經者，雖不別為部分，然「《論語》類」末稱《孔叢》、《家語》、《爾雅》諸書，併《五經總義》附於此篇，則固稱「《五經》總義」矣！今準以立名，庶猶近古，《論語》、《孝經》、《孟子》雖自為書，實均《五經》之流別，亦足以統該之矣！其校正文字及經傳諸圖，併約略附焉，從其類也。[21]

《四庫總目》序言開宗明義「五經總義類」之傳統及其性質。其始，《漢書·藝文志》雜置《石渠五經雜義》十八篇於《孝

20　《四庫全書總目》第 1 冊，頁 62。
21　《四庫全書總目》第 1 冊，頁 671。

經》中；其後，《隋志》置《五經異義》諸家附錄《論語》之末；再者，《舊唐書志》另立「經解類」綜攝諸家著錄。雖然《舊唐書志》「經解類」諸書內容溷雜，並非完全符合「解經」性質，此蓋圖書分類困難之處也。《隋志》既已發凡起例，容納如「《孔叢》、《家語》、《爾雅》諸書，併《五經總義》」為一類；且《四庫總目》亦同意：「『論語類』末稱《孔叢》、《家語》、《爾雅》諸書，併《五經總義》附於此篇，則固稱『五經總義』矣！」《四庫總目》既已理解並且同意《隋志》歸類之用意，且又以「五經總義」為分類名稱，則《四庫總目》理應遵循《隋志》傳統，將「白虎通」歸入「五經總義類」才是！實則，《四庫總目》既未將「白虎通」歸入「五經總義類」，亦不列在「四書類」中，直接將「白虎通」摒除在「經部」之外。

《四庫總目》將「白虎通義」四卷通行本，列在卷第一百十八，「子部」第二十八，「雜家類」第二。《四庫總目》「子部總敘」曰：

> 自六經以外立說者，皆子書也。……儒家之外，有兵家，有法家，有農家，有醫家，有天文算法，有術數，有藝術，有譜錄，有雜家，有類書，有小說家，其別教則有釋家，有道家。敘而次之，凡十四類。……羣言岐出，不名一類，總為薈稡，皆可採摭菁英，故次以雜家。[22]

《四庫總目》「子部」分十四類，有：儒家、兵家、法家、農家、醫家、天文算法、術數、藝術、譜錄、雜家、類書、小

22　《四庫全書總目》第1冊，頁1802。

說家、釋家、道家。《四庫總目》認為，凡於六經之外，能創立學說、成一家之言者，皆屬子書。其中所謂「雜家」，係指學說內容繁複多樣，不可以一類名稱概括，故謂「雜家」。換言之，凡歸入「雜家」者條件有二：其一，「六經以外立說」者；其二，「羣言岐出，不名一類」者。《四庫總目》「子部・雜家類」曰：

> 雜之義廣，無所不包，班固所謂「合儒墨」、「兼名法」也。變而得宜，於例為善，今從其說。以立說者，謂之雜學；辨證者，謂之雜考；議論而兼敘述者，謂之雜說；旁究物理，臚陳纖瑣者，謂之雜品；類輯舊文，塗兼眾軌者，謂之雜纂；合刻諸書，不名一體者，謂之雜編；凡六類。[23]

「雜家」之名，始於《漢書・藝文志》。[24]「雜家」之說，森羅萬象，無所不包，故以「雜」為名，取其廣義。因此，《四庫總目》於「子部・雜家類」書目再細分：「雜學」、「雜考」、「雜說」、「雜品」、「雜纂」與「雜編」六類；簡言之：「雜學」重立說，「雜考」重辨證，「雜說」重議論，「雜品」重臚陳，「雜纂」重類輯，「雜編」重合刻。《白虎通》既隸屬於「子部」「雜家」「雜考」類，顯示《四庫總目》判斷「白虎通」卷帙之性質，有三層意義：其一，「白虎通」學說屬諸子立說，不在《六經》以內；其二，「白虎通」內容繁複多

23　《四庫全書總目》第 1 冊，頁 2339。

24　班固曰：「雜家者流，蓋出於議官。兼儒、墨，合名、法，知國體之有此，見王治之無不貫，此其所長也；及盪者為之，則漫羨而無所歸心。」《漢書》卷三十，〈藝文志〉第十，頁 1742。

樣，不可以一類名稱概括；其三，「白虎通」卷帙內容雜考重辨證。綜合而言，「白虎通」乃是內容繁複、雜考重辨證之諸子學說。雖然《四庫總目》歸「白虎通」入「子部・雜家類」，然而，《四庫總目》對白虎觀會議事跡之描述，卻與其歸類「白虎通」卷帙文本之立場，兩者不相應。

《四庫全書簡明目錄》「白虎通義」條曰：

> 漢班固撰，凡四十四篇。蓋肅宗詔羣儒考定《五經》同異於北宮白虎觀，裒其議奏為「白虎通德論」，後詔固撰集成書，始定此名，或稱「白虎通」者，省文也。其說雖兼涉讖緯而多傳古義，至今為考證家所依據。[25]

《四庫全書簡明目錄》宣稱，東漢章帝下詔群儒於北宮白虎觀，考定《五經》同異，其議奏名為「白虎通德論」，其後再詔班固依議奏「白虎通德論」內容撰集成「白虎通義」；而「白虎通」之名，則是「白虎通義」之流俗省文。雖然，「白虎通義」（或稱「白虎通」）是考定《五經》會議之議奏，然而卷帙內容旁涉讖緯文句，且多保存古義，凡此皆可供後世考據佐證之資料文獻。《四庫全書簡明目錄》一方面肯定「白虎通義」是考定《五經》會議之議奏，一方面肯定「白虎通義」內容旁涉讖緯文句，且多保存古義，卻未曾質疑兩者間不相應問題。

《四庫總目》之「白虎通義」提要內容，從卷帙篇卷、會議事跡及卷帙文本三面向評論。《四庫總目》曰：

---

25 （清）紀昀等：《景印文淵閣四庫全書》（臺北：臺灣商務印書館，1986 年），第六冊，卷十三，頁 207-208。

> 漢班固撰。《隋書·經籍志》載《白虎通》六卷，不著撰人；《唐書·藝文志》載《白虎通義》六卷，始題班固之名；《崇文總目》載《白虎通德論》十卷，凡十四篇；陳振孫《書錄解題》亦作十卷，云凡四十四門。今本為元大德中劉世常所藏，凡四十四篇，與陳氏所言相符，知《崇文總目》所云「十四篇」者，乃傳寫脫一「四」字耳。[26]

《四庫總目》引述史書與藏書目錄記載「白虎通」卷帙之卷篇數與作者，並以元大德本《白虎通》四十四篇為準，糾正《崇文總目》所稱「白虎通德論」「十四篇」者，乃傳寫脫一「四」字。《四庫總目》續下論述白虎觀會議事跡與「白虎通義」卷帙之關係曰：

> 據《後漢書·固本傳》稱，天子會諸儒，講論《五經》，作《白虎通德論》，令固撰集其事。而〈楊終傳〉稱，終言宣帝博徵群儒，論定《五經》於石渠閣，方今天下少事，學者得成其業，而章句之徒破壞大體，宜如石渠故事，永為世則；於是詔諸儒於白虎觀，論考同異焉。會終坐事繫獄，博士趙博、校書郎班固、賈逵等，以終深曉《春秋》，學多異聞，表請之，即日貰出。〈丁鴻傳〉稱，肅宗詔鴻與廣平王羨及諸儒，樓望、成封、桓郁、賈逵等，論定《五經》同異於北宮白虎觀，使五官中郎將魏應主承制問難，侍中淳于恭奏上，帝親稱制臨決，時張酺、召馴、李育皆得與於白虎觀。蓋諸儒可考

26　《四庫全書總目》，第三冊，頁 2355。

> 者十有餘人，其議奏統名「白虎通德論」，猶不名「通義」。《後漢書・儒林傳》序言，建初中，大會諸儒於白虎觀，考詳同異，連月乃罷。肅宗親臨稱制，如石渠故事，顧命史臣，著為通義。唐章懷太子賢註云，即《白虎通義》，是足證固撰集後，乃名其書曰《通義》。《唐志》所載，蓋其本名，《崇文總目》稱《白虎通德論》，失其實矣！《隋志》刪去「義」字，蓋流俗省略，有此一名。故唐劉知幾《史通》序引《白虎通》、《風俗通》為說，實則遞相祖襲，忘其本始者也。[27]

基本上，《四庫總目》論述白虎觀會議事跡，多以《後漢書》記載為依據。綜合《四庫總目》引述白虎觀會議事跡，重點有三：其一，白虎觀會議緣起於章句之徒破壞大體；其二，會議以天子名義召集，諸儒論定《五經》同異於白虎觀，章帝親臨稱制，如西漢石渠故事；其三，諸儒講論《五經》同異作成議奏，統名「白虎通德論」，其後章帝親臨稱制，史臣著為通義，名曰「白虎通義」，而「白虎通」則是「白虎通義」流俗省略之名。換言之，白虎觀會議以天子為首，以太常博士學官、諸生、諸儒為主體，以講論《五經》同異為宗旨；會議動員人數之多，歷時之久，是東漢經學發展過程中，最具代表性之經學盛事。白虎觀會議宗旨，標誌東漢經學發展中所產生之流弊，以及中央政府所採取解決之道，最後獲得共同結論。會議事跡永為後世則，媲美西漢石渠故事，而會議卷帙「白虎通義」，堪稱當時中央學官與諸生、諸儒之集體共識，標誌東漢經學

27　《四庫全書總目》第三冊，頁 2355。

發展之時代意義。

《四庫總目》續下論述「白虎通義」卷帙內容曰：

> 書中徵引《六經》傳記，而外涉及緯讖，乃東漢習尚使然。又有〈王度記〉、〈三正記〉、〈別名記〉、〈親屬記〉，則《禮》之逸篇。方漢時崇尚經學，咸兢兢守其師承，古義舊聞，多存乎是，洵治經者所宜從事也。[28]

《四庫總目》特別留意，「白虎通義」卷帙文本除徵引《六經》傳記之外，「而外涉及緯讖」與夾雜《禮》之逸篇二項不尋常現象。《四庫總目》認為，「白虎通義」書中涉及讖緯乃是東漢習尚使然，而夾雜〈王度記〉、〈三正記〉、〈別名記〉、〈親屬記〉等《禮》之逸篇，則是東漢經學嚴守師承家法之結果，間接保存諸多古義舊聞。最後，《四庫總目》仍不忘強調，「白虎通義」是治經學者所宜從事之研究文獻材料。總結《四庫總目》提要內容有三：其一，白虎觀會議事跡是東漢中央學官之經學活動，是經學發展過程中一大盛事；其二，白虎觀會議卷帙是東漢經學會議之具體成果，代表東漢經學共識；其三，白虎觀會議卷帙「白虎通義」是東漢經學發展之歷史見證，是研究經學者之重要文獻。

依《四庫總目》提要揭示，白虎觀會議既是東漢經學事跡，而「白虎通義」是白虎觀經學會議之文獻資料，無論如何，「白虎通義」應屬「經部」「五經總義類」書目。然而，《四庫總目》將「白虎通義」歸入「子部」「雜家類」，不僅脫離《

---

28 《四庫全書總目》第三冊，頁 2355-2356。

隋志》傳統，而且與提要描述白虎觀會議事跡南轅北轍，兩者不相應。尤有甚者，上述鄭樵《通志》批評《崇文總目》「看前不看後」，「只看帙前數行，率意以釋之」，將《刊謬正俗》列入「論語類」一事，《四庫總目》對此亦有所評論。《四庫總目》「經部」「小學類」《匡謬正俗》曰：

> 鄭樵《通志・校讎略》曰：「《刊謬正俗》，乃雜記經史，……。」今檢《崇文總目》，樵說信然。當時館閣諸人不應荒謬至此，檢是類所列，以《論語》三種、《家語》一種居前，次為《白虎通》，次為《五經鉤沈》，次即此書，次為《六說》，次為《經史釋題，次為《綬經圖》，次為《九經餘義》，次為《演聖通論》，皆統解羣經之文。蓋當時仿《隋志》之例，以「《五經》總義」附之「論語類」中，雖不甚允，要不可謂之無據。樵不攷舊文，而務為苛論，遽以只看數行詆之，失其旨矣。[29]

《四庫總目》既已知《崇文總目》遵循《隋志》體例，將「《五經》總義」附於「論語類」中，故鄭樵不應苛責至此；並且肯定《白虎通》、《五經鉤沈》、《匡謬正俗》、……等書，「皆統解羣經之文」，於是，《四庫總目》依然將《匡謬正俗》歸入「經部」「小學類」，但是，卻又將「白虎通義」歸入「子部」「雜家類」。《四庫總目》縱使不遵循《隋志》體例，亦應將「白虎通義」歸入「五經總義類」方是合理做法，又何苦將「統解羣經之文」之「白虎通義」歸入「子部」「雜家

29　《四庫全書總目》第三冊，頁 835。

類」？總之，《四庫總目》之分類，顯示《白虎通》卷帙與白虎觀會議事跡漸行漸遠，《白虎通》在東漢經學史上之意義，今非昔比。無獨有偶，1993年國立中央圖書館編輯《國立中央圖書館善本序跋集錄》，亦將「白虎通德論」（二卷二冊）序跋文集歸入「子部」「雜家類」「雜考」，[30]或許是遵循《四庫總目》分類標準。

第四節　《白虎通》類別屬性與時代意義

《後漢書・章帝紀》記載章帝建初四年（79），下詔太常以下、諸生、諸儒會白虎觀，講議《五經》同異。章帝詔書揭櫫會議，緣起於「《五經》章句煩多，議欲減省」，會議宗旨目的乃「欲使諸儒共正經義，頗令學者得以自助」，可知白虎觀會議因應時代需求而生，會議事跡與卷帙標誌經學發展階段與時代意義。東漢蔡邕「上封事七條」，其第五事曰：

> 昔孝宣會諸儒於石渠，章帝集學士於白虎，通經釋義，其事優大，文武之道，所宜從之。[31]

蔡邕文章顯示，西漢宣帝石渠閣會議與東漢章帝白虎觀會議兩

---

30 國立中央圖書館編：《國立中央圖書館善本序跋集錄》，頁 441-443。是書「子部」「雜家類」又分：「雜學」、「雜考」、「雜說」與「雜纂」四種，所錄「白虎通德論」序跋：「元張楷序」、「元嚴度題」、「明冷宗元刻《白虎通》序」、「明郎璧金《白虎通》題辭」、「明王弇州讀《白虎通》」與「清汪士漢《白虎》《風俗》二通合編總論」諸篇，皆歸入「雜考類」。

31 《後漢書・蔡邕列傳》，卷六十下，頁 1996-1997。

會，在東漢時已成歷史佳話，同時樹立經學會議典範。清代皮錫瑞（1850-1908）《經學歷史》曰：

> 經學自漢元、成至後漢，為極盛時代。
>
> 非天子不議禮，不制度，不考文；議禮、制度、考文，皆以經義為本。後世右文之主，不過與其臣宴飲賦詩，追〈卷阿〉矢音之盛事，未有能講經議禮者。惟漢宣帝博徵羣儒，論定五經於石渠閣。章帝大會諸儒於白虎觀，考詳同異，連月廼罷；親臨稱制，如石渠故事；顧命史臣，著為通義；為曠世一見之典。《石渠議奏》今亡，僅略見於杜佑《通典》。《白虎通議》猶存四卷，集今學之大成。十四博士所傳，賴此一書稍窺崖略。[32]

皮錫瑞稱東漢是「經學極盛時代」，並稱石渠閣、白虎觀兩會能「講經議禮」。尤其是石渠閣會議之《石渠議奏》，僅部分文獻留存於《通典》，而「白虎通議」猶存四卷，「為曠世一見之典」，「集今學之大成」，「十四博士所傳，賴此一書稍窺崖略」，「白虎通議」乃是東漢經學發展之歷史見證，價值意義非凡。由此可知，西漢石渠閣與東漢白虎觀兩次會議，是漢代經學具體落實之學術活動與實踐，在中國經學發展過程中，表徵經學發展之時代意義，擁有崇高之歷史地位。

依據莊述祖考據，東漢中平六年（189）蔡邕作〈巴郡太守謝版〉，始呼「白虎議奏」；[33]洪業考據，白虎觀會議之後

32　《經學歷史》，頁 117。

33　蔡邕作〈巴郡太守謝版〉曰：「詔書前後，賜石鏡奩《禮經素字》、《尚書章句》、《白虎議奏》合成二百一十二卷。」（東漢）蔡邕：《蔡中郎文集》（臺北：藝文印書館，《百部叢書集成》影印《十萬卷樓叢書》本，1969 年），

至蔡邕百年之間（79-189），白虎觀會議之卷帙乏人問津，[34]遲至魏代繆襲（186-245）開始引述《白虎通》文句。[35]至於《白虎通》卷帙文本重現於世，則在會議千年以後。

元代張楷（？）「白虎通序」曰：

> 《白虎通》之為書其來尚矣。……平生欲見其完書，未之得也。余分水監歷常之無錫，有郡之耆儒李顯翁晦識余於官舍，翌日攜是帙來且云：州守劉公家藏書舊本，公名世常字平父，迺大元開國之初行省，公之子魯齋許左轄之高弟收書不啻萬卷，其經史子集士夫之家亦或互有，惟此帙世所罕見，郡之博士與二三子請歸之於學，將鏤板以廣其傳，守慨然許之。今募匠矣，求余識於卷首，余謂是書韜晦於世何止數百歲而已。[36]

張楷序言首先感歎，《白虎通》完整卷帙，元代之前世所罕見。是時元代成宗大德九年四月，李顯翁持劉平父家所藏是書善本見張楷，州守慨然許以此書鏤板重印，此即是「元大德本」《白虎通》。[37]清代盧文弨於乾隆四十九年九月（1784）重新校刻《白虎通》，「元大德本跋後」曰：

卷八，頁3。王䄵考證蔡邕作〈巴郡太守謝版〉，當於中平六年。（東漢）蔡邕：《蔡中郎集》（臺北：中華書局，《四部備要．集部》據《海原閣校刊本》校刊，1965年），見附「中郎年表」，頁6。

34 洪業曰：「所以不僅許慎馬融不能得其書而讀之，且蔡邕鄭玄並不曾舉引也。」〈白虎通引得序〉，頁9。

35 洪業曰：「《南齊書．禮志》（卷九上，建元元年，王儉議郊殷之禮）載魏繆襲引『《白虎通》云：「三王祭天，一用夏正。」所以然者，夏正得天之數也。』」同前註。

36 抱經堂本《白虎通》「白虎通序」，頁1。

37 參考本書第二章第二節「盧文弨校刻《白虎通》版本」。

> 案：古書不宜輕改，此論極是。……特初就何允中《漢魏叢書》本校訂付雕，於其語句通順者，不復致疑。後得小字宋本，元大德本參校，始知何本間有更改之處，因亟加刊修以還舊觀，書內不能改者，具著其說於補遺中。[38]

盧文弨校刻《白虎通》所據明代新舊版本有五種，[39]主要以何允中《漢魏叢書》本校訂，並「據莊（述祖）校本覆校並集眾家」而成，盧文弨言「古書不宜輕改」，堅持沿用舊名「白虎通」校訂付雕。換言之，自元大德九年《白虎通》問世發行，至盧文弨校刻《白虎通》開始廣為流行，學術界專注於《白虎通》卷帙文本研究，乃是七百年來（1305-2019）之事。

盧文弨校刻《白虎通》，除「據莊校本覆校」，並於莊述祖條下注曰：「考及目錄、闕文皆所定。」並且《抱經堂叢書》本附錄〈白虎通義考〉，亦是莊述祖著作；又，盧文弨甚至稱許莊述祖考據《白虎通》「厥功甚偉」，[40]可知莊述祖研究《白虎通》甚深，不僅參與校刻《白虎通》工作，提供諸多校刊與輯佚，並且提出重大研究成果。

莊述祖〈白虎通義考〉主張，[41]白虎觀會議有兩種卷帙文

38 抱經堂本《白虎通》，「元大德本跋後」，頁 1。

39 抱經堂本《白虎通》「白虎通𨶒所據新舊本并校人姓名」：一，明遼陽傅鑰本；二，明新安吳琯本；三，明新安程榮本；四，明武林何允中本；五，明錢塘胡文煥本。頁 1。

40 盧文弨曰：「乾隆丁酉之秋，故人子陽湖莊葆琛見余於鍾山講舍，攜有所校《白虎通》本。此書訛謬相沿久矣，葆琛始為之條理，而是正之，厥功甚偉。」抱經堂本《白虎通》「校刻《白虎通》序」，頁 1。

41 莊述祖：〈白虎通義考〉，頁 604-609。

本傳世：一種是未經修改之會議全文，有百篇以上，《後漢書》稱「白虎奏議」，後世流俗省略稱「白虎通」；一種是依百篇以上之「白虎奏議」改寫成四十三篇之「通義」，故稱「白虎通義」。莊述祖推測，百篇以上之「白虎奏議」（或稱「白虎通」），在隋唐時已亡佚；而四十三篇之「白虎通義」倖存至今，即是元大德本《白虎通》，故莊述祖主張，今所見之元大德本《白虎通》，應正名為「白虎通義」。[42]

莊述祖考據《白虎通》與正名「白虎通義」之主張，另一部分原因，源自於會議事跡與會議卷帙兩者不相應問題。莊述祖曰：

> 今所存本凡四十四篇，首於〈爵〉終於〈嫁娶〉，大抵皆引經斷論，卻不載稱制臨決之語。[43]
>
> ……《論語》、《孝經》、六藝並錄。傳以讖記，援緯證經，自光武以《赤伏符》即位，其後靈台郊祀，皆以讖決之，風尚所趨然也。故是書論郊祀、社稷、靈臺、明堂、封禪，悉檃括緯候，兼綜圖書，附世主之好，以緄道真，違失六藝之本，視石渠為駮矣。夫通義固議奏之略也。[44]

莊述祖發見《白虎通》卷帙與白虎觀會議事跡不相應之處，主要有三：其一，《白虎通》「不載稱制臨決之語」；其二，《白虎通》卷帙文本與石渠佚文迥異；其三，《白虎通》夾述《論語》、《孝經》與六藝並錄，「傳以讖記，援緯證經」，「是

42　參考本書第三章第二節「莊述祖考據成果與主張」。

43　莊述祖：〈白虎通義考〉，頁 605。

44　莊述祖：〈白虎通義考〉，頁 609。

書論郊祀、社稷、靈臺、明堂、封禪，悉隱括緯候，兼綜圖書」，違背章帝詔開白虎觀會議「講議《五經》同異」之精神宗旨。上述三項不相應跡象，莊述祖亦提出三項理由解釋：其一，因「通義固議奏之略」，故《白虎通》「不載稱制臨決之語」；其二，因「風尚所趨」，故《白虎通》「傅以讖記，援緯證經」；其三，因「附世主之好」，故《白虎通》「論郊祀、社稷、靈臺、明堂、封禪，悉隱括緯候，兼綜圖書」。

莊述祖之考據與正名主張，引發後世廣大迴響，支持者與修正者亦各據一詞。姚振宗曰：「《白虎議奏》非《白虎通》，章懷此注，誤也；莊氏述祖考之甚詳。」[45]孫詒讓援用莊述祖之考據證據，曰：「今考《議奏》、《通義》卷數，多寡懸殊，莊氏謂非一書，其說是矣。」[46]卻提出不同結論。[47]劉師培所持論據亦承襲莊述祖，同時也提出與莊述祖、孫詒讓兩人不同之結論。[48]民國時期，洪業仍宣稱：「夫蔡邕之時（初平三年，192，卒）尚有《白虎奏議》，卷數逾百。」[49]顯然同意莊述祖之考據證據，卻又同時對《白虎通》提出：「疑其書非班固所撰」、「疑其非章帝所稱制臨決者」、「疑其為三國時作品」

---

45 《隋書經籍志考證》卷八，頁 144。

46 孫詒讓：〈白虎通義考〉，上篇，頁 2114。

47 孫詒讓曰：「石渠舊例有專論一經之書，有雜論五經之書，合則為一帙，分則為數家，……白虎講論，既依石渠故事，則其議奏必亦有專論一經與雜論《五經》之別，今所傳通議，蓋白虎義奏內之《五經雜議》也。」〈白虎通義考〉，上篇，頁 2114-2116。

48 劉師培〈白虎通義源流考〉曰：「陽湖莊氏別《通義》於《奏議》之外，謂與《議奏》為二書，瑞安孫氏列《通義》於奏議之中，謂即奏議之一類。以今審之，二說均違。」（清）陳立撰．吳則虞點校：《白虎通疏證》，頁 783。

49 洪業：〈白虎通引得序〉，頁 9。

三項質疑。[50]

《白虎通》卷帙在東漢經學史上之定位，至今猶未明確，但是國憲、法典之性格，卻日益明顯。夏長樸從大綱及分目肯定《白虎通》，是部「鉅細靡遺，無所不包，是一部粗具規模的組織法」，甚至「也是自天子以至於庶人，立身行世的根本」。[51]林麗雪亦肯定《白虎通》，「全書處處透露出漢儒企圖賦予大一統專制政體新的政治理想和內容的苦心」，[52]其目的乃是為日後「為漢立制」預作準備。[53]任繼愈稱：

> 從形式上看，這套決議雖然只涉及到五經同異中的一些問題，屬于經學的範圍，不算作國家正式頒布的法典，但是它的內容規定了國家制度和社會制度的基本原則，確立了各種行為准則，直接為鞏固統治階級的專政服務，所以它是一種制度化了的思想，起著法典的作用。[54]

任繼愈一方面肯定《白虎通》是會議決議文獻，內容固屬經學

---

50 洪業：〈白虎通引得序〉，頁 9。

51 夏長樸：《兩漢儒學研究》（臺北：臺灣大學文史叢刊之四十八，1978 年），頁 36。

52 林麗雪言：「儘管白虎通全書處處透露出漢儒企圖賦予大一統專制政體新的政治理想和內容的苦心，譬如它主張『崇禮樂教化』（禮樂篇）、『刑以佐德助治』（五刑篇）以及富團結而非壓制意義的『三綱六紀』之倫理觀等，但往往因全篇累牘援引讖緯而遭到後世學者的詬病。」林麗雪：〈白虎通與讖緯〉，《孔孟月刊》第 22 卷第 3 期（1983 年），頁 25。

53 林麗雪言：「相隨著學術地位的提升，讖緯在政治的措施上也起了相當大的作用。……後來，章帝制漢儀，亦依讖緯立制：『元和二年下詔曰：……章和元年正月迺召褒詣嘉德門，……』白虎集議的目的既在為漢立制，豈有不引用讖緯的道理？」〈白虎通與讖緯〉，頁 22。

54 任繼愈主編：《中國哲學發展史》，頁 474。

範圍；一方面肯定《白虎通》是具制度化思想，具有法典之作用。侯外廬則稱：

> 我們認為白虎觀所欽定的奏議，也就是賦予這樣的"國憲"以神學的理論根據的讖緯國教化的法典。[55]

侯外廬論點與任繼愈所言，如出一轍，甚至將白虎觀奏議《白虎通》提升至「國憲」、「法典」地位。王四達言：

> 若就現存的《白虎通義》的內容來看，它根本不涉及對《五經》章句的減省，因為它並沒有針對各經重新進行簡約的注疏，而只是零散地引用經文對國家禮制的有關問題進行斟酌、討論，並由皇帝作出裁決性的解釋。雖然不能說它與經學無關，但經文的引用與其說是為"正經義"不如說是為"正禮義"服務的，這與石渠閣會議曾分別作出《書議奏》、《禮議奏》、《春秋議奏》、《論語議奏》、《五經雜議》等是明顯不同的。[56]

王四達分析《白虎通》內容，既「不涉及對《五經》章句的減省」，亦「沒有針對各經重新進行簡約的注疏」，「零散地引用經文對國家禮制的有關問題進行斟酌、討論」，其目的乃是為「正禮義」，而非「正經義」。《白虎通》卷帙內容與章帝召開會議之宗旨不同，其結果，甚至不如石渠閣會議：《書議奏》、《禮議奏》、《春秋議奏》、《論語議奏》、《五經雜議》之具體經學成果。尤有甚者，林聰舜指出：

55 侯外廬：《中國思想通史》第二卷，頁 225。

56 王四達：〈是「經學」、「法典」還是「禮典」？——關于《白虎通義》性質的辨析〉，《孔子研究》第 6 期（2001 年），頁 55。

> **我們可以把《白虎通》的產生，視為章帝制定『國憲』的努力的一部分，而且就今日的角度來看，《白虎通》的重要性甚至遠超過本想作為『國憲』的漢禮百五十篇。[57]**

白虎觀會議事跡已然成為日後制定禮憲之預備會議，而《白虎通》卷帙則成為提供制憲法典之理論基礎。時至今日，《白虎通》卷帙被視為制憲法典理論基礎之具體成果，應非東漢章帝召開白虎觀會議之宗旨目的矣！

最後再舉一例觀察。1996 年葉國良、夏長樸、李隆獻三位先生，應國立空中大學人文學系之邀，配合課程需要，合作撰寫《經學通論》一書，由國立空中大學出版。[58]2002 年課程結束，2005 年 8 月三先生增刪潤飾，重新排印，由大安出版社再版《經學通論》。[59]是書關於白虎觀會議事跡主要論述有二：

其一，初版「第十九章　兩漢的經學」，「第三節　今古文之爭」，「壹、今古文學的四次爭議」論第三次爭議言：

> **章帝建初四年（西元七九年）詔令「太常，將、大夫、博士、議郎、郎官及諸生、諸儒會白虎觀，講議五經同**

---

57 林聰舜：《漢代儒學別裁——帝國意識形態的形成與發展》，頁 218。

58 葉國良、夏長樸、李隆獻：《經學通論》（臺北：國立空中大學出版，1996 年）。

59 葉國良言：「民國九十一年，該課程結束，書稿合約亦已期滿，空大不再發行。……延至本年初，始以半年時間加以增刪潤飾，重新排印，是為本書。本書與前身不同者，一為刪除『學習目標』、『摘要』及『自我評量題目』三者，二為章節、內容及注釋稍有增補。然而全書仍一本編寫之初衷，亦即：內容要具概括性但不能太深奧，論點要有一致性而避免太主觀，敘述要簡淺明確而不要太瑣碎。」葉國良等著：《經學通論》（臺北：大安出版社，2005 年），「再版說明」。

> 異。」這就是著名的「白虎觀會議」。在這次學術會議中，「（李）育以《公羊》義難賈逵，往返皆有理證，最為通儒。」[60]

再版同一章節「壹、今古文學的四次爭議」，文字一致。[61]

其二，初版「第二十一章 隋唐的經學」，「第三節 經學的統一」，「壹、《五經正義》」言：

> 自有經學以來，統一經義，使人無異說、家無異文，是許多學者追求的理想，漢代石渠閣會議、白虎觀會議的召開，多少也有求經說一致的意味。[62]

再版同一章節「壹、《五經正義》」，文字一致。[63]

以上二段陳述涉及白虎觀會議之內容，符合史書記載，同時肯定白虎觀會議在東漢經學史上之地位與價值。不過，「著名的『白虎觀會議』」，也只是在論「今古文學的四次爭議」第三次爭議中，聊備一格，至於白虎觀會議之卷帙文獻，卻避而不談；總不如是書「第十九章 兩漢的經學」「第一節 漢代經學發展的走向」，細分一節「參、石渠之會的原因及其影響」，專門申論西漢石渠閣會議尤其明確且具體。

至於《經學通論》對《白虎通》卷帙之論述與引用有三：

其一，初版「第十五章 孝經概說」，「第二節 孝經的作者與時代」言：「《白虎通德論》〈孝經篇〉也說」；[64]再

---

60 葉國良等著：《經學通論》，頁 504。
61 葉國良等著：《經學通論》，頁 501。
62 葉國良等著：《經學通論》，頁 504。
63 葉國良等著：《經學通論》，頁 535。
64 葉國良言：「《白虎通德論》〈孝經篇〉也說：『孔子……已作《春秋》，復作

版同一章節則言：「《白虎通・五經》『孝經論語』章也說」。[65] 初版稱「《白虎通德論》」，再版改稱「《白虎通》」。

其二，初版「第二十四章　清代的經學」，「第三節　清中葉以後的今文學」，「貳、道咸時期的今文學」言：

> 在研究今文學的風潮中，當時劉寶楠有《論語正義》，淩曙有《公羊禮疏》、《公羊問答》、《春秋繁露注》，陳立有《公羊義疏》、《白虎通疏證》，陳喬樅有《今文尚書經讀考》、《尚書歐陽夏侯遺說考》、《三家詩遺說考》、《四家詩異文考》、《齊詩翼氏學疏證》等，都標榜西漢今文經說。由於今文學著作多已亡佚，這些著作，都經過辛勤收集資料的過程，對後人了解西漢經學做了很大的貢獻。[66]

再版同一章節「貳、道咸時期的今文學」，前半段論述一致，後半段文字稍有修飾。[67]此段僅止於記錄「陳立有《白虎通疏證》」。

其三，初版書末「主要引用及參考書目」，共列 170 條書目，無《白虎通》相關卷帙書目；再版書末「主要引用及參考

《孝經》何？』這種說法為緯書所採用，……」葉國良等著：《經學通論》，頁 372-373。

65 葉國良言：「《白虎通・五經》『孝經論語』章也說：『孔子……已作《春秋》，復作《孝經》何？欲專制正法。』這種說法為緯書所採用，……」葉國良等著：《經學通論》，頁 370-371。

66 葉國良等著：《經學通論》，頁 630-631。

67 後一段文字敘述：「由於漢代今文學著作多已亡佚，上揭諸書，都經過辛勤收集資料的過程，對後人了解西漢經學做了很大的貢獻。」葉國良等著：《經學通論》，頁 613-614。

書目」，增列至238條，其中增列一條陳立《白虎通疏證》書目。

以上三段論述，第一段論「孝經的作者與時代」只引用《白虎通》一行文字，佐證孔子作《孝經》；第二段論「道咸時期的今文學」，提及陳立作《白虎通疏證》；第三段則是再版增列陳立《白虎通疏證》；至於《白虎通》卷帙與白虎觀會議事跡之相互關係，全書並未提及。換言之，《白虎通》卷帙在經學史上之參考價值與實質影響，似乎已經無足輕重、無關緊要？

十四年前（2005），葉國良等三先生合著《經學通論》，是部通論群經、群經歷史與歷史經學發展之長篇鉅構，確實是部「深淺適度、篇幅適中」之優良教材。從是書內容稍加檢視，不難看出，雖然白虎觀會議事跡目前依然保有歷史地位，但是《白虎通》卷帙與白虎觀會議事跡之關係，已經日漸疏離，形同陌路；《白虎通》卷帙在東漢經學史上之地位，不復往日榮景，甚至面臨乏善可陳、乏人問津之窘境。

第五節　小　結

依清代莊述祖以來之論述，白虎觀會議事跡是東漢經學發展之活動高峰，《白虎通》卷帙是活動事跡之文獻紀錄，則《白虎通》卷帙固然是東漢經學發展之歷史見證，象徵中央政府與博士學官集團之經學共識與學術成果，理應享有與白虎觀會議事跡在東漢經學史上之地位與價值。然而，現代學者詮釋《

白虎通》在中國經學歷史上之地位與價值，特別是在東漢經學史上之意義，卻只能聊備一格，無足輕重。尤其是《白虎通》卷帙文本之經學性格，日漸消退；取而代之，是一致肯定卷帙文本之國憲、法典規模，甚至轉型成為漢帝國制定國憲、法典之理論基礎。白虎觀會議原是「正經義」之經學會議，如今卻得到「正禮義」之會議結果。現代學者詮釋《白虎通》在東漢經學史上之意義，應是章帝召開白虎觀會議始料未及之結果。

若《白虎通》果真是白虎觀會議任一形式之文獻資料，則《白虎通》卷帙之問世，理應能提供東漢經學發展歷史之相關證明線索，卷帙印證事跡，事跡佐證卷帙，卷帙與事跡兩者相輔相成、相得益彰。雖然，蔡邕讚嘆白虎觀會議事跡，「通經釋義，其事優大，文武之道，所宜從之」；皮錫瑞盛稱《白虎通》卷帙「為曠世一見之典」，「集今學之大成。十四博士所傳，賴此一書稍窺崖略」；特別是《四庫總目》肯定《白虎通》卷帙「洵治經者所宜從事也」；然而，《四庫總目》終究將「治經者所宜從事」之「白虎通義」歸入「子部」「雜家類」。總而言之，從《隋志》到《四庫總目》等史書目錄歸類《白虎通》之歷時觀察，《白虎通》卷帙與白虎觀會議事跡原有之密切關聯，在宋、明之際產生嚴重裂縫，其中關鍵轉折處，是否與元代大德九年《白虎通》卷帙問世有關？值得斟酌商榷。無論如何，做為東漢經學會議之卷帙，不應被史書目錄排除在經部之外；除非，元大德本《白虎通》與東漢白虎觀會議毫無關係，《白虎通》並非白虎觀會議任何形式之卷帙文獻。換言之，當務之急，不在如何強化彌縫《白虎通》卷帙與白虎觀會議事跡間之關係，而是重新檢視《白虎通》卷帙與白虎觀會議事跡間之不相應問題，唯有將《白虎通》卷帙從白虎觀會議事跡之藩籬中解放出來，擺脫東漢經學之束縛，方能正視《白虎通》卷帙文本之類別屬性，還原《白虎通》本來名實。

第九章　論蔡邕與《白虎通》關係

清代莊述祖根據東漢蔡邕〈巴郡太守謝版〉內容，考據「白虎奏議」有百餘篇，因此主張元大德本《白虎通》應正名為「白虎通義」。此後，凡有研究考據白虎觀會議之事跡與卷帙者，多以莊述祖之研究成果為前提，顯示莊述祖之主張，影響後世甚鉅；而蔡邕，則是提供莊述祖研究《白虎通》相關議題之關鍵證據之一。雖然莊述祖考據蔡邕文獻，為後世學者提供彌足珍貴之佐證資料，可惜莊述祖引喻失當，誤解《白虎通》即是白虎觀會議之卷帙，逕自主張白虎觀會議有全本與略本二種卷帙，僅以「正名」方式解決《白虎通》卷帙與白虎觀會議事跡兩者間不相應問題，治絲益棼，節外生枝，引發後世一列系「正名」考據成果。

本章即以《白虎通》與蔡邕之關係為研究對象，分別探討東漢白虎觀會議事跡與蔡邕生平，分析兩者間之關聯，探索莊述祖考據所引之文獻資料之原始樣貌。本章論述內容分三節：首先，分析莊述祖依據蔡邕〈巴郡太守謝版〉考證「白虎奏議」當有百篇以上；其次，論述曹褒受命制作《漢禮》過程，與《漢禮》內容比較分析；第三，探究蔡邕校書東觀可能接觸《白虎通》，推測《白虎通》卷帙文本流傳之契機，溯源論證造成後世研究《白虎通》之影響因素。

第一節　蔡邕〈巴郡太守謝版〉

一、《白虎通》正名為「白虎通義」

莊述祖〈白虎通義考〉考證史書目錄，發見元大德本《白虎通》之卷數與篇目，不減反增於前，因此，莊述祖推論，今本「白虎通義」四十三篇之篇目，乃後人編類而成，非原始面貌。莊述祖引述東漢蔡邕〈巴郡太守謝版〉：「詔書前後，賜石鏡匳，《禮經》素字、《尚書章句》、《白虎奏議》，合成二百一十二卷。」[1]考據今文《禮經》有十七卷，古文《禮》有五十六卷， 而《尚書章句》歐陽、大、小夏侯三家，多者不過三十一卷，「《禮經》素字」與《尚書章句》二者總加，至多不過八十七卷；〈巴郡太守謝版〉既云「《禮經》素字」、《尚書章句》、「白虎奏議」三者，合成二百一十二卷，則「白虎奏議」必有百篇以上。「白虎奏議」既有百篇以上，而今本「白虎通義」只有四十三篇，則蔡邕所言之「白虎奏議」，與今本「白虎通義」兩者必不相同。莊述祖因此主張，白虎觀會議有兩種卷帙傳世：一種是未經修改之會議全文「白虎奏

1　《蔡中郎集》〈巴郡太守謝版〉作「白虎奏議」。（東漢）蔡邕：《蔡中郎集》（臺北：中華書局，《四部備要・集部》據《海原閣校刊本》校刊），卷九，頁 6。《蔡中郎文集》則作「白虎議奏」。（東漢）蔡邕：《蔡中郎文集》（臺北：藝文印書館《百部叢書集成》據清光緒陸心源校刊《十萬卷樓叢書》本影印，1968 年），卷八，頁 3。莊述祖引述〈巴郡太守謝版〉，「白虎奏議」、「白虎議奏」互用不分，本文以下凡引蔡邕〈巴郡太守謝版〉皆作「白虎奏議」。

議」，「白虎奏議」當有百篇以上；一種是「白虎通義」，「《通義》固《議奏》之略也」，「白虎通義」只有四十三篇。百篇以上之「白虎奏議」，即是後世流俗省稱之「白虎通」，在隋唐時已亡佚；而四十三篇之「白虎通義」，則倖存至今，即是元大德本《白虎通》。因此，莊述祖主張元大德本《白虎通》應正名為「白虎通義」，方能還原歷史真相。[2]

莊述祖考據蔡邕之「白虎奏議」必在百篇以上，進而主張今本《白虎通》應正名為「白虎通義」，此說引導後世之研究方向頗為明顯。例如：姚振宗（1842-1906）曰：

> 《白虎議奏》非《白虎通》，章懷此注，誤也；莊氏述祖考之甚詳。[3]

姚振宗肯定莊述祖之考據精祥，並且同意《白虎通》非「白虎議奏」。孫詒讓曰：

> 《議奏》與《通義》本屬兩書，特同出於白虎觀耳。今考《議奏》、《通義》卷數，多寡懸殊，莊氏謂非一書，其說是矣。[4]

孫詒讓亦肯定莊述祖主張白虎觀會議有「議奏」與「通義」兩種卷帙，並且「議奏」與「通義」分屬兩書。劉師培觀點，雖然與莊述祖、孫詒讓兩人之說迥異，[5]但是，劉師培所持論據，

2 參考本書第三章第二節「莊述祖考據成果與主張」。

3 （清）姚振宗：《隋書經籍志考證》卷八，頁 144。

4 孫詒讓：〈白虎通義考〉上篇，頁 2114。

5 劉師培曰：「陽湖莊氏別《通義》於《奏議》之外，謂與《議奏》為二書，瑞安孫氏列《通義》於奏議之中，謂即奏議之一類。以今審之，二說均違。」〈白虎通義源流考〉，中華本《白虎通疏證》，頁 783。

仍傳襲莊述祖之論據。[6]至洪業仍宣稱：

> 夫蔡邕之時（初平三年，192，卒）尚有《白虎奏議》，卷數逾百。[7]

洪業相信，蔡邕所持「白虎奏議」卷數逾百，完全呼應莊述祖之主張。可見莊述祖之主張，影響至為深遠；而莊述祖考據之關鍵證據，則是蔡邕〈巴郡太守謝版〉。

莊述祖發見蔡邕〈巴郡太守謝版〉之證據，固然重要，可惜引喻失當。首先，莊述祖逕自將〈巴郡太守謝版〉「合成二百一十二卷」，改「卷」成「篇」，進而論證「白虎奏議」必有百篇以上。其次，莊述祖既已知《白虎通》四十三篇，如：〈爵〉、〈號〉以至〈喪服〉、〈崩薨〉等，是指著作意義之單位，卻將蔡邕〈巴郡太守謝版〉之「白虎奏議」百「卷」以上，逕改稱「篇」，再以百篇以上之「白虎奏議」對比四十三篇之《白虎通》，混淆著作意義單位之「篇」與計量單位之「卷」，由此推論：百篇以上之「白虎奏議」與今本四十三篇之《白虎通》，兩者必不相同。此乃是莊述祖謬誤之類比。換言之：莊述祖之考據，只能證明蔡邕時有「白虎奏議」百餘卷（卷帙數量單位），但不能證明蔡邕時有「白虎奏議」百餘篇（卷帙意義單位）。並且，「白虎奏議」之百餘卷與《白虎通》四十三篇，兩者單位性質不同，故不能由此推論：百餘卷之「

6 劉師培〈白虎通義源流考〉曰：「……或以深沒姓名為誚，不知此書雖撰，《議奏》仍復並存，故桓、靈之際，伯喈守巴，仍拜帝賜。蓋詳者可以覈群說之紛，約者所以暴朝廷好尚，離以並美，誼仍互昭。嗣則《議奏》泯湮，惟存《通義》，而歧名孳生。」中華本《白虎通疏證》，頁 784。

7 洪業：〈白虎通引得序〉，頁 9。

白虎奏議」與四十三篇之《白虎通》必不相同。因此，莊述祖之考據，不能證明白虎觀會議之後有兩種卷帙，更不可因此主張《白虎通》應正名為「白虎通義」。換言之，蔡邕所謂「白虎奏議」百餘卷（卷帙數量單位）與元大德本《白虎通》四十三篇（卷帙意義單位），仍然可能實指同一卷帙。

二、「白虎通義」乃「白虎奏議」略本

究其實，莊述祖引據蔡邕文獻，證明元大德本《白虎通》乃「白虎奏議」之略本，主張《白虎通》應正名為「白虎通義」，主要目的有二：其一，證明《白虎通》所存篇目四十三篇，「皆後人編類，非其本真」；其二，試圖化解《白虎通》卷帙與白虎觀會議事跡間諸多不相應問題。莊述祖其一目的，如上所述，莊述祖乃是混淆著作意義單位之「篇」與卷帙計量單位之「卷」，故不可成立；至於其二目的，乃是開創日後研究《白虎通》方興未艾之焦點議題，影響至為深遠。

莊述祖揭露《白虎通》與白虎觀會議不相應問題有二：其一，《白虎通》內容「大抵皆引經斷論，卻不載『稱制臨決』之語」；其二，《白虎通》充斥「傅以讖記，援緯證經」之現象。其一不相應問題，白虎觀會議既以西漢「石渠故事」為倣效對象，則《白虎通》內容理應與石渠閣會議形式一致；然而，《白虎通》文本體例，只有問與答，與《石渠禮論》記載宣帝稱制臨決、討論者姓名與討論決議產生方式之詳實體例迥異。況且，《後漢書・章帝紀》記載「帝親稱制臨決」，而《白虎通》卻不載章帝「稱制臨決」之語？莊述祖認為，若《白虎通》

與「白虎奏議」明為二本，且《白虎通》即「白虎奏議」之略本，則《白虎通》即是「白虎通義」，「通義」者，未必然要倣效《石渠禮論》之體例形式，如此，便可以迴避《白虎通》與《石渠禮論》體例不同之疑慮。其二不相應問題，《後漢書》章帝詔書既云：「《五經》章句煩多，議欲減省」，「欲使諸儒共正經義」，故白虎觀會議之目的，乃在「講議《五經》同異」。莊述祖雖然揭露《白虎通》內容「雜論經傳」、「《論語》、《孝經》、六藝並錄，傅以讖記，援緯證經」，實與章帝詔書內容不符，亦異於石渠佚文；莊述祖最終只是將此一現象，歸咎於世主所好，風尚所趨使然。[8]

其實，《白虎通》卷帙與白虎觀會議事跡兩者不相應問題，不止如此。民國以後，學者對於《白虎通》之研究焦點，由考據工作轉向文本詮釋，進而以《白虎通》內容性質為主體，對校白虎觀會議之緣起背景，形成一種以文本校對會議宗旨之「倒果為因」式之考據風氣。

由於《白虎通》文本內容，論述以天子為核心之政治組織，以及環繞自天子以下，至大夫、士貴族之禮法制度，內容呈現縝密且具體之組織結構，因此，現代學者多表示肯定《白虎通》具備國憲、法典之位格。例如：夏長樸稱《白虎通》「是一部粗具規模的組織法」；[9]任繼愈稱《白虎通》「是一種制度

8 莊述祖〈白虎通義考〉曰：「自光武以《赤伏符》即位，其後靈台郊祀，皆以讖決之，風尚所趨然也。故是書論郊祀、社稷、靈臺、明堂、封禪，悉櫽括緯候，兼綜圖書，附世主之好，以緄道真，違失六藝之本，視石渠為駁矣。」，頁 7。

9 夏長樸言：「從這些大綱及分目（參疏證細目）看來，上自天文，下至地理；陰陽五行災異，及政治社會的制度，教育學術的定規，鉅細靡遺，無所不包，

化了的思想，起著法典的作用」；[10]侯外廬稱《白虎通》乃東漢之「國憲」、「法典」。[11]凡此，在在說明：《白虎通》文本所彰顯之性質，是一部體大思精、結構嚴謹之國憲法典。《白虎通》文本內容具有國憲法典性質，可謂當前學術共識。林麗雪從讖緯條文之線索中分析，肯定《白虎通》「全書處處透露出漢儒企圖賦予大一統專制政體新的政治理想和內容的苦心」，[12]《白虎通》引用讖記之文，其目的乃是「為漢立制」，甚至成為八年後章和元年（87）曹褒制《漢禮》時之準則。[13]黃復山亦認為《白虎通》引述讖緯之用意，其目的乃在使經學世俗化，並且當時如樊儵、劉輔、王蒼、曹褒等人，雜取《五經》、讖記之文制訂禮樂制度，亦是以世俗致用為目

是一部粗具規模的組織法，也是自天子以至於庶人，立身行世的根本。」夏長樸：《兩漢儒學研究》，頁 36。

10 任繼愈言：「從形式上看，這套決議雖然只涉及到五經同異中的一些問題，屬于經學的範圍，不算作國家正式頒布的法典，但是它的內容規定了國家制度和社會制度的基本原則，確立了各種行為准則，直接為鞏固統治階級的專政服務，所以它是一種制度化了的思想，起著法典的作用。」任繼愈主編：《中國哲學發展史》，頁 474。

11 侯外廬言：「我們認為白虎觀所欽定的奏議，也就是賦予這樣的〞國憲〞以神學的理論根據的讖緯國教化的法典。」侯外廬：《中國思想通史》第二卷，頁 225。

12 林麗雪言：「儘管白虎通全書處處透露出漢儒企圖賦予大一統專制政體新的政治理想和內容的苦心，譬如它主張『崇禮樂教化』（禮樂篇）、『刑以佐德助治』（五刑篇）以及富團結而非壓制意義的『三綱六紀』之倫理觀等，但往往因全篇累牘援引讖緯而遭到後世學者的詬病。」林麗雪：〈白虎通與讖緯〉，頁 25。

13 林麗雪言：「相隨著學術地位的提升，讖緯在政治的措施上也起了相當大的作用。……後來，章帝制漢儀，亦依讖緯立制：『元和二年下詔曰：……章和元年正月迺召褒詣嘉德門，……』白虎集議的目的既在為漢立制，豈有不引用讖緯的道理？」林麗雪：〈白虎通與讖緯〉，頁 22。

的。[14]林聰舜則是肯定，《白虎通》是章帝制定「國憲」之指導思想，其「重要性甚至遠超過本想作為『國憲』的《漢禮》百五十篇」。[15]學者面對《白虎通》與白虎觀會議之關係，一方面肯定白虎觀會議乃是「講議《五經》同異」之經學會議，一方面承認《白虎通》具有國憲法典性格，且在深信《白虎通》是白虎觀會議講議結果之情況下，為綰合《白虎通》「國憲」性質與白虎觀經學會議兩者間之不相應問題，於是白虎觀會議事跡淪為日後制定禮憲工程之前置作業，而《白虎通》卷帙，逐漸轉型成為東漢學術提供政治制憲理論之具體成果。

第二節　曹褒受命制作《漢禮》

上述林麗雪、黃復山與林聰舜三位學者，分析《白虎通》文本性質時，不僅肯定《白虎通》與東漢制定禮樂之關係密切，同時又與曹褒《漢禮》相提並論，此現象並非偶然巧合。

一、章帝欲制定禮憲

《後漢書》載章帝元和二年（85）詔曰：

14　黃復山言：「讖緯所以受帝王重視，並將之融入經義中，肇因殆與經學之世俗化有密切關係。……亦因其世俗化，始有樊儵、沛獻王劉輔、東平王蒼、曹褒等雜取五經、讖記以訂禮制、作《通論》等事，此亦欲用便宜行事，以達世俗致用之目的也。」黃復山：《東漢讖緯學新探》（臺北：臺灣學生書局，2000年），頁17。

15　參考本書第七章第二節「林聰舜考據成果與主張」。

> 《河圖》稱『赤九會昌，十世以光，十一以興』。《尚書琁機鈐》曰：『述堯理世，平制禮樂，放唐之文。』予末小子，託于數終，曷以纘興，崇弘祖宗，仁濟元元？《帝命驗》曰：『順堯考德，題期立象。』且三五步驟，優劣殊軌，況予頑陋，無以克堪，雖欲從之，末由也已。每見圖書，中心恧焉。[16]

章帝詔書透露制定禮憲之企圖心，且詔書中所引《河圖》、《尚書琁機鈐》與《帝命驗》，皆是讖緯之文。曹褒知章帝欲有所興作，乃上疏曰：

> 昔者聖人受命而王，莫不制禮作樂，以著功德。功成作樂，化定制禮，所以救世俗，致禎祥，為萬姓獲福於皇天者也。今皇天降祉，嘉瑞並臻，制作之符，甚於言語。宜定文制，著成漢禮，丕顯祖宗盛德之美。[17]

曹褒上疏申論，受命之王者必要「制禮作樂」，以顯其功德。而「功成作樂，化定制禮」，乃是經世濟民之舉，亦是漢初以來諸帝共同致力之目標，因此，曹褒建請章帝，「宜定文制，著成漢禮」。章帝以曹褒所疏，議於太常，太常巢堪則「以為一世大典，非褒所定，不可許」，[18]章帝制定漢禮之事，暫時作罷。

由於太常大多反對曹褒建議，章帝亦體會「群僚拘攣，難

16 《後漢書．曹褒列傳》卷三十五，頁 1202。
17 《後漢書．曹褒列傳》卷三十五，頁 1202。
18 《後漢書．曹褒列傳》卷三十五，頁 1202。

與圖始」，然而「朝廷禮憲，宜時刊立」，[19]於是元和三年（86），章帝復下詔曰：

> 朕以不德，……漢遭秦餘，禮壞樂崩，且因循故事，未可觀省，有知其說者，各盡所能。[20]

章帝詔書，公開徵求能有改進當時禮樂者。曹褒再次面對章帝詔書，乃歎息曰：「昔奚斯頌魯，考甫詠殷。夫人臣依義顯君，竭忠彰主，行之美也。當仁不讓，吾何辭哉！」復上疏「具陳禮樂之本，制改之意」。[21]

曹褒再次上疏，尚未定案之前，章帝曾召班固詢問改定禮制之事。班固答章帝之問，曰：「京師諸儒，多能說禮，宜廣招集，共議得失。」[22]班固對於改定禮制之態度，一如解決經學問題，「宜廣招集，共議得失」。但是，章帝不採班固建議，對於改定禮制之立場與態度，顯然與解決經學問題模式不同。章帝曰：

> 諺言：『作舍道邊，三年不成。』會禮之家，名為聚訟，互生疑異，筆不得下。昔堯作《大章》，一夔足矣。[23]

章帝既已體會「群僚拘攣，難與圖始」，若聽從班固建議，廣召諸儒共議禮制得失，終必引發更多糾紛，治絲益棼。因此，對於改定禮制之事，章帝一貫主張由一人制定，而章帝理想

19 《後漢書・曹褒列傳》卷三十五，頁 1202。
20 《後漢書・曹褒列傳》卷三十五，頁 1202-1203。
21 《後漢書・曹褒列傳》卷三十五，頁 1203。
22 《後漢書・曹褒列傳》卷三十五，頁 1203。
23 《後漢書・曹褒列傳》卷三十五，頁 1203。

人選，便是上疏「具陳禮樂之本，制改之意」之曹褒。

二、曹褒受命集作《漢禮》

《後漢書·曹褒列傳》載曰：

> 章和元年正月，乃召褒詣嘉德門，令小黃門持班固所上叔孫通《漢儀》十二篇，敕褒曰：「此制散略，多不合經，今宜依禮條正，使可施行。於南宮、東觀盡心集作。」[24]

章和元年（87）正月，章帝正式敕命曹褒，於南宮、東觀盡心集作改定禮制。章帝敕曹褒集作之要點有二：其一，以班固所上叔孫通《漢儀》十二篇為底本，重新翻修；其二，需「依禮條正」，使其集作能施行於當時。換言之，曹褒集作之基礎，乃是以叔孫通之《漢儀》為底本，參酌《禮經》博士所治之《儀禮》，與當時通用施行之禮制，並以其父所傳及自己所治之禮學而成。值得注意者，章帝敕命曹褒集作，乃是以叔孫通《漢儀》十二篇為架構，其中並未提及白虎觀經學會議，亦與會議卷帙文獻「白虎通」無關。

《後漢書·曹褒列傳》載曰：

> 褒既受命，乃次序禮事，依準舊典，雜以《五經》讖記之文，撰次天子至於庶人冠婚吉凶終始制度，以為百五十篇，寫以二尺四寸簡。其年十二月奏上。帝以眾論難

24　《後漢書·曹褒列傳》卷三十五，頁1203。

一，故但納之，不復令有司平奏。[25]

曹褒受命集作，乃依禮之性質與舊典秩序，撰次論及「天子至於庶人」，範圍涵蓋冠、婚、吉、凶終始制度，其中摻雜《五經》與讖記之文。曹褒用一年時間，獨自完成一百五十篇《漢禮》，[26]寫在二尺四寸竹簡，達成章帝交付使命。然而，《漢禮》乃曹褒一人所制，京師諸儒、會禮之家，始終反對，章帝被迫擱置《漢禮》，以平息眾論。

曹褒所制《漢禮》雖未能即時施行，其後發展有二事值得觀察。其一，和帝繼位，拔擢曹褒為監羽林左騎，永元四年（92）之後，太尉張酺、尚書張敏等奏和帝，指曹褒擅制《漢禮》，破亂聖術，宜加刑誅。[27]和帝雖未受理張酺等奏，然《漢禮》遂不行，依舊束之高閣。其二，張奮於永元十三年（101）上疏曰：

> 「漢當改作禮樂，圖書著明。王者化定制禮，功成作樂。謹條禮樂異議三事，願下有司，以時考定。昔孝武皇帝、光武皇帝封禪告成，而禮樂不定，事不相副。先帝已詔曹褒，今陛下但奉而成之，猶周公斟酌文武之道，非自為制，誠無所疑。久執謙謙，令大漢之業不以時成，非所以章顯祖宗功德，建太平之基，為後世法。」帝

---

25 《後漢書．曹褒列傳》卷三十五，頁1203。

26 《後漢書．儒林列傳》曰：「建武中，曹充習慶氏學，傳其子褒，遂撰《漢禮》，事在〈褒傳〉。」卷七十九下，頁2576。

27 《後漢書．曹褒列傳》曰：「會帝崩，和帝即位，褒乃為作章句，帝遂以《新禮》二篇冠。擢褒監羽林左騎。永元四年，遷射聲校尉。後太尉張酺、尚書張敏等奏褒擅制《漢禮》，破亂聖術，宜加刑誅。帝雖寢其奏，而《漢禮》遂不行。」卷三十五，頁1203。

雖善之，猶未施行。[28]

張奮上疏指出，漢代以來，「禮樂不定，事不相副」，因此建議和帝當改作禮樂，將先帝（章帝）詔曹褒集作之《漢禮》公諸於世，以此為國憲禮制。張奮稱此乃循周公斟酌文武之道，非擅自制作，如此可以消弭反對疑慮，彰顯祖宗功德，建太平之基，成後世法則。和帝雖然同意張奮意見，但猶未施行《漢禮》。由此可知，《漢禮》雖然無法施行於當時，然而「百五十篇，寫以二尺四寸簡」之卷帙文獻，一直藏於東觀，伏而未發。

第三節　蔡邕校書東觀與《白虎通》

依王昶考據，蔡邕生於東漢順帝陽嘉二年（133），卒於獻帝初平三年（192），享年六十歲。《後漢書．蔡邕列傳》曰：

建寧三年，辟司徒橋玄府，玄甚敬待之。出補河平長。召拜郎中，校書東觀。遷議郎。

靈帝建寧三年（170），蔡邕三十八歲至司徒橋玄府中任職，受橋玄敬待。後出補河平縣長。再被召回，官拜郎中，在東觀校書。再遷為議郎。熹平四年（175），與五官中郎將堂谿典等人，上奏請求正定《六經》文字，經靈帝同意，蔡邕乃自書硃砂於石碑，使工匠鐫刻立於太學門外，此即經學史上著名之

28 《後漢書．張純列傳》卷三十五，頁 1199-1200。

「熹平石經」。靈帝熹平六年（177），蔡邕為議郎，與諫議大夫馬日磾、議郎盧植、楊彪、韓說等人並在東觀，校中書《五經》記傳，補續《漢記》。同年七月，天災人禍不斷，靈帝制書引咎，誥群臣各陳政要所當施行。蔡邕「上封事七條」，其第五事曰：「昔孝宣會諸儒於石渠，章帝集學士於白虎，通經釋義，其事優大，文武之道，所宜從之。」蔡邕建請靈帝施行封事之文，提及西漢宣帝石渠閣議與章帝白虎觀會議，顯示石渠、白虎二事，已成學術佳話。

《後漢書．蔡邕列傳》曰：

> 中平六年，靈帝崩，董卓為司空，聞邕名高，辟之。稱疾不就。卓大怒，詈曰：「我力能族人，蔡邕遂偃蹇者，不旋踵矣。」又切敕州郡舉邕詣府，邕不得已，到，署祭酒，甚見敬重。舉高第，補侍御史，又轉持書御史，遷尚書。三日之閒，周歷三臺。遷巴郡太守，復留為侍中。

中平六年（189）靈帝崩，董卓為司空，欲徵召蔡邕。時蔡邕五十七歲，稱病推辭，此舉惹怒董卓，董卓詈辱蔡邕傲慢失禮，威脅蔡邕恐將禍及族人；同時施壓州郡推舉蔡邕至公府。蔡邕不得已，赴京報到，即被任命為國子監祭酒；隨即推舉為高第，遞補為侍御史；又轉任持書御史，升遷為尚書；所謂「三日之間，周歷三臺」，蔡邕學術地位之崇高，學識受敬重之程度，可見一斑。其後遷任巴郡太守，復留在朝中為侍中。在此之際，蔡邕作〈巴郡太守謝版〉曰：

> 臣尚書邕，……臣猥以愚闇，盜竊明時，周旋三臺，充

> 列機衡。出入省闥，登踏丹墀，承隨同位，與在行列，以受酒禮嘉幣之賜。詔書前後，賜石鏡奩，《禮經》素字、《尚書章句》、《白虎奏議》合成二百一十二卷。

蔡邕謝版稱受賜「《禮經》素字」、《尚書章句》、《白虎奏議》三書，合成二百一十二卷。此乃白虎觀會議結束後百餘年間（79-189），首次有文獻提及白虎觀會議相關卷帙文獻，如此突兀，豈不啟人疑竇？究竟蔡邕所言「白虎奏議」所指為何？蔡邕與《白虎通》之關係又如何？

一、蔡邕與《白虎通》關係

一，從發生時間而言：章帝詔開白虎觀會議之宗旨，乃「欲使諸儒共正經義，頗令學者得以自助」。然而，自會議結束至蔡邕作〈巴郡太守謝版〉為止，百餘年間，當時碩士鴻儒未嘗聞問「白虎奏議」，洪業曾經斷言：「所以不僅許慎馬融不能得其書而讀之，且蔡邕鄭玄並不曾舉引也。」若會議之後，果真有纂集任何卷帙文獻，則理應即時刊立，公諸於世，不該如此沒沒無聞，導致後世史書目錄，記載會議卷帙名稱參差不齊？若會議之後，並無任何具體卷帙流傳，則蔡邕〈巴郡太守謝版〉所言百餘卷之「白虎奏議」，所指為何？

二，從發生地點而言：東觀乃漢代國家圖書文獻庋藏之處，圖書文獻盡收於此，方便檢索，亦是學者著作之處。稍早於蔡邕，東漢另一位著名經學家馬融（79-166），「才高博洽，為世通儒」，自安帝永初四年（110）即校書東觀，其後留滯東觀十年不得調；最後，在桓帝時（146-167），「復拜議郎，重在東觀著述，以病去官。」可見馬融終其一生，其學術成就與東觀關係密切。若「白虎奏議」果在東觀，則馬融何以亦「不能得其書而讀之」？且校書東觀者，不只一人，蔡邕何以能在中平六年（189），獲賜百年間無人聞問之「白虎奏議」？

三，從卷帙數量而言：依莊述祖考據，蔡邕〈巴郡太守謝版〉「白虎奏議」應有百卷以上，其「卷」之計量單位，與《白虎通》四十三篇之「篇」之意義單位，不可相提並論，更不可遽然分判為兩種。

四，從文本性質而言：若白虎觀會議果有會議卷帙，此卷帙經蔡邕獲賜，名曰「白虎奏議」，且此卷帙即是元大德本《白虎通》，則《白虎通》理應與白虎觀會議事跡相應。然而，《白虎通》卷帙體例不類《石渠禮論》；講論《五經》同異，卻摻雜讖記之文；史書記載白虎觀會議事跡者詳、會議卷帙者略，後世學者凡引《白虎通》卷帙文本，對照白虎觀會議事跡，必然發生諸多不相應問題。種種跡象顯示，《白虎通》卷帙文本與白虎觀會議事跡緣起違逆不合。

二、蔡邕與《漢禮》關係

一，就發生時間而言：《後漢書》記載白虎觀會議（79）事跡者詳，記載會議卷帙則三次異稱，語焉不詳；而章帝敕命曹褒制作《漢禮》（87），其書一百五十篇，寫以二尺四寸簡，以「奏議」形式上奏章帝，事跡與卷帙具體且詳實。雖然《漢禮》不行，藏諸東觀，事隔14年，張奮於永元十三年（101）

上疏和帝，薦請推行《漢禮》，顯示《漢禮》保存完善，並且從未離開東觀。

二，就發生地點而言：章帝命曹褒改定禮制，曹褒即在東觀盡心集作《漢禮》，《漢禮》始終留置東觀。至靈帝建寧三年（170），蔡邕官拜郎中，繼馬融之後（166）校書東觀，熹平六年（177），蔡邕遷為議郎，與諫議大夫馬日磾等人並在東觀，校中書《五經》記傳，補續《漢記》。曹褒《漢禮》既藏諸東觀，而蔡邕亦校書東觀，蔡邕應有機會接觸《漢禮》。

三，就卷帙數量而言：莊述祖考據蔡邕〈巴郡太守謝版〉受賜「白虎奏議」，無慮百餘篇；而曹褒之《漢禮》，乃「以為百五十篇，寫以二尺四寸簡」，《漢禮》既是以竹簡而成之著作，此百五十篇之「篇」，應是計量載體材料之單位，蔡邕之「白虎奏議」與曹褒《漢禮》兩者數量相當；意即：蔡邕〈巴郡太守謝版〉中之百卷以上之「白虎奏議」，與曹褒《漢禮》之百五十篇之數量相似。

三、《漢禮》與《白虎通》關係

一，就文本性質而言：章帝敕命曹褒改定禮制，《漢禮》乃「依禮條正，使可施行」，其書即是「國憲」「法典」具體典範。白虎觀會議明為「講議《五經》」之經學會議，而諸多學者卻一致肯定，《白虎通》具有國憲法典性質，為漢制作之意圖昭然若揭。《白虎通》卷帙雖與白虎觀會議事跡不相應，卻與曹褒制作《漢禮》之宗旨不謀而合。

二，就體製形式而言：曹褒所制《漢禮》，乃是以「奏議」

形式上奏章帝，與蔡邕獲賜之「白虎奏議」形式類似。

三，就篇目結構而言：曹褒《漢禮》以叔孫通《漢儀》十二篇為底本，全書「依禮條正」，「次序禮事」，「撰次天子至於庶人冠婚吉凶終始制度」；反觀《白虎通》之〈爵〉、〈號〉以至〈喪服〉、〈崩薨〉等四十三篇，篇目名稱與各篇內容相應，全書是「一部粗具規模的組織法」，《漢禮》與《白虎通》二種卷帙，篇目結構如出一轍。

四，就讖記條文而言：曹褒之父曹充，不僅是禮經博士，同時熟稔圖讖，曾以圖讖說明帝王改制禮樂之道；元和二年（85）章帝詔書全引讖記之文；至曹褒制作《漢禮》，「依準舊典，雜以《五經》讖記之文」，曹褒之《漢禮》引述讖記之文，不僅繼承家學、克紹箕裘，而且與章帝詔書精神呼應，深得章帝心意。反觀《白虎通》摻雜讖記之文三十一條，明顯違背章帝詔開白虎觀會議宗旨，卻與《漢禮》表裡如一。

凡此諸多跡象顯示，《白虎通》卷帙與東漢白虎觀會議事跡，兩者既不倫，亦不類；反之，相較《白虎通》卷帙與曹褒《漢禮》兩者，無論是形式與內容，皆若合符節，相映成趣。因此，本書大膽假設：東漢白虎觀會議（79）之後，並未有具體卷帙文獻公諸於世，徒留白虎觀會議之名；八年後，章帝敕命曹褒制作《漢禮》（87），《漢禮》雖不行，猶藏於東觀之內，獨留《漢禮》之實；其間或有校書東觀者，錯把馮京當馬涼，將《漢禮》卷帙張冠李戴定名為「白虎奏議」，至中平六年（189）蔡邕獲賜之「白虎奏議」，即是《漢禮》，此後，蔡邕將《漢禮》卷帙以「白虎奏議」之名攜出東觀，輾轉流傳，至元代大德九年（1305），《漢禮》卷帙即以《白虎通》之名出版問世。從此世人便以元大德本《白虎通》比對史書記載會議事跡與藏書目錄，展開七百年（1305-2019）來《白虎通》之考據與研究。此論諒非無稽之言矣！

第四節　小　結

東漢章帝詔開白虎觀會議之後百年間，世人未嘗聞問會議卷帙，至蔡邕〈巴郡太守謝版〉記錄「白虎奏議」百餘卷，成為後世學者研究白虎觀會議事跡與卷帙重要線索。清代莊述祖根據蔡邕〈巴郡太守謝版〉，考據主張白虎觀會議卷帙有詳、略二本，詳本記會議全文，即稱「白虎通」；略本記會議通義，則稱「白虎通義」；元大德《白虎通》即是白虎觀會議之通義略本，故應正名為「白虎通義」。雖然莊述祖引證失當，然而，莊述祖研究《白虎通》之成果與主張，廣受後世學者肯定與引述，影響至為深遠。

元大德本《白虎通》問世距白虎觀會議逾一千二百餘年，若《白虎通》即是蔡邕所謂「白虎奏議」，且「白虎奏議」即是白虎觀會議任一形式之會議資料，則至莊述祖為止，環繞《白虎通》文本千百年之諸問題，應可迎刃而解。事實不然，莊述祖根據蔡邕證據之主張，不僅無法解釋《白虎通》與白虎觀會議不相應問題，且節外生枝，治絲益棼；其中關鍵，乃在蔡邕所言「白虎奏議」所指為何。因此，如何化解白虎觀會議事跡與《白虎通》卷帙間之不相應問題，釐清蔡邕所言「白虎奏議」者為何，是一項重要關鍵與契機。

結 論

蔡邕盛讚石渠閣與白虎觀兩會議，「通經釋義」，建立經學會議典範，是經學發展過程之兩大事跡；皮錫瑞亦稱石渠閣與白虎觀兩會議，惟能「講經議禮」，表徵經學時代精神，擁有崇高之象徵地位。相較於石渠閣會議，白虎觀會議保存更完整會議紀錄「白虎通」，同時見證並且紀錄東漢經學活動，具體印證經學「極盛時代」，因此，「白虎通」卷帙，被視為東漢經學典範，坐擁經學史上之崇高地位與參考價值。然而，史書文獻記載白虎觀會議之事跡，具體而翔實，舉凡會議之緣起與宗旨目標、會議之時間與地點、與會人員之身份與範圍、議事規則與程序等，充分揭露會議訊息，宛如實錄。相較於會議事跡，史書文獻記載白虎觀會議之卷帙，則顯得異常簡略，不僅卷帙名稱參差、卷帙數量不計、卷帙作者亦未有定論。若白虎觀會議果真產生「白虎通」卷帙，則當時史書記載不應疏失至此，且後世史書目錄亦不致於眾說紛紜，無所適從。

白虎觀會議事跡距今已逾一千九百年，元大德本《白虎通》卷帙問世不過七百年，會議事跡與卷帙兩者相距逾一千二百年，除會議後百餘年蔡邕始得「白虎議奏」之外，東漢至元代一千二百年間，未有目睹記載會議卷帙全文者。若白虎觀會議產生會議卷帙，且蔡邕所得即是白虎觀會議卷帙，則不應百餘年間無人聞問「白虎通」，而獨厚蔡邕一人？且蔡邕之後一千二百年間之史書目錄記載卷帙名稱、作者與篇卷數依然參差不齊？並且，若元大德本《白虎通》即是白虎觀會議之卷帙，則後世學者依《白虎通》卷帙覆覈白虎觀會議事跡，理應水到渠成，卷帙與事跡若合符節。實則，元大德本《白虎通》問世七百年來，不僅未能化解千年經學疑慮，甚至以《白虎通》為白虎觀會議卷帙為前提之考據與假設，其研究成果多留有商榷餘地，而且種種假設與主張，引發更多爭議，治絲益棼。

莊述祖依蔡邕〈巴郡太守謝版〉考據，以為「白虎議奏」有百餘卷，而今本《白虎通》只有四十三篇，蔡邕〈巴郡太守謝版〉與《白虎通》必不相同；《白虎通》既是白虎觀會議卷帙，而「白虎議奏」卷數多於《白虎通》，因此，莊述祖推論：白虎觀會議應有兩種卷帙，其一是全本「白虎議奏」百餘篇，其二是略本《白虎通》四十三篇。百餘篇之「白虎議奏」是會議全文，名曰「白虎通」；而四十三篇之《白虎通》，既是會議「通義」之略本，即應正名為「白虎通義」。莊述祖考據「白虎議奏」必在百篇以上，是項重大發見與線索；然而，，莊述祖將「白虎議奏」之「卷」，等同於「篇」，進而將百餘篇「白虎議奏」視為白虎觀會議全本，而四十三篇之《白虎通》轉變為略本，勉強承認白虎觀會議有全、略兩本卷帙，節外生枝。其次，莊述祖考據文獻與主張，突顯白虎觀會議事跡與卷帙間諸多不相應問題，擴大後世學者研究《白虎通》之格局與視域，是研究《白虎通》過程中一項重大發見；然而莊述祖試圖以「正名」手段解決白虎觀會議事跡與卷帙間之不相應問題，則是引喻失當，並且直接影響後世學者對《白虎通》之解讀與判斷，干擾研究與考據《白虎通》進程。

孫詒讓深受莊述祖影響，主張《白虎通》應正名為「白虎通義」，但是所持理由與莊述祖不同。孫詒讓一方面肯定莊述祖之考據，以為「白虎議奏」與今本《白虎通》不同，同時質疑白虎觀會議有「議奏」與「通義」兩種卷帙。孫詒讓推論，白虎觀會議既是有意模仿石渠閣會議，則白虎觀會議之卷帙必應與石渠閣會議卷帙體例一致；西漢石渠閣會議有「專論一經之書」與「雜論《五經》之書」之卷帙體例，則白虎觀會議之卷帙必應如是；因此，孫詒讓推論：白虎觀會議卷帙全編，即是蔡邕〈巴郡太守謝版〉所稱之「白虎議奏」，百餘卷之「白虎議奏」即是「白虎通」，自晉宋以後漸至散佚；而白虎觀會議中，專論一經之書已經亡失殆盡，目前僅存「雜議《五經》」之「通義」，即是今本《白虎通》。孫詒讓既深信《白虎通》是白虎觀會議之卷帙，且《白虎通》是雜議《五經》之通義文獻，則《白虎通》理應正名為「白虎通義」，如此則能保全白虎觀會議卷帙之身分，同時避免與會議卷帙全編之「白虎通」同名。雖然孫詒讓否定莊述祖之主張，反對「議奏」之外，別有「通義」之論，然而，孫詒讓沿用莊述祖之考據，以為蔡邕之時有百餘篇之「白虎議奏」，則又失之不察；並且，孫詒讓主張白虎觀會議有專論一經與雜議《五經》兩類卷帙，則又是節外生枝，徒增困擾。

劉師培追隨莊、孫兩氏，同意《白虎通》應正名為「白虎通義」，但其所持理據與兩氏完全迥異。劉師培推論，會議所有呈奏章帝之卷帙，稱為「議奏」，爾後章帝依「議奏」內容評騭裁准，史臣依章帝「稱制臨決」之結果，要刪「議奏」而成「白虎通義」。因此，白虎觀會議有全詳之「議奏」與約略之「通義」兩種卷帙：「議奏」即會議全文，賜蔡邕後而亡佚；「通義」，既「以禮名為綱」，「不以經義為區」，「議奏」與「通義」在體例上必有所別，故《白虎通》卷帙性質與白虎觀會議「講議《五經》同異」之宗旨迥異。劉師培雖然揭示白虎觀會議事跡與《白虎通》卷帙兩者間諸多不相應問題，卻仍極力綰合會議事跡與《白虎通》卷帙兩者之關係；其中癥結，乃在於劉師培堅信《白虎通》即是白虎觀會議之卷帙。劉師培為化解白虎觀會議事跡與《白虎通》卷帙兩者間之不相應問題，最後被迫承認白虎觀會議有全詳與約略兩種卷帙，並且主張正名《白虎通》為「白虎通義」；因此，劉師培正名《白虎通》，只是迴避事跡與卷帙兩者間之不相應問題之手段與託辭，劉師培正名主張，其實重蹈莊述祖之覆轍。

洪業分別駁斥周廣業、莊述祖與孫詒讓三人之考據主張，大膽質疑《白虎通》：「疑其書非班固所撰」、「疑其非章帝所稱制臨決者」、「疑其為三國時作品」；並且假設「好事者」，用「白虎議奏」之材料，撮合經緯注釋而成「白虎通義」，並將「白虎通義」附會而歸之於班固之名。洪業考據主張，確實突破傳統舊說，開創研究《白虎通》之嶄新格局，然而，洪業既無法解釋會議後百餘年間無人聞問會議卷帙之疑竇，考據《白虎通》鈔襲宋衷之說，仍有諸多商榷餘地；至於洪業假設有「好事者」「用其材料，更撮合經緯注釋」而成《白虎通》，流於主觀臆測與想像。洪業縱使發現《白虎通》卷帙之諸多疑點，並且試圖尋求解答，然而，洪業終究堅信《白虎通》乃是白虎觀會議之產物，因此無法合理解答自己所發現之竇貴問題，而考據《白虎通》鈔襲宋衷之說，多屬徒勞。

林聰舜不循莊述祖以來之「正名」手法，亦不執著於《白虎通》之名稱為何，只堅持把握《白虎通》是「章帝親自主持、裁決的經學會議所得結論編撰而成之總結」即可。因此，林聰舜宣稱《白虎通》是政治權力運作下之產物，是章帝利用政治權力介入儒學，透過儒學解釋權所建立之帝國意識形態，《白虎通》適足以扮演漢代帝國「國憲」之思想基礎。然而，白虎觀會議「通經釋義」之宗旨，與制定國憲法典無關，《白虎通》卷帙之國憲性質與白虎觀會議事跡之宗旨不相應；其次，章帝既反對以「宜廣招集，共議得失」之方式改定禮制，豈肯大費週章為改定禮制而詔開經學會議，再不厭其煩以經學會議所得結論，做為八年後制定國憲之思想基礎？再者，章帝敕命與曹褒纂修《漢禮》，從未提及白虎觀會議事跡與卷帙，則《白虎通》「如何具體扮演帝國意識形態核心的角色」？最後，白虎觀會議緣起於《五經》章句煩多，議欲減省，《白虎通》卷帙卻增加非關經學章句之文獻與讖緯條文？林聰舜雖以《白虎通》卷帙佐證東漢「國憲」規模，並且以《白虎通》論證東漢「經學理想」、「帝國統治」、「儒者利益」，及三者間「互相依賴又互相牽制」之關係，形成一套儒學服務於政治之社會學論述；然而，林聰舜所引證之史料文獻與《白虎通》卷帙之關係，多屬牽強，為化解《白虎通》卷帙與白虎觀會事跡不相應問題所提種種假設，反而衍生更多癥結與矛盾。

回顧比對白虎觀會議事跡與《白虎通》卷帙之歷史紀錄，《後漢書》記載會議事跡者詳，卷帙者略，不僅卷帙名稱不一致，甚至卷帙之有無、存佚，亦語焉不詳，導致後世傳抄登錄，無所適從，徒增困擾。《隋志》記載卷帙稱呼「白虎通」，並且將「白虎通」歸屬於「經部」書目，後繼之史書與藏書目錄，遵循《隋志》之慣例，將「白虎通」歸入「經部」之「論語類」或「經解類」。至明代張萱《內閣藏書目錄》，一改《隋志》傳統，將「白虎通」歸入「雜部」；至清代《四庫總目》一方面肯定「白虎通義」是白虎觀經學會議之文獻資料，另一方面卻將「白虎通義」歸入「子部」「雜家類」？總目序文與書目分類已然南轅北轍、貌合神離，依然視若無睹！自元、明以降，《白虎通》卷帙原有之經學地位，蛻變為漢帝國制定國憲法典之理論基礎，而白虎觀會議原是「正經義」之經學會議，被迫轉型成為「正禮義」之制憲會議。從《隋志》到《四庫總目》等史書目錄，歸類《白虎通》之歷時觀察，《白虎通》與白虎觀會議事跡原有之密切關聯，在宋、明之際產生嚴重裂縫，其中關鍵轉折處，實與元代大德九年《白虎通》卷帙問世息息相關。

本書最後以蔡邕為焦點，質疑東漢白虎觀會議之後，並無具體或完整卷帙文獻公諸於世，如此始能說明《後漢書》記載白虎觀會議之卷帙語焉不詳，以及「所以不僅許慎馬融不能得其書而讀之，且蔡邕鄭玄並不曾舉引」之特殊現象。白虎觀會議八年後，章帝敕命曹褒制作《漢禮》，《漢禮》雖不行，猶庋藏於東觀之內；其間或有校書東觀者，錯把馮京當馬涼，將「以為百五十篇，寫以二尺四寸簡」之《漢禮》，張冠李戴定名為「白虎奏議」，至中平六年，蔡邕獲賜之「白虎奏議」，即是《漢禮》，此後，曹褒之《漢禮》得以「白虎奏議」之名被蔡邕攜出東觀，輾轉流傳，至元代大德九年，《漢禮》卷帙即以《白虎通》之名出版流行。此後世人便以元大德本《白虎通》比對史書記載會議事跡與藏書目錄，展開七百年來《白虎通》之考據與研究。

若元大德本《白虎通》，即是東漢白虎觀會議之任一形式之卷帙文獻，則世人對於東漢白虎觀會議及其關議題之了解與掌握，在七百年前必然水到渠成，會議事跡與會議卷帙相映成趣，並可藉由《白虎通》展開引述、考據、詮釋東漢學術諸多面向。然而，《白虎通》陡然問世，不僅無法了解白虎觀會議，甚至造成七百年來《白虎通》之考據成果，多有商榷餘地，治絲益棼。換言之，考據《白虎通》當務之急，不在如何強化彌縫《白虎通》卷帙與白虎觀會議事跡間之關係，而是重新檢視《白虎通》卷帙與白虎觀會議事跡間之不相應問題，惟有超越傳統樊籬與窠臼，劃清《白虎通》卷帙與白虎觀會議事跡界限，擺脫東漢經學之束縛，正視《白虎通》卷帙文本之類別屬性，還原《白虎通》本來名實，方能開展研究《白虎通》之嶄新領域。

徵引書目

一、傳統文獻

（漢）毛公傳，（漢）鄭玄箋，（唐）孔穎達等正義：《詩經》，臺北：藝文印書館，1997年。
（漢）鄭玄注，（唐）孔穎達等正義：《禮記》，臺北：藝文印書館，1997年。
（漢）戴聖撰，（清）洪頤煖撰集：《石渠禮論》，臺北：藝文印書館，1970年。
（晉）杜預注，（唐）孔穎達等正義：《左傳》，臺北：藝文印書館，1997年。
（漢）司馬遷撰，（劉宋）裴駰集解：《史記》，臺北：藝文印書館，1973年。
（漢）班固撰，（唐）顏師古注：《漢書》，臺北：宏業書局，1992年。
（漢）班固：《白虎通》，臺北：藝文印書館，1969年。
（清）陳立：《白虎通疏證》，臺北：廣文書局，1987年。
燕京大學圖書館引得編纂處編：《白虎通引得》，北京：燕京大學圖書館引得編纂處，1931年。

（清）陳立撰，吳則虞點校：《白虎通疏證》，北京：中華書局，1994年。
（漢）王充撰，蔡鎮楚注譯，周鳳五校閱：《新譯論衡讀本》，臺北：三民書局，1997年。
（漢）劉珍：《東觀漢記》，臺北：藝文印書館，1970年。
（漢）許慎：《說文解字》，臺北：黎明文化事業，1989年。
（漢）蔡邕：《蔡中郎集》，臺北：中華書局，1965年。
（漢）蔡邕：《蔡中郎文集》，臺北：藝文印書館，1968年。
（漢）蔡邕撰，（清）陸心源校：《蔡中郎文集》，臺北：臺灣商務印書館，1965年。
（漢）荀悅：《申鑒》，臺北：藝文印書館，1966年。
撰人不詳：《三輔黃圖》，臺北：藝文印書館，1970年。
（劉宋）范曄撰，（唐）李賢等注：《後漢書》，北京：中華書局，1965年。
（梁）沈約：《宋書》，臺北：鼎文書局，1975年。
（梁）蕭子顯：《南齊書》，臺北：鼎文書局，1978年。
（梁）蕭統編，（唐）李善注：《文選》，臺北：華正書局，1987年。
嚴可均輯：《全上古三代秦漢三國六朝文》，上海：上海古籍出版社，2002年。
（唐）魏徵：《隋書》，臺北：鼎文書局，1976年。
（唐）杜佑撰，王文錦等點校：《通典》，北京：中華書局，1992年。
（後晉）劉昫：《舊唐書》，臺北：鼎文書局，1976年。
（宋）陳彭年等重修：《宋本廣韻》，臺北：黎明文化事業公司，1989年。
（宋）王堯臣等編次，（清）錢東垣等輯釋：《崇文總目》，臺北：藝文印書館，1965年。
（宋）歐陽修：《新唐書》，臺北：鼎文書局，1976年。
（宋）晁公武：《郡齋讀書志》，臺北：臺灣商務印書館，1968年。
（宋）鄭樵：《通志》，臺北：新興書局，1962年。
（宋）陳振孫：《直齋書錄解題》，臺北：藝文印書館，1965年。
（宋）章如愚：《羣書考索》，臺北：新興書局，1971年。
（宋）王應麟：《玉海》，揚州：廣陵書社，2003年。
（宋）王應麟撰，（清）翁元圻等注：《困學紀聞》，上海：上海古籍出版社，2008年。
（元）脫脫：《宋史》，臺北：臺灣商務印書館，1988年。
（明）胡應麟：《四部正譌》，臺北：世界書局，1979年。
（明）張萱：《內閣藏書目錄》，臺北：廣文書局，1968年。
（清）姚際恆：《古今偽書考》，北京：中華書局，1985年。
（清）紀昀：《景印文淵閣四庫全書》，臺北：臺灣商務印書館，1986年。
（清）紀昀等總纂：《四庫全書總目》，臺北：藝文印書館，1989年。
（清）黃本驥：《歷代職官表》，臺北：宏業書局，1994年。
（清）姚振宗：《隋書經籍志考證》，上海：上海古籍出版社，1995年。
（清）皮錫瑞：《經學歷史》，臺北：藝文印書館，1987年。

（清）孫詒讓撰，雪克點校：《籀廎述林》，北京：中華書局，2010年。
（清）梁啟超：《中國歷史研究法》，臺北：臺灣中華書局，1985年。
（清）劉師培：《劉申叔遺書》，南京：江蘇古籍出版社，1997年。

二、近人論著

（一）專著

于首奎：《兩漢哲學新探》，四川：四川人民出版社，1988年。
上海古籍出版社編：《緯書集成》，上海：上海古籍出版社，1994年。
王更生：《籀廎學記——孫詒讓先生之生平及其學術》，臺北：花木蘭文化出版社，2010年。
王葆玹：《今古文經學新論》，北京：中國社會科學出版社，1997年。
朱芳圃編：《孫詒讓年譜》，上海：上海書店，《民國叢書》據商務印書館1934年版影印。
任繼愈主編：《中國哲學發展史》，北京：人民出版社，1985年。
李申：《中國儒教史》，上海：上海人民出版社，1999年。
林慶彰：〈兩漢章句之學重探〉，收入《中國經學史論文選集》，臺北：文史哲出版社，1992年。

林聰舜：《漢代儒學別裁——帝國意識形態的形成與發展》，臺北：國立臺灣大學出版社，2013年。
周予同：《經學史論著選集》，上海：上海人民出版，1983年。
周德良：《白虎通暨漢禮研究》，臺北：臺灣學生書局，2007年。
洪業：〈白虎通引得序〉，收入燕京大學圖書館引得編纂處編
洪業：〈白虎通引得〉，北京：燕京大學圖書館引得編纂處，1931年。
侯外廬：《中國思想通史》，北京：人民出版社，1992年。
夏長樸：《兩漢儒學研究》，臺北：臺灣大學文史叢刊之四十八，1978年。
夏長樸：〈論漢代學術會議與漢代學術發展的關係——以石渠閣會議的召開為例〉，收入《第三屆漢代文學與思想學術研討會論文集》，臺北：政治大學中文系，2000年。
徐復觀：《中國經學史的基礎》，臺北：臺灣學生書局，1982年。
張心澂：《偽書通考》，臺北：明倫出版社，1973年。
張圍東：《宋代《崇文總目》之研究》，臺北：花木蘭出版社，2005年。
國立中央圖書館編：《國立中央圖書館善本序跋集錄》，臺北：國立中央圖書館，1993年。
勞思光：《新編中國哲學史》，臺北：三民書局，1991年。
黃復山：《東漢讖緯學新探》，臺北：臺灣學生書局，2000年。
傅偉勳：《從創造的詮釋學到大乘佛學》，臺北：東大圖書公司，1990年。

葉國良、夏長樸、李隆獻：《經學通論》，臺北：國立空中大學出版，1996年。

葉國良等：《經學通論》，臺北：大安出版社，2005年。

劉汝霖：《漢晉學術編年》，上海：上海書店，據商務印書館1935年版影印。

劉夢溪主編：《中國現代學術經典》，《洪業‧楊聯陞卷》，河北：河北教育出版社，1996年。

鄭良樹：《古籍辨偽學》，臺北：臺灣學生書局，1986年。

錢穆：《兩漢經學今古文平議》，《錢賓四先生全集》第八冊，臺北：聯經出版事業公司，1998年。

龍宇純：《韻鏡校注》，臺北：藝文印書館，1989年。

韓養民：《秦漢文化史》，臺北：里仁書局，1986年。

顧頡剛：《秦漢的方士與儒生》，臺北：里仁書局，1985年。

（二）期刊論文

王四達：〈是「經學」、「法典」還是「禮典」？——關于《白虎通義》性質的辨析〉，《孔子研究》第6期，2001年。

林麗雪：〈白虎通與讖緯〉，《孔孟月刊》第22卷第3期，1983年。

林麗雪：〈有關白虎通的著錄及校勘諸問題〉，《孔孟月刊》第25卷第4期，1986年。

孫詒讓：〈白虎通義考〉上、下，《國粹學報》第5年第2冊第55期，1909年。

陳槃：〈讖緯溯原上〉，《史語所集刊》第11本，1971年。